Robert Kress
Innsbruck
July 6, 1976

10P = DM 22

Atheismus kritisch betrachtet

Beiträge zum Atheismusproblem der Gegenwart

Herausgegeben von Emerich Coreth
und Johannes B. Lotz

Erich Wewel Verlag
München und Freiburg/Br.

ISBN 3-87904-030-3

Umschlagentwurf: Heinz Peikert, München

Vorwort

Das hier vorliegende Buch enthält, wie sein Untertitel sagt, Beiträge zum Atheismusproblem der Gegenwart. Wie dringlich es ist, zur Klärung dieses Problems beizutragen, zeigt ein Blick auf unsere Zeit des weltweit verbreiteten Atheismus. Die Aufgabe, die sich damit stellt, umfaßt ein Zweifaches, nämlich erstens das Darstellen des Atheismus und zweitens dessen kritisches Prüfen. Wenn der Obertitel des Buches das kritische Prüfen hervorhebt, so spricht sich darin die Überzeugung aus, daß kritisches Prüfen des Atheismus zu dessen Überwinden und deshalb schließlich zum Gottesglauben führt. Hierdurch soll die gängige Meinung ausgeräumt werden, der Gottesglaube halte einer kritischen Prüfung nicht stand und diese bereite daher dem Atheismus die Wege.

Was die Durchführung des vorstehend skizzierten Unternehmens angeht, so waren die Verfasser darauf bedacht, daß alle ihre Aussagen vor der Wissenschaft bestehen können, obwohl sie nicht ein wissenschaftliches Werk anstrebten. Vielmehr kam es ihnen auf eine weiteren Kreisen zugängliche Darlegung an, die in kurzer Zusammenfassung das Wesentliche bietet und doch so ausführlich bleibt, daß die Zusammenhänge einsichtig nachvollziehbar sind. Wer sich in die einzelnen Fragen weiter vertiefen will, findet in dem beigegebenen umfassenden Literaturverzeichnis eine wegweisende Hilfe.

Fügen wir einige Andeutungen zum Aufbau des Ganzen bei. Zunächst zeigen Keller und Bolkovac den praktisch gelebten Atheismus auf, der durch Auslegung seiner selbst zum theoretischen Atheismus fortschreitet. Dieser wird nach seinen verschiedenen Gestalten herausgearbeitet, wobei den vorwiegend philosophischen Ausprägungen die ausgesprochen theologischen Formen gegenübertreten. Im philosophischen Bereich wendet sich Ulrich der atheistischen Sinngebung von Nietzsche zu, geht Huber dem Atheismus im Marxismus nach, deckt Büchele die Verneinung Gottes im Namen des Menschen bei Sartre und Camus auf, untersucht Schiwy das Verhältnis von Atheismus und Strukturalismus. In theologischer Hinsicht setzt sich Marlé mit der „Gott-ist-tot"-Theologie auseinander, während Kern die Theismuskritik, die vor kurzem unter dem Schlagwort „atheistisches Christentum" aufkam, kritisch prüft. Hieran schließen sich Erörterungen, die den Atheismus vom Blickpunkt einzelner Wissenschaften her betrachten. So setzt Muck beim naturwissenschaftlichen Weltbild an, analysiert Morel mit soziologischen Methoden die moderne Industriegesellschaft, wertet Šatura die Psychologie für das Verstehen des Glaubens und des Unglaubens aus. Abschließend suchen zwei mehr systematisch philosophische Untersuchungen tiefer in den Atheismus einzudringen, indem sie ihn in das Ganze des Menschseins einordnen und so Wege zu seiner Überwindung und positiven Auswertung bahnen. Lotz unternimmt es zu klären, welche Bedeutung der vorwissenschaftlichen Gewißheit im Hinblick auf die Atheismus-Frage zukommt, während Coreth aus dem Weltverständnis die Gottesfrage entwickelt.

Durch ihr Ineinandergreifen vermitteln die Beiträge einen verhältnismäßig allseitigen und geschlossenen Gesamtdurchblick. Daß er wie alles Menschliche unvollkommen bleibt, erklärt sich daraus, daß nur diese Mitarbeiter mit ihrem jeweiligen Forschungsgebiet zur Verfügung standen.

Innsbruck und Pullach, den 31. März 1971

Die Herausgeber

Albert Keller

Theoretische Bemerkungen zum „praktischen Atheismus"

I. Praktischer Atheismus?

In seinem Gedicht *Der Ozeanflug* stellt BERT BRECHT eine Art praktischen Atheismus vor; zugleich versucht er, ihn theoretisch zu untermauern.

> „Was immer ich bin und welche Dummheiten ich glaube
> Wenn ich fliege, bin ich
> Ein wirklicher Atheist.
>
> Zehntausend Jahre lang entstand
> Wo die Wasser dunkel wurden am Himmel
> Zwischen Licht und Dämmerung unhinderbar
> Gott. Und ebenso
> Über den Gebirgen, woher das Eis kam
> Sichteten die Unwissenden
> Unbelehrbar Gott, und ebenso
> In den Wüsten kam er im Sandsturm, und
> In den Städten wurde er erzeugt von der Unordnung
> Der Menschenklassen, weil es zweierlei Menschen gibt
> Ausbeutung und Unkenntnis, aber
> Die Revolution liquidiert ihn. Aber
> Baut Straßen durch das Gebirge, dann verschwindet er
> Flüsse vertreiben ihn aus der Wüste. Das Licht
> Zeigt Leere und
> Verscheucht ihn sofort.
>
> Darum beteiligt Euch
> An der Bekämpfung des Primitiven

An der Liquidierung des Jenseits und
Der Verscheuchung jedweden Gottes, wo
Immer er auftaucht.

Unter den schärferen Mikroskopen
Fällt er.
Es vertreiben ihn
Die verbesserten Apparate aus der Luft.
Die Reinigung der Städte
Die Vernichtung des Elends
Machen ihn verschwinden und
Jagen ihn zurück in das erste Jahrtausend."[1]

Man versteht unter *„praktischem Atheismus"* gemeinhin eine
Lebensform, die sich in ihrem Verhalten und Handeln nicht um
Gott kümmert, die aber anscheinend vereinbar ist mit einem theoretischen Theismus, und zwar nicht nur mit einem bloß äußerlichen, nominellen Bekenntnis zu einem Gott, den man in seinen
Überlegungen nicht ernstlich annimmt, sondern auch mit einem
Gottesglauben, zu dem man gedanklich steht, ohne ihn praktisch
wirksam werden zu lassen. Gott wird also nach außen oder auch
vor dem eigenen Denken nicht geleugnet, für das Handeln bleibt
diese Haltung jedoch ohne Einfluß, handelnd ist man „wirklicher
Atheist". Man könnte auch in Umkehrung der Rede vom „anonymen Christen" in diesem Fall von „anonymen Atheisten"
sprechen.

1. Diesen anonymen Atheismus nun scheint Bert Brecht anzu-
zielen, wenn er behauptet: „Welche Dummheiten ich glaube: wenn
ich fliege, bin ich ein wirklicher Atheist." Stimmt diese Behauptung aber, sind wir dann nicht alle wirkliche, wenn auch anonyme
Atheisten? Sie ist doch wohl so zu verstehen: Ich mag noch so
überzeugt an Gott glauben, wenn ich fliege, verantwortlicher Pilot
bin, spielt das für mein *praktisches Verhalten* keine Rolle. Ich
tue das gleiche, schalte, steuere, beobachte und entscheide genauso
wie ein Atheist. In meine Überlegungen, insoweit sie meine Hand-

1. B. BRECHT, *Werke*, Frankfurt/M. 1967, Bd. 2, S. 576 f.

griffe als Flieger bestimmen, wird Gott nicht einbezogen; käme er in meinen Kalkulationen, nach denen allein ich meine Flugmanöver ausrichte, als Faktor vor, wäre ich ein schlechter, ja verantwortungsloser Pilot.

2. Das gleiche gilt für den *Forscher*. Wer den Sandsturm in der Wüste, das Eis im Gebirge, überhaupt irgendeine Naturerscheinung mit Gott erklärt, ist als Wissenschaftler nicht ernst zu nehmen, weil man mit Gott alles erklären kann — und was alles erklärt, erklärt nichts. Wenn nämlich ein Sachverhalt ebensogut das Ereignis A wie das Ereignis B zur Folge haben kann, kann er nicht zur Erklärung angeführt werden, wenn ich frage, warum nun gerade das Ereignis A eingetreten sei. Aus diesem Grund kann kein einzelnes innerweltliches Vorkommnis einfach mit Gott erklärt werden, weil man mit Gott ebensogut dessen Gegenteil oder Nichtvorkommen begründen, also ebensowenig erklären könnte. Gott darf demnach von der die Welt erklärenden Wissenschaft ebensowenig als Faktor in Rechnung gestellt werden wie von dem die Welt gestaltenden Handeln. Sonst ist er nur eine Chiffre für meine Unwissenheit oder Unfähigkeit, und von einem solchen Gott gilt: „Unter den schärferen Mikroskopen fällt er. Es vertreiben ihn die verbesserten Apparate aus der Luft." Soweit hat Brecht recht. Es fragt sich nur, ob er dann nicht auch mit der Folgerung recht hätte, die er hier wohl zöge: „Immer wenn ich forsche, bin ich wirklicher Atheist?"

3. Diese Frage wird um so drängender, als sich noch einmal ähnliche Überlegungen für den dritten Bereich anstellen lassen, den Brecht nennt, das *zwischenmenschliche Verhalten*. Denn hier wären wir doch am wenigsten geneigt, der Behauptung zuzustimmen: „Immer wenn ich den Mitmenschen liebe, bin ich wirklicher Atheist." Ist aber nicht dennoch, wenn sich diese Liebe in tätiger Hilfe für die Menschen erweisen soll, ganz ebenso wie in Weltgestaltung und Wissenschaft zu fordern, Gott müsse bei den Überlegungen, wie diese Hilfe zu bewerkstelligen sei, ebenso aus dem Spiel bleiben wie beim Hilfeleisten selbst? Denn wozu sollte er dienen?

Wenn in Frage steht, ob für diese Hilfe gesellschaftliche Strukturen geändert werden müßten, kann ich Gott weder für deren Verteidigung noch für ihre Beseitigung anführen, denn — ob nun Gott angenommen wird oder nicht — gefordert ist allein „die Vernichtung des Elends". Wo und wie den Menschen zu helfen ist, darüber sagt mir die Annahme Gottes nichts; das muß ich ebenso festzustellen suchen wie ein Atheist. Und die Hilfe ausführen ebenso. Dafür brauche ich Gott nicht zu akzeptieren. Ich könnte ihn höchstens gebrauchen, um zu trösten, wo ich nicht mehr helfen kann — wenn nicht gar, um zu vertrösten, wo ich nicht helfen mag. Aber was ist damit geholfen? Im günstigsten Fall diente er dann als Opium, das Elend weniger spürbar zu machen, das aber eben dadurch auch die Kräfte zu dessen Beseitigung einschläferte. Und wenn der Schmerz nur groß genug ist, versagt die Tröstung doch. Oder er könnte dazu dienen, meine Hilfe zu motivieren. Seinetwegen hülfe ich dann Menschen, die mir sonst gleichgültig wären. Aber bleiben sie mir nicht im Grunde gleichgültig, wenn ich bloß seinetwegen helfe? Bin ich nicht auch da der schlechtere Helfer, wenn ich Gott in Rechnung stelle? Also gilt doch: „Immer wenn ich richtig helfe, bin ich wirklicher Atheist?"

Wenn man — was mißverständlich ist — mit Atheismus auch jene Einstellung bezeichnen will, die auf der Überzeugung beruht, alles Wissen und Handeln, das sich auf innerweltliche Gesetzlichkeiten bezieht und darin aufgeht, komme nicht nur ohne Gott aus, sondern könne sogar nur dann sachgerecht sein, wenn es nicht Gott ins Spiel bringt, dann ist diese Frage vom Christentum aus zu bejahen, denn Gott ist kein Bestandteil dieser Welt, noch geht er in ihre Gesetze als bestimmender oder verändernder Faktor ein, der in Rechnung gesetzt werden müßte. Er darf es nicht, nimmt man die Technik, die Wissenschaft und das soziale Verhalten ernst, und er darf es erst recht nicht, nimmt man ihn selbst ernst. Daß deshalb zum Beispiel die Wissenschaft im angegebenen Sinn a-theistisch sein muß, hat KARL RAHNER schon vor geraumer Zeit festgestellt. Und manche Christen, die sich sehr modern dünken, wenn sie von Gott als einer „Arbeitshypothese" für sie reden, begreifen zu wenig, daß sie zumindest seit gut anderthalb Jahrhunderten überholt sind, da LAPLACE auf Napoleons Frage, wo denn in seiner „Himmelsmechanik" Platz für Gott sei, die berühmte und im Namen der Wissenschaft und des Christentums zu begrüßende Antwort gab: „Sire, in meinem System brauche ich diese Hypothese nicht!" Es wäre wohl an der Zeit, daß sich die Einsicht durchsetzte, daß Gott nicht als Lückenbüßer für menschliche Unwissenheit und Unfähigkeit in Anspruch genommen werden darf. Dafür ist er nicht „brauchbar". Und wenn die Weigerung, Gott für derartige innerweltliche Aufgaben zu gebrauchen, zu Recht Atheismus genannt würde, könnten wir uns auf namhafte und ohne Zweifel nicht nur nominelle Christen berufen, die diese Art Atheismus praktizierten und sogar propagierten.

Nur zwei, ihrer Zeit und Umgebung nach doch recht verschiedene seien genannt: DIETRICH BONHOEFFER und IGNATIUS VON LOYOLA. Der erste schreibt 1944 aus dem Gefängnis Berlin-Tegel: „Wir können nicht redlich sein, ohne zu erkennen, daß wir in der Welt leben müssen — ‚etsi deus non daretur'. Und eben dies erkennen wir — vor Gott! . . . Der Gott, der uns in der Welt leben läßt ohne die Arbeitshypothese Gott, ist der Gott, vor dem wir dauernd stehen. Vor und mit Gott leben wir ohne Gott."[2] Und von Ignatius ist uns der Satz überliefert: „Dies soll die Norm für unser Handeln sein: Wir müssen so auf Gott vertrauen, als ob alle menschlichen Mittel nichts vermöchten; dennoch alle menschlichen Mittel mit solcher Umsicht und Tatkraft anwenden, als ob aller Erfolg allein davon abhinge."[3]

Leben, „etsi deus non daretur", handeln, als ob aller Erfolg allein von mir abhinge — das heißt doch auch: fliegen, forschen, helfen ohne Rekurs auf Gott. Also hat Bert Brecht recht und mit ihm eine gewisse kommunistisch-atheistische Propaganda, etwa

---

2. D. BONHOEFFER, Auswahl, hg. von R. Grunow, München 1964, S. 590.
3. Dies ist die gebräuchliche Version (ähnlich z. B. O. PIES, Im Herrn, Freiburg ⁵1952, S. 502); vgl. aber K.-H. CRUMBACH, Ein ignatianisches Wort als Frage an unseren Glauben, in: Geist und Leben 42 (1969) S. 321—328.

in dem vor Jahren in der DDR eingeführten und zur Vorbereitung der Jugendweihe benutzten Buch *Weltall — Erde — Mensch*, mit der Behauptung: „Was immer ich glaube, immer wenn ich praktisch handle, bin ich wirklicher Atheist?" Haben wir nicht selbst am Eingang dieses Artikels festgestellt, praktischer Atheismus sei die Haltung, die zwar vielleicht theoretisch an Gott glaubt, sich aber in ihrem Handeln nicht um ihn kümmert? Und ist nicht gerade das die Haltung, die dann für die Wissenschaft und das praktische Umgehen mit der Welt und den Mitmenschen gefordert wurde? Also wären wir praktische Atheisten, müßten es sogar sein — oder wie unterscheidet sich die dargestellte Einstellung vom praktischen Atheismus?

Die Antwort, daß der Christ diese Haltung eben „von Gott" und „mit Gott" (Bonhoeffer) oder „ganz auf Gott vertrauend" (Ignatius) leben müsse, scheint nicht zu genügen, denn sie verlangt anscheinend nur ein theoretisches Engagement, während das praktische Verhalten gott-los sein kann, ja soll: also doch das, was man unter praktischem Atheismus versteht?

II. Kein „praktischer Atheismus"!

1. Mir scheint, hier ist zunächst das Verständnis von *„praktischem Atheismus"* zu klären. Wenn man damit wirklich nur meinte, daß im äußeren Verhalten, in Technik, Wissenschaft und aktiver Mitmenschlichkeit, nicht eindeutig ablesbar ist, ob ein Mensch an Gott glaubt oder nicht, ja daß ein Christ auch bei intensivstem Glauben in sein innerweltliches praktisches Tun keine Komponente einbringt, die nur aus diesem Glauben zu erklären wäre, dann allerdings wäre jeder Christ praktischer Atheist, müßte es zumindest sein, wenn er sein Christentum recht begreift.

Aber mit praktischem Atheismus meint man im allgemeinen Verständnis gar nicht diese angegebene Haltung, sondern eine, die zur Vermutung Anlaß gibt, es liege gar kein Gottesglaube vor; den Menschen nenne ich praktischen Atheisten, der nach außen hin ein Leben führt, wie er es nicht vermöchte, wenn er an Gott wirklich glaubte und zugleich vor sich ehrlich wäre.

Gerade das aber ist bei der geschilderten Haltung nicht der Fall. Daraus, daß sich einer innerweltlich sachgerecht verhält, kann ich in keiner Weise schließen, er glaube nicht an Gott. Nur der kann — und das ist offenbar der Fehler Brechts und aller ihm hierin Folgenden — vermuten, ein Mensch, der sich in seinem innerweltlichen Handeln und Forschen allein nach innerweltlichen Gesetzen richtet, könne nicht ernstlich an Gott glauben, der ein falsches Gottesbild hat, wonach Gott, wenn er nicht gar selbst als Bestandteil der Welt gefaßt wird, doch feststellbar in sie eingreift, indem er Anweisungen gibt und Wirkungen produziert, die natürlicherweise nicht aufträten — und das noch so, daß man damit rechnen könnte. Ein solcher „deus ex machina" aber ist der Gott nicht, den der christliche Glaube bekennt, wenn auch zuzugeben ist, daß für nicht wenige Christen von Gott erwartet wird, er müsse „oberster Nothelfer" sein, dort einspringen, wo der Mensch versagt, zumindest, wie Bonhoeffer sagt, „bleiben [für eine derartige Auffassung] die sogenannten ‚letzten Fragen' — Tod, Schuld —, auf die nur ‚Gott' eine Antwort geben kann und um derentwillen man Gott und die Kirche und den Pfarrer braucht" [4]. Den Gott aber, den Bonhoeffer und Ignatius meinen, den, wie mir scheint, Christus verkündigt hat, braucht man nicht, um mit der Welt fertig zu werden und in ihr zurechtzukommen.

Weil die Legitimität des Atheismus stets davon abhängt, welcher Gott in ihm abgelehnt wird, kann es anscheinend einen mit dem echten Theismus verbundenen legitimen „Atheismus" geben. Und die Art von „Atheismus", die Brecht offensichtlich meint, die jedoch keineswegs — und das übersieht er — verbunden sein muß mit der Ablehnung eines echten Theismus, kann, ja muß der Sache nach von einem Christen gebilligt und erstrebt werden.

2. Nun stellt sich allerdings die Frage, wie dann *überhaupt noch sinnvoll* von „praktischem Atheismus" *geredet* werden kann,

---

4. BONHOEFFER, a.a.O., S. 578.

von „anonymem Atheismus" im eingangs erwähnten Sinn, wenn die Annahme Gottes, wie ihn das Christentum versteht, ohne nachprüfbaren Einfluß auf mein innerweltliches praktisches Verhalten bleibt, da dann darin doch auch kein Anhaltspunkt für eine Vermutung zu finden ist, ich könne gar nicht ernsthaft und durchaus an Gott glauben. Zudem muß gefragt werden, ob nicht in der angebotenen Gottesauffassung mit dem Rückzug Gottes aus der Welt, der auch noch die Bastion des „letzten Nothelfers" aufgibt, zwar die Position Gottes unangreifbar geworden ist, aber auch gar niemanden mehr zum Angriff reizt, da sie *irrelevant für unser Leben in der Welt* ist; und ob darin nicht eine Spiritualisierung des Christentums angezielt ist, die ein extremes „der Glaube allein — ohne Werke" zur Folge hätte, einen Quietismus, der erst recht am irdischen Elend vorbeilebte und -tröstete, anstatt zu seiner Beseitigung anzureizen, die Welt forschend und tätig zu verändern und den Menschen sachgemäß zu helfen.

Ich stehe also vor dem *Dilemma*: entweder ich akzeptiere Gott so, daß er zumindest als Arbeitshypothese mein praktisches Verhalten beeinflußt und dann gerate ich mit dem Anspruch der Technik, Wissenschaft und Politik in Konflikt, nichts in ihrem Bereich gelten zu lassen als nach feststellbaren Gesetzen ausgerichtetes sachgerechtes Handeln; oder ich erkenne diesen Anspruch an, dann muß mein Gottesglaube ohne Bedeutung für mein praktisches Leben in der Welt bleiben.

Aus diesem Dilemma gibt es, scheint mir, keinen Ausweg, solange ich mich im Schema des heutigen Dualismus „Theorie—Praxis" bewege, der nur diese zwei Elemente kennt, mag er auch ihre wechselseitige Bedingtheit lehren.

3. Der *Praxisbegriff des Aristoteles* mag hier helfen. Das, was im heutigen Verständnis und auch im bisherigen Text mit Praxis bezeichnet wird, nennt er *poiesis*. Man übersetzt es meist mit „Hervorbringen". Es ist Gegenstand der „techne". Ihm steht nicht nur die „theoria" gegenüber, der Bereich der Wissenschaft, sondern auch das, was Aristoteles *„praxis"* nennt, ist, wie er sagt, von ganz anderer Art. Ihr zugeordnet ist die phronesis, die Klugheit

oder sittliche Einsicht. Von ihr schreibt er in der *Nikomachischen Ethik*, sie gehe auf den Wert oder Nutzen für die menschliche Person, und zwar nicht im speziellen Sinn, zum Beispiel auf Mittel und Wege zur Gesundheit — das wäre Aufgabe der „techne" —, sondern in dem umfassenden Sinn: auf Mittel und Wege zum guten und glücklichen Leben. Und er schließt: „Es bleibt also nur, daß sie (die phronesis) eine auf richtige Vernunft gegründete Haltung des Handelns sei im Bezug auf das, was für den Menschen gut oder schlecht ist. Das Hervorbringen (die ‚poiesis') hat ein Ziel außerhalb seiner selbst, das Handeln (die ‚praxis') nicht. Denn das gute Handeln ist selbst Ziel."[5]

Eine derartige Erkenntnis, daß es neben dem „technischen" Verhalten im weitesten Sinn, bei dem das Ziel der Tätigkeit außerhalb ihrer selbst liegt, bei dem eine Handlung ganz von ihrer Effektivität, ihren Folgen her beurteilt wird, sie also sachgerecht, nämlich zweckdienlich sein muß, weil es ihr darauf ankommt, etwas in der Welt zu verändern — daß es neben oder besser hinter dieser Art Aktivität noch eine andere gibt, eine aktive Einstellung des Menschen, die ihn im umfassenden Sinn gut oder schlecht, glücklich oder elend macht, ohne daß es dabei auf den äußeren Erfolg ankäme, diese Einsicht ist keineswegs Aristoteles vorbehalten oder dem, was man gemeinhin „klassische Philosophie" nennt. Das mag ein Text von WITTGENSTEIN belegen: „Der erste Gedanke bei der Aufstellung eines ethischen Gesetzes von der Form ‚du sollst . . .' ist: Und was dann, wenn ich es nicht tue? Es ist aber klar, daß die Ethik nichts mit Strafe und Lohn im gewöhnlichen Sinne zu tun hat. Also muß diese Frage nach den *Folgen* einer Handlung belanglos sein. — Zum mindesten dürfen diese Folgen nicht Ereignisse sein. Denn etwas muß doch an jener Fragestellung richtig sein. Es muß zwar eine Art von ethischem Lohn und ethischer Strafe geben, aber diese müssen in der Handlung selbst liegen. (Und das ist auch klar, daß der Lohn etwas Angenehmes, die Strafe etwas Unangenehmes sein muß.)" — Und: „Wenn das gute

5. ARISTOTELES, *Nikomachische Ethik*, VI, 5 (1140 b 4–7).

oder böse Wollen die Welt ändert, so kann es nur die Grenzen der Welt ändern, nicht die Tatsachen; nicht das, was durch die Sprache ausgedrückt werden kann.

Kurz, die Welt muß dann dadurch überhaupt eine andere werden. Sie muß sozusagen als Ganzes abnehmen oder zunehmen.

Die Welt des Glücklichen ist eine andere als die des Unglücklichen." [6]

4. Hier wird eine Schicht des menschlichen Handelns — und Seins — aufgedeckt, die zu übersehen man Brecht und mit ihm wohl den meisten Menschen — Christen oder nicht — vorwerfen kann, die sich den Sinn des Glaubens nur so vorstellen können, daß Gott als Arbeitshypothese oder sonstwie „praktisch" wirksam wird, wobei jedoch Praxis im Sinn der Aristotelischen poiesis verstanden wird oder als ein „Ändern der Tatsachen", um mit Wittgenstein zu reden. Wenn Gott da keinen Raum mehr hat, meinen sie, er sei überflüssig, und versuchen deshalb, ihm entweder darin Raum zu schaffen oder — weil das immer weniger gelingt, weil von diesem Gott immer mehr gilt: „Das Licht zeigt Leere und verscheucht ihn sofort" — geben sie Gott zuletzt auf. In der Tat scheint im *Übersehen des Unterschieds zwischen poiesis und praxis* die Wurzel dafür zu liegen, daß man so leicht von der Erfahrung, daß man in der Welt ohne Gott auskomme, dazu übergegangen ist, Gott abzuschaffen, also die Wurzel des ganzen heutigen Atheismus auch im theoretischen Sinn — ein Vorgang, wie er im angeführten Gedicht Bert Brechts augenscheinlich wird.

Dagegen ist zu sagen: Aus der Tatsache, daß Gott für technische Überlegungen unbrauchbar, als Hypothese in der welterklärenden Wissenschaft zu eliminieren, als Faktor in der Gesellschaftspolitik nur hinderlich ist, folgt nur, daß er kein Götze ist, den man, weil er als kategoriale Ursache in die Welt einginge, für dies oder jenes gebrauchen könnte. Keinesfalls jedoch folgt, daß er für den Menschen in jener Einstellung belanglos ist, die diesem „Hervorbringen" oder Bewerkstelligen in der Welt zugrunde liegt und die den

6. LUDWIG WITTGENSTEIN, *Tractatus logico-philosophicus*, Nr. 6.422 und 6.43.

Menschen „im umfassenden Sinn gut und glücklich zu machen" vermag, wie Aristoteles sagt, oder durch die — so Wittgenstein — die Welt „überhaupt eine andere" wird.

5. Ebenso wie ich auf der ersten Ebene, die wir die des praktisch-technischen Wirkens und Forschens nennen können, ohne Gott auskommen kann und muß, gerade wenn ich die rechte sittliche Einstellung zur Welt und zu Gott haben will, da das einzige der rechten Sittlichkeit entsprechende praktisch-technische Forschen und Werken das sachgerechte ist — ebenso kann und muß ich *auf der Ebene meiner persönlichen Grundentscheidung*, die nicht einfach die „innerliche" ist, da sie meine Ausrichtung auf die Welt einschließt, nämlich den ganzen Menschen betrifft, eine *Ausrichtung auf Gott* vollziehen, weil nur sie hier die „sachgerechte", nämlich persongerechte, ist.

Zwar muß in ihr Gott nicht reflex als solcher gewußt und angezielt werden, aber es bleibt bei näherem Zusehen keine Alternative zu ihm. Er ist nämlich, weil er das oder besser der Absolute, der Notwendige, das Sein schlechthin ist (um es mit philosophischen Termini zu sagen), der tragende Grund oder — wenn man will — der Horizont und somit die Möglichkeitsbedingung jeder sittlichen, das heißt verantworteten ganzmenschlichen Entscheidung, etwa auch dafür, eine Hypothese anzunehmen; er ist also keinesfalls selbst Hypothese, sondern deren Gegenteil, nämlich absolute Begründung. Somit hat PAUL TILLICH recht, wenn er sagt, „daß der, der Gott ernstlich leugnet, ihn bejaht" [7].

6. Das führt uns zu der bedenkenswerten Folgerung, daß ich zwar auf der Ebene des Praktisch-Technischen ohne Gott auskommen kann und muß, daß mir das jedoch in der ethischen Entscheidung nicht nur unerlaubt, sondern *unmöglich* ist. Das heißt, ich kann auf dieser Ebene gar nicht praktisch werden, mich total entscheiden, ohne — wenigstens anonym — Theist zu sein. Das ethische Verfehlen aber zeigt sich so als ein Zurückbleiben hinter der mir möglichen ganzheitlichen Entscheidung, als ein „Nicht-

---

7. PAUL TILLICH, *Gesammelte Werke*, Bd. VII, Stuttgart 1962, S. 14.

einholen" meiner Personmitte, als ein mir selbst in meinem Verhalten Fremdbleiben, das gerade auch in einem Sich-verlieren an praktisch-technische Aktivität bestehen kann.

Was daher RAHNER in diesem Zusammenhang von der Wissenschaft schreibt, könnte man analog vom technischen Werken und selbst von der tätigen mitmenschlichen Hilfe behaupten. In seinem Vortrag *Wissenschaft als „Konfession"?* sagt er: „Wissenschaft (die gut ist und gottgewollt) wird nur dann nicht zum Gift einer richtungslosen Alleswisserei, einer von dem Kern der Existenz abziehenden Neugierde, eines relativistischen Sich-auf-alles-einen-Vers-machen-Könnens, wenn die Wurzel des ursprünglichen unreflexen Daseinsverständnisses und -einverständnisses nicht nur nicht abgeschnitten wird, sondern im mindestens gleichen Maße tiefer in den Urgrund des Daseins hineinwächst, wie die neutralisierende Reflexivität der wissenschaftlichen Haltung in die Breite und Vielfalt des weltlich-wissenschaftlich Erfahrbaren sich zerstreuend ausbreitet."[8] Ob also das praktisch-technische Verhalten und Forschen nicht nur innerweltlich effektiv ist, sondern dem Menschen letztlich zum Heile dient, hängt davon ab, ob der Mensch sich ethisch ernsthaft engagiert.

So kann man zusammenfassen: „Praktischer Atheismus" erweist sich — genau besehen — als „contradictio in adiecto": auf der Ebene der „poiesis", der empirischen Effektivität, kann und muß ich zwar praktisch handeln, „als ob es (hier) keinen Gott gäbe", aber deshalb bin ich kein Atheist, denn es gibt tatsächlich keinen im Kategorialen vorfindlichen Gott — und auf der Ebene der Aristotelischen „praxis" kann ich zwar Atheist sein, aber nur genau in dem Maße, als ich nicht ethisch engagiert, nicht „praktisch" bin. Folglich läßt sich nun Brecht umkehren und korrigieren: „Was immer ich bin und welche Dummheiten ich glaube (und vielleicht sogar innerweltlich praktiziere) — immer wenn ich mich engagiere, bin ich wirklicher Theist!"

---

8. K. RAHNER, *Schriften zur Theologie*, Bd. III, Einsiedeln [6]1964, S. 470 f.

Paul Bolkovac

Atheist im Vollzug —
Atheist durch Interpretation

Die Formulierung ist schon zur Formel geworden: A-theist, ein Mensch ohne Gott. Das klingt so eindeutig und läßt doch Spielraum für sehr verschiedene Deutungen. Wer oder was ist überhaupt Gott: ein höheres Wesen, das höchste Wesen; irgendein Absolutes, das Absolute; etwas, und dann was; oder jemand, und dann wer? Und wann führt der Mensch ein Leben ohne Gott: wenn er in dieser oder jener Form nicht an einen Gott glaubt? Oder macht die Praxis, nicht eine Theorie, den Menschen zum Atheisten?

I. Der Maßstab

Die Antwort auf diese Fragen verlangt einen Maßstab, der zunächst ermittelt werden muß. Es gibt nicht nur einen Maßstab, weil es mehr als einen Standpunkt gibt — Standpunkt und Maßstab gehören zusammen. Für den Standpunkt eines Christen ist Christus der Maßstab. Auf ihn schauend, auf ihn hörend, macht er die Erfahrung, wer Gott eigentlich ist und wann der Mensch ein Leben mit oder ohne Gott führt.

1. Für die Position des Christen ist Christus sozusagen ein Bild, die Ikone Gottes in der Welt: die Offenbarung des Verborgenen, die Darstellung des Unzugänglichen im Medium einer Erfahrung, die Transposition des Göttlichen ins Menschliche. Was die Evangelien einmal für immer beschreibend festgehalten haben, was die Hauptfeste im Kirchenjahr Jahr für Jahr wiederholend darstellen, in der Kurzfassung eines Telegrammes steht es im christlichen Glaubensbekenntnis: pro nobis et propter nostram salutem, für

uns Menschen und zum Heil des Menschen. Weihnachten und Karfreitag, für uns Menschen und zum Heil des Menschen kam Gott zum Menschen und starb Gott für den Menschen. Ostern und Himmelfahrt, für uns Menschen und zum Heil des Menschen von den Toten auferstanden und in den Himmel aufgefahren: sein Dasein im Heil die Vision unserer Zukunft, einer Menschheit im Heil. Durch diese Taten und Tatsachen ist Christus nicht nur ein Zeuge, sondern der Bürge dafür, daß Gott ein Interesse am Menschen hat — dafür wieweit das Engagement Gottes für den Menschen geht. Partnerschaft Gottes mit dem Menschen, Engagement Gottes für den Menschen, Gott im Dienste des Menschen — als seine Ikone in der Welt zeigt Christus dieses Bild Gottes dem Menschen. Wenn wir Christen die Artikel unseres christlichen Glaubensbekenntnisses sprechen, dann artikulieren wir den Glauben an *die Liebe Gottes zum Menschen.*

2. Zu dieser Bestimmung Gottes gehört und aus ihr folgt *die Bestimmung des Menschen.* Die Folgerung zieht Christus in der Form, daß für den Menschen nicht etwas anderes wichtiger sein soll als das, was für Gott das Wichtigste ist. Diese Hauptsache schärft das Hauptgebot ein (Mt 22, 34—40): Lerne zu lieben, übe die Liebe — wobei lieben im christlichen Sinne dienen heißt, also Sorge, Verantwortung, Entscheidung im Blick auf einen Anderen, zugunsten eines Anderen. Die Verantwortung für den Menschen und die Verantwortung vor Gott gehen dabei Hand in Hand. Das zweite Gebot, die Nächstenliebe, wird dem ersten Gebot, der Gottesliebe, gleichgesetzt. Obwohl sie nicht den gleichen Rang haben, haben sie die gleiche Dringlichkeit. Gottesliebe und Nächstenliebe gehören zusammen, wenn sie auch nicht zusammenfallen. Gott dient nur, wer den Menschen liebt, der Dienst am Menschen ist Gottesdienst.

Bei seinen Hinweisen auf diesen Zusammenhang scheint Christus unter Umständen der *Nächstenliebe* sogar eine Priorität gegenüber der Gottesliebe zu geben. Nach Mt 25, 31—46 entscheiden über Gelingen oder Versagen eines Menschen im abschließenden, zusammenfassenden Urteil die „Dienste" von

Mensch zu Mensch, die er geleistet oder unterlassen hat. Hat er sie geleistet, dann hat er richtig gehandelt, gehört zu den „Gerechten" und steht zur „Rechten" des Richters, auch wenn er Gott nicht gekannt oder erkannt hat. Hat er sie nicht geleistet, dann steht er zur „Linken" des Richters, weil er den verkehrten Weg gegangen ist, und das gilt auch für den Fall, daß dieser Mensch an Gott geglaubt hat, weil „in Christus Jesus nur jener Glaube Gültigkeit hat" — bei den Menschen und vor Gott —, „der seine Energie erweist in der Liebe" (Gal 5, 6). Die scheinbare Priorität der Nächstenliebe gegenüber der Gottesliebe ist nur eine paradoxe Formulierung für den unbedingten Primat der Liebe. Wer sie hat, etwas von ihr hat, steht diesseits von Gott, wer sie nicht hat, nichts von ihr hat, steht jenseits von Gott.

3. Der unbedingte Primat der Liebe wird im christlichen Glaubensbekenntnis erkannt und anerkannt durch das dreifache Jawort zu Gott, dem Schöpfer und Vater aller Menschen, zu Jesus Christus, dem Sohne Gottes und dem Herrn, dem Heiland aller Menschen — und zum Heiligen Geist, der den Menschen, die Menschheit zum Heile führt. Nach Kierkegaard ist Liebe überhaupt nur möglich, wo es den Unterschied von Ich und Du gibt. Da *Liebe das Wesen Gottes* ist, gibt es in Gott das Ich des Vaters und das Ich des Sohnes, die voneinander unterschieden sind und einander gegenüberstehen, um miteinander und füreinander da zu sein im Vollzug der Liebe, die Du sagt und Ja sagt, in jenem Geiste, der auch Gott sozusagen erst heil macht: im Heiligen Geiste der Liebe. In seinem Eigenleben oder Innenleben existiert Gott durch Partnerschaft.

4. Dieser unbedingte Primat der Liebe in Gott gilt auch für den *Menschen*, weil Gott nach Weihnachten, Karfreitag, Ostern, Himmelfahrt einmal für immer an Pfingsten ein Zeichen gesetzt hat, daß immer und überall Gottes Geist sich jederzeit um jedermann sorgt und kümmert: nicht unwiderstehlich, aber unermüdlich die Menschwerdung des Menschen betreibend, indem er den Menschen antreibt, mit Gott zusammen die Verantwortung für den Menschen zu übernehmen, den Sinn seines Lebens im *Dienst*

für die Anderen zu finden, also die Liebe, das Leben in Partnerschaft zu lernen und zu üben.

Gott ist und bleibt im Bunde mit dem Menschen. In diesem Sinne gibt es keinen Menschen ohne Gott, keinen A-theisten, weil jeder Mensch, auch der sogenannte Atheist, im Engagement Gottes ist und bleibt.

II. Atheist im Vollzug

1. Wenn Gott auch immer der Verbündete des Menschen bleibt, so ist der Mensch doch nicht immer im Bunde mit Gott. Ab wann, wie lange und wodurch wird nun der Mensch seinerseits *mit Gott verbunden* und, gebunden an Gott, zum Verbündeten des Menschen?

Sobald und solange jemand aus sich herausgeht, über sich hinauswächst und auf etwas anderes, einen Anderen zugeht, so daß er nicht nur seinen eigenen Interessen nachgeht, sondern andere, *fremde Belange wahrnimmt* im doppelten Sinne des Wortes, dann ist er durch sein Verhalten, mit einer solchen Einstellung d'accord, im Einklang mit Gott: vielleicht nur punktuell, zuweilen oder manchmal auch linear, auf jeden Fall besteht in allen diesen Fällen Übereinstimmung und Einstimmigkeit zwischen Mensch und Gott in jenem springenden Punkt, um den sich alles dreht bei Gott, mit dem alles steht oder fällt beim Menschen: nicht allein, sondern mit Anderen zusammen und für Andere zu leben.

Diesen Weg gehen nicht nur Menschen einer bestimmten Weltanschauung, sondern aus allen Weltanschauungen sind Menschen unterwegs auf diesem Weg, Christen und Nichtchristen, Glaubende und Nichtglaubende. Das Band, das sie miteinander verbindet, ist nicht eine Anschauung von der Welt, eine Weltanschauung, sondern ein gemeinsames Verhalten in der Welt und zum Menschen, das sie aneinander bindet und gleichzeitig alle zusammen mit Gott verbindet und verbündet — auch jene, die nicht wissen, unter wessen Einfluß sie stehen und von welchem Geiste sie getrieben werden, wenn sie diesen Weg gehen. In diesem Sinne wird *mancher Atheist kein Atheist* sein: jenseits von Gott in seiner Theorie, durch seine Praxis diesseits von Gott, trotz seiner Anschauung einer Welt ohne Gott durch sein Verhalten in der Welt im Bunde mit Gott.

2. Wodurch wird man, ist man überhaupt Atheist? Die Gottlosigkeit eines Menschen liegt zunächst und vor allem nicht in seiner Weltanschauung, nicht in einer Anschauung von der Welt, die Gott ausschließt. Wichtiger als die Interpretation ist der *Vollzug*. Der Vollzug macht deutlich, eindeutiger als die Interpretation, wofür oder wogegen der Mensch steht. In diesem Zentrum, nicht auf der Bewußtseinsebene, fällt primär die Entscheidung, ob und wieweit jemand ein Atheist ist. Wer durch das, was er tut, nichts tut, um das Miteinander und Füreinander der Menschen zu fördern, sondern durch sein Verhalten, seine Haltung das Gegeneinander oder auch nur gleichgültige Nebeneinander der Menschen unterstützt, geht einen Weg fern von Gott und ohne Gott. In der *Gottlosigkeit* befindet sich jeder, sobald und solange er in seinem privaten oder auch einem kollektiven *Egoismus* befangen ist und gefangen bleibt. Die Geschlossenheit, Verschlossenheit als Existential des Egoisten und das Existential Gottes, seine Öffnung nach innen und nach außen, diese beiden Existenzweisen schließen einander aus. Der Egoist ist der elementare, fundamentale, radikale Atheist.

Diese Atheisten-Egoisten gibt es *quer durch alle Weltanschauungen*, unter Nichtglaubenden und Glaubenden, unter Nichtchristen und Christen. Sogar mehr als nur das. Jeder einzelne Mensch bewegt sich als praktizierender Egoist in diesen Zonen der Gott-losigkeit. Wechselnd mit dem Vollzug, manchmal mehr, manchmal weniger, ist er Atheist — auch der Christ. Paulus bringt zwar nur einen Einzelfall, aber das Beispiel illustriert den Grundsatz und zieht die Demarkationslinie: „Wer für die Seinigen, zumal für seine Hausgenossen, nicht Sorge trägt, hat den Glauben verleugnet und ist schlimmer als ein Ungläubiger" (1 Tim 5, 8).

III. Atheist durch Interpretation

Der Mensch vollzieht sein Leben und interpretiert das Leben, er handelt und er denkt. Das Handeln als Kern der Existenz lieferte den primären Ansatz, um den Atheisten in den Blick zu bekommen. Nach dem Vollzug liegt in der *Interpretation* ein sekundärer Ansatz zur Bestimmung des Atheisten.

1. Atheist durch Interpretation ist *der Mensch einer geschlossenen Innerweltlichkeit.* Die Welt, das Leben, die Erde, die Geschichte, der Mensch, die Menschen, die Menschheit: das ist alles, ist das Ganze, das Einzige. In diesem Bewußtsein, das von der Welt ganz ausgefüllt ist, steht Gott sogar nicht mehr als Fragezeichen. Die neue Weltanschauung ist die Anschauungsform einer Welt ohne Gott.

Es soll hier nicht untersucht werden, welche Faktoren den Umschmelzungsprozeß des Bewußtseins ausgelöst haben und vorantreiben. Der Prozeß ist seit langem im Gange, nicht nur im Osten, sondern auch im Westen. Inzwischen hat die Beschleunigung rasant zugenommen. In den christlichen Kirchen gibt es immer mehr ausgesprochen nominelle Christen, die trotz offizieller Kirchenzugehörigkeit auf dem Weg einer inneren Emigration aus dem Christentum zur Endstation Atheismus unterwegs sind. Es spricht allerhand für die Prognose, daß über kurz oder lang, jedenfalls in absehbarer Zeit, der Mensch der geschlossenen Innerweltlichkeit nicht mehr in der Minderheit sein wird, weil eine Welt ohne Gott *die Weltanschauung der Mehrheit* geworden ist.

Führende Atheisten haben in ihren Reflektionen über den Atheismus die Gründe für den Standpunkt eines Atheisten dargelegt. Diese Legitimation behandeln andere Beiträge in diesem Band. Man kann allerdings zum mindesten geteilter Meinung darüber sein, ob die Grundlegung oder manche Begründung des Atheismus durch den intellektuellen Atheisten auch für den Alltagsatheisten von heute und morgen den Grund und Boden ausmacht, auf dem er steht.

Dieser Mensch hat als einzigen Grund und Boden die Welt. Sie allein bestimmt seinen Horizont. Was da passiert, das interessiert ihn, manchmal faszinierend, manchmal irritierend, und sogar wenn es ihn deprimiert, hat auch dieser Reiz wie alle anderen Reize das Stimulans der Innerlichkeit. In der großen gemeinsamen Welt wie in der eigenen kleinen Welt erfährt der Mensch den *Menschen als Schöpfer* dieser seiner Welt. Das erfüllt ihn und füllt ihn aus: die zwischenmenschlichen Bezüge und jener innerweltliche Prozeß, der auf der Basis der Naturwissenschaften und mit den Mitteln der Technik die Planung und den Aufbau der menschlichen Gesellschaft verfolgt. Auch in dieser Welt, die nach allen Seiten hin offen ist und trotzdem ringsherum geschlossen bleibt, gehen nicht alle Rechnungen auf. Die Restsumme wird als Faktum registriert und akzeptiert. Sie macht den Preis aus, den der Mensch zahlen muß, wenn er leben will.

Obwohl diese Hinwendung zur Welt so erfolgte, daß sie den Ausschluß Gottes zur Folge hatte, ist sie inzwischen nicht mehr mit einer Abwendung von Gott verbunden. Von Ausnahmen abgesehen wird Gott von diesen Menschen weder angegriffen noch abgelehnt. Man hat ihn, wie es scheint, auf dem Weg in die neue Welt irgendwann, irgendwo einfach verloren, ohne den Verlust überhaupt zu bemerken. Seit die Welt durch die Interpretation einer geschlossenen Innerweltlichkeit den Charakter des Endgültigen und Ausschließlichen bekommen hat, hat die Frage nach Gott jeden Sinn verloren. Weder als Frage, geschweige denn als Antwort ist Gott in dieser Weltanschauung anwesend. Den Durchschnittsatheisten von heute und morgen könnte man durch die unauffällige, nicht mehr auffallende Abwesenheit Gottes in seiner Welt definieren.

2. Nicht nur ein Atheist kann Atheist sein, *auch ein Christ wird Atheist*, wenn er durch seine Interpretationen auf der Bewußtseinsebene an *Götzenbilder* ebenso glaubt, wie er an Gott glaubt. Beispiel: Ein Grubenunglück, die Rettungsaktion gelingt zum Teil, Gott hat geholfen — hat Gott nur „geholfen" bei der rettenden Bohrung, oder „half" er auch, als der zündende Funke

die Explosion auslöste? Hier entsteht das Problem der „Intervention" Gottes bei allen innerweltlichen Ereignissen, ob sie nun dem Menschen Nutzen bringen oder Schaden zufügen. Angewandt auf die Ebene des Betens, ergibt das die beiden Fragen: wofür können wir danken, worum dürfen wir bitten? Den umgreifenden Rahmen liefert das allgemeine Thema der Vorsehung Gottes, bezogen auf das Leben jedes einzelnen Menschen oder aller Menschen und auf den Gang der menschlichen Geschichte, die nicht nur Heilsgeschichte, sondern auch Weltgeschichte ist.

Manche dieser Fragen werden offene Fragen bleiben, weil „von oben" keine Antwort auf sie gegeben wurde. In den landläufigen Vorstellungen eines Durchschnittschristen werden sie allerdings oft genug „von unten" durch Projektionen beantwortet, die wie Götzenbilder das Gottesbild umstellen und verdecken. Welche Hilfestellung leisten Theologie und Verkündigung, um von der Botschaft des Glaubens her exakte und vor allem differenzierte Aussagen zu machen, die der Würde Gottes und der Redlichkeit des Menschen in etwa gerecht werden? Soweit das möglich ist, gegebenenfalls; notfalls sollte rechtzeitig die „reductio in mysterium" erfolgen. Wer das *Geheimnis* anruft in Gott, hat einen der göttlichen Namen gefunden, der zu den Urnamen Gottes gehört. Es kann durchaus sein, daß in diesen Fragen nicht erst der Vollzug eines menschlichen Lebens aus dem christlichen Glauben, sondern bereits die Interpretation vor einem bleibenden Problem steht. Das hat dann allerdings zur Folge, daß die Versuchung zur Projektion fortbesteht und die Gefahr einer Vergötzung des Gottesbildes — eines Atheismus im Christentum: der Christ zum Teil ein Atheist — laufend gegeben bleibt.

Ferdinand Ulrich

Nietzsche und die atheistische Sinngebung des Sinnlosen

Vorbemerkung: Wir versuchen, das aufgegebene Thema in vier Frage-
kreisen zu erörtern. Der *erste* Abschnitt des Weges, auf dem wir den
Atheismus Nietzsches befragen, umreißt das Bild jenes Absoluten, das
der „erste Nihilist" als „Gott" erfährt, der sich als Produkt einer spezifischen, praktischen, d. h. durch das Lebensbedürfnis bedingten *Hermeneutik des Seins* enthüllt. Diese zeigt sich in einem *zweiten* Schritt
als Gestalt und Denkform des verweigerten Seins-ja der Liebe und ihrer
Verendlichung: vom Menschen her. Der *dritte* Teil der Untersuchung
eröffnet die epochale Krisis der Seinserfahrung Nietzsches. Wir reflektieren hier im Zuge der „Heraufkunft des Nihilismus" die Rede vom
„toten Gott": „es ist nichts mit dem Sein", mit Gott und daher auch
nichts mit dem Endlichen, das von *diesem* Sein her seinen „Sinn",
seinen „Zweck" und seine vergebliche Affirmation empfangen hatte.
Im *vierten* Kapitel deuten wir den „Willen zur Macht" als Sinngebung
der durch den Nihilismus sinn-los gewordenen Welt, d. h. als die vom
Menschen selbst (positiv) ‚umsonst' vollbrachte Bejahung des Endlichen
als Endlichen durch die Identifikation von Sein und Werden in der
Gestalt des „Über-Menschen". Der Schluß (fünftes Kapitel) mündet
schließlich in die Frage ein: ob, warum und inwiefern das zweideutige
Umsonst der atheistischen Freiheit eine verborgene Gotteserfahrung
implizieren kann.

I. Der Gott des entselbsteten Menschen und der verarmten Welt

1. „Im Anfang war der Unsinn"

In seinem „Buch für freie Geister" formuliert Nietzsche eine
erschreckende „Historia in nuce: Die ernsthafteste Parodie, die
ich je hörte, ist diese: ‚im Anfang war der Unsinn, und der Unsinn

war, bei Gott! und Gott (göttlich) war der Unsinn'"[1]. Nicht das Wort, nicht die Tat, weder ein Absolutes noch irgendein Sinn waren im Anfang. Die Arche ist vielmehr der Ort des Unsinns; nicht des blanken, klaren Nichts, sondern des verfälschten, entstalteten Sinnes, der Unwahrhaftigkeit und Lüge: die Geburtsstätte eines „scheinbaren Seins", das sich wie ein Mantel um eine Leerstelle legt und diese verdeckt; das zum Nichts verführt und dieses doch nicht als ein solches erkennen läßt. Dieser „Unsinn" jedoch: „*war*" (wirklich und wahrhaftig), das heißt („bei Gott!"), er ist „gewesen", vorbei; wir sind mit ihm endlich fertig, haben ihn hinter uns. Man braucht ihn nicht mehr ernstzunehmen, diesen „göttlichen", alle endlichen, vorstellbaren Maße sprengenden „Unsinn", denn er ist nicht mehr!

Aber, wie sah diese unendliche Unsinnsgestalt aus, die der Mensch aus sich selbst hervorgehen ließ und der er sich zugleich (als seiner „eigenen Schöpfung") unterwarf und auslieferte? Was und wer ist uns hier „vergangen"? Wer uns entschwunden? Kurz gesagt: der Gott, der in einer Transzendenz wohnte, die dem Menschen das erfüllte Selbstsein, das reifende Mehrwerdenkönnen, die fruchtbare Selbstüberbietung und das Wagnis schöpferischer Selbstauszeugung raubte. Gott ließ ihn auf der Stelle treten; machte ihn zu einem Fertigen, der, noch bevor er anfing, wirklich zu leben, schon tot war; seinen Werdegang hinter sich hatte und alles Kommende nur im Blick auf das Gewesene erfahren und bewältigen konnte. Gott wohnte im morschen Gehäuse einer Über-welt, einer Über-, das heißt „Un-natur", die keine auf Mensch und Welt hin offenen Fenster und Türen hatte; von der her die endliche Freiheit sich nicht als unendlich bejaht, seingelassen, ins Eigene ihrer Wesensmitte, ins Herz ihres Daseins hinein befreit zu erfahren vermochte. Aus diesem absoluten Getto kam niemand auf sie zu, so daß sie dazu verurteilt war,

---

1. Aus *Menschliches, Allzumenschliches* (*WW*, ed. K. SCHLECHTA, 3 Bde., München o. J., I, 750; alle folgenden Zitate sind dieser Ausgabe entnommen). Die unter doppelten Anführungszeichen erscheinenden Worte stammen von Nietzsche, auch wenn auf nochmalige Stellenangabe verzichtet wird.

zu-kunfts-los vor den Mauern des Ewigen abzusterben, das heißt in der Wüste der Endlichkeit vergeblich nach dem Brunnen des Seins zu graben, dessen Quell sie hinter den Bastionen der absoluten Substanz denken, als *dort* aufsprudelnd und doch nicht in sie hinein sich ergießend imaginieren mußte. Gott *und* Welt, als zwei geschiedene Seiende gegeneinander isoliert: in die unaufhebbare Trennung von Sein und Nichtsein, Macht und Ohnmacht, Gut und Böse, Wahrheit und Lüge, Schönheit und nichtiger Schein verbannt.

2. Gott als vorausgesetzte Projektion der entmächtigten Freiheit

Gott als „Unsinn", das ist der „ehrsüchtige Orientale im Himmel" (II, 132), der seine Herrschaft durch den Tod des Menschen und der Welt, seine Glorie auf dem Leichenfeld der Endlichkeit aufrichtet. Er meint und will, nach restloser Verherrlichung, das heißt nach metaphysischer Kastration des ihm Untergebenen süchtig, nur sich selbst! Seine monologisierende Leidenschaft entbrennt in der Depotenzierung des Anderen seiner selbst. Dadurch zwingt er das Endliche, die ihm als Endlichen eigenen, zugehörigen Schätze, den Reichtum seines Daseins an das Jenseits zu verschleudern; die Fülle des Seins den Tiefen der Welt zu entreißen und sie dem Absoluten vor die Füße zu legen (das nur von oben her in die Abgründe der Welt ein-blickt, ohne jemals in sie hinein von seinem Thron herabzusteigen). Der Mensch opfert seine Würde, den Adel seiner Existenz „dem Feind des Lebens" (II, 968), damit dieser, aufgrund der Armut und Nichtigkeit alles dessen, was *nicht* Er ist, als „kategorischer Imperativ" (III, 906), „schadenfroh" (II, 491) die Endlichkeit verlachend, in den überirdischen Gefilden sich selbst genießen und durch die Entmachtung der Welt behaupten könne.

Daher bekundet sich die Existenz Gottes als „der größte Vorwurf gegen das Dasein" (III, 588), als ein spröder „Begriff" (keine Wirklichkeit!), der als „Gegensatz-Begriff zum Leben erfunden wurde" (vgl. II, 1159). Gott, der Schatten und die Negativität einer Freiheit, die sich *noch nicht* in ihrer Macht, die ihr rechtens zusteht, gewonnen hat, ihren Reichtum *noch nicht* selbständig verantwortet. Sie muß vielmehr immer dann, wenn sie sich direkt und unverstellt in die Augen blicken, ein konkretes Verhältnis (als Freiheit zu Freiheit) verwirklichen will, *zuerst* zum argwöhnischen, sie bewachenden „Gefängniswärter" (I, 914), zum „Ideal, das über der Menschheit hängen bleibt" (III, 568) aufschauen, um von diesem unbeschränkt Befehlenden her (der sich dem Menschen nicht als frei-gebende Liebe zu schenken vermag, niemals seiner selbst entäußert, nicht in der Gestalt eines Gehorchenden, Dienenden erfahren wird), Sinn und Direktiven für das Dasein zu übernehmen.

Das Zentrum aller freien und schöpferischen Initiative, die die endliche Freiheit leisten könnte, liegt in der anonymen Fremdheit eines Gesetzes verborgen, das den Menschen von außen anstößt und aufreizt; denn es ist von dem die Welt verarmenden Gott angeordnet und verfügt, ein Spiegelbild seines An-sich-haltens, Erscheinungsform einer willkürlichen, absoluten Macht. Die Selbstverfügung der Freiheit ist im Kerker einer ewigen Substanz verschlüsselt, auf Eis gelegt. Gott vorenthält dem Endlichen die Subsistenz, er entläßt es nicht in die Freiheit, sondern frustriert, entmannt, fixiert es in der Herr-Knecht-Dialektik (vgl. II, 370).

3. Die pseudo-göttliche Selbstmitteilung „Gottes" an das Endliche im „Ja und Nein zugleich": der Widerspruch im Sein als Gabe

Gott erscheint daher als ein geschlossener Wesensblock, eine essentia infinita, die sich nicht mitzuteilen vermag, aus und über sich nicht hinaus-kann. Das, was dieses Ungeheuer aus sich entläßt, das, worin es sich äußert und vorstellt, ist nur zum Schein geschenkt, „als ob" gegeben. Es verschwendet sich in die versklavte Welt hinein, um denjenigen, der die Schein-gabe des Ewigen aufnehmen will (und doch nie wirklich empfängt), zur Ohnmacht ‚selbst-loser' Abhängigkeit zu verdammen. Das, was dieser Gott ‚gibt', wird nicht der Andere. Es kehrt vor den Pforten, dem aufgerissenen Mund des Endlichen wieder in das „reine Licht" des Himmels zurück und stößt die hungernde und dürstende Welt in eine Sehnsucht, für die alle Erfüllung immer der „unzugängliche Besitz eines anderen" (K. Marx), nämlich dieses Gottes, sein wird. Gott ‚gibt' das Sein, das Leben, um die Welt ihrer Nichtigkeit zu überführen. Die ‚Gabe' demonstriert dem Menschen das Bewußtsein an, er dürfe, um überhaupt zu sein, gerade nicht er selbst werden.

Gott mißbraucht alle Formen seiner Epiphanie dazu, um sein statisches, mit sich gleich-bleibendes Ich = Ich, das nicht auf die Seite des Menschen zu treten vermag, als blinde, starre Macht in einer widerstandslosen, zur potentia pura entleerten Endlichkeit durchzusetzen. Er bringt nicht die Kraft auf (und kann es sich auch nicht leisten!), Freiheit um und neben sich wachsen, gedeihen zu lassen. Somit ist er, wie sich noch zeigen wird, gerade als der Herr: eine Funktion des Elends seines Knechts geworden. Gott ist nicht imstande, dem Endlichen sich selbst in der Gestalt des absoluten *Seins-ja* zu übereignen. Sein Ja trifft vielmehr in der Zwittergestalt von ‚Ja und Nein zugleich' auf die Welt, als ein Ja, das nur durch das masochistische Nein des Menschen zu sich selbst beantwortet werden kann. Der Mensch wird dieser ‚Gabe' nur durch eine unaufhaltsame, nie endende progressive Selbstvernichtung hindurch inne und ‚teilhaftig'.

Das Sein wird also wie eine Sache in Teilen partizipiert. Ein Stückchen kommt an, erweckt den appetitus, der je größere Rest jedoch bleibt entzogen, damit der Hunger nie aufhöre, das Endliche der Er-innerung und regressiven Bindung an seinen Ursprung nicht entfliehe. Das Sein wird als Gegenstand aufgeteilt, zerspalten mitgeteilt, es kommt nie restlos an. In ihm spricht sich nicht Freiheit auf Freiheit hin aus. Gott versteckt sich vielmehr hinter der Figur eine ‚Epiphanie', in der *er selbst* nicht zur Sprache kommt. Er tritt in einer Entfremdungsgestalt aus sich heraus. Seine anwesende Abwesenheit enthüllt sich als Lüge. Die Zu-kunft dieses Gottes erfaßt den Menschen daher nur von außen, ohne ihm inwendig zu werden. Sie erscheint als der Widerspruch schlechthin, der im Ja u n d Nein die Freiheit überfremdet, durch einen schlechten Tod dem ewigen Leben zu gewinnen versucht; sie vergewaltigt und in die Dissoziation auseinandertreibt. Der Himmel, der sich über den ausgetrockneten Niederungen und dumpfen Abgründen dieser Welt erhebt und wölbt, ist das kalte Licht der Seinshypostase: *die Figur einer ,Gabe', die gegeben und doch nicht gegeben wird, der reine Widersinn und Unsinn einer Botschaft, die „an ihrer ursprünglichen Herrlichkeit wie an einem Raub festhält"* (vgl. hingegen Phil. 2, 6), *ihn gegen die ungestillte Gier der Endlichkeit sichert; entäußerungslos bei sich selbst, mit sich allein ist; sich nicht als Weizenkorn ins Erdreich von Fleisch und Blut fallen lassen und preisgeben will; sich nicht verendlicht der Welt einverwandelt, als befreiender Quell ihrer Selbstwerdung sich ihr nicht ,umsonst' ausliefert*[2].

4. Die Spaltung der Einheit von Reichtum und Armut, Leben und Tod im geschaffenen Sein als Liebe: das Sein als Totgeburt Gottes

An d i e s e m, dem Endlichen vorenthaltenen Seins-ja gemessen: enthüllt sich die Welt, in der wir leben, als ein „einziger großer

2. Dies aber in der doppelten Bedeutung des Umsonst: *einmal* als Reichtum, Fülle, Leben *über*fließender (überflüssiger) Herrlichkeit (abundantia caritatis; gratuité), *zum andern* als Armut (eben *dieser* Herrlichkeit), die ausgeleert, preisgegeben auch „überflüssig" ist, da es für sie (von *außen* her) keine „Exigenz" ihrer Selbstmitteilung gibt. Sie ist absolut! Sie kann nicht verzweckt werden und enthüllt sich in *diesem* Sinne als völlig „nutz-los"; für jene, deren Lebens- und Denkform das haben-wollende Brauchen und Gebrauchen ist, als „unbrauchbar". Innerhalb der Maßstäbe des egoistisch rechnenden „Fleisches" (sarx) erscheint solche (im *positiven* Sinne!) zwecklose Hingabe der Liebe in der Einheit von „Reichtum und Armut" als pure „Vergeblichkeit" („Umsonst in der Bedeutung von vanité). — Vergessen wir aber nicht, daß die Armut, von der wir in diesem Zusammenhang sprechen, dem Reichtum der göttlichen Liebe *nicht* „nachträglich", sozusagen allererst aufgrund ihrer Fleischwerdung, zukommt. Vielmehr ist sie *an ihr selbst* (!) ewig weggeschenkte, *arme* Liebe. M. a. W.: die Menschwerdung Gottes bezeugt sich im Glauben als eine „Funktion" (des ewigen Gehorsams und) der ewigen Selbstempfängnis des Sohnes vom Vater her im personalen Wir des Geistes. —

Irrtum" (III, 549). Denn das, was sie eigentlich ist, sein könnte und deshalb auch sein sollte, liegt *außerhalb* ihrer selbst; ist ihr ins Jenseits entrückt, ihr von der absoluten Substanz absorbiert. Das wirkliche Selbst von Mensch und Welt bleibt also in einer *pervertierten* urbildlichen Identität (onto-theologisch!) mit dem unendlichen Ursprung verklammert. Dort ist es immer schon ,gewesen', mit dem Ewigen ,wesens-eins', Moment an der einsinnigen essentia infinita. Das ins Ewige hinein verlorene Wesen des Menschen bringt somit die Todestrennung seiner Verendlichung, den *wirklichen* Gehorsam der Gabe dem sie *wirklich* schenkenden Ursprung gegenüber, nicht zum Austrag. Das Sein löst sich nicht von dem, der es an-sich-hält; es wandert nicht ins konkrete Dasein hinein, gestaltet sich der endlichen Freiheit nicht gleich. Und zwar deshalb, weil diese sich selbst gar nicht will, und (zugleich) Gott nicht wollen kann, *daß* sie sich will.

Das Leben des Anfangs schützt sich *gegen* den Tod seiner Kenosis. Das entzogene Seins-ja ist in der Spaltung von Leben und Tod zerrissen. Es hat die Armut außer sich und will an ihm selbst die Einheit von Leben und Tod, Reichtum und Armut nicht vollbringen. Ist die Welt jedoch in ihrem Dasein nur ein nichtiger Abfall gegenüber ihrem in Gott gefangenen Urbild, also an ihr selbst gar nicht wirklich, dann soll sie konsequenterweise auch „nicht sein". Es soll somit nur „sein", was „wesentlich" ist, das heißt: das *gegen* die Endlichkeit geschiedene Sein, das „wirkliche Selbst" soll sein — und „diese unsre Welt sollte nicht existieren" (ebd.).

Will sie demnach zum Kern ihres Selbst ja-sagen, dann muß sie folglich etwas bejahen, was sie selbst *nicht* ist, das heißt, sie muß sich faktisch *verneinen*, sich „als die einzige Welt, die es gibt, entwerten" (vgl. II, 1159). Die Dimension, in der es das Sein „wirklich gibt", entwertet sich zugunsten einer Sphäre, in der das Sein zwar erscheint, wo es in Wirklichkeit jedoch nicht zu finden ist. Die Verarmung der Welt geschieht also zugunsten des „i d e a l e n S e i n s", das dem Absoluten verfallen ist, vom Ursprung nicht loskommt, am äußersten Rand des Ewigen zu einem gegenständlichen Überhang desselben substanziiert und instrumentalisiert worden ist. Starr, leblos, kalt hängt es an der Nabelschnur des Absoluten; eine Totgeburt Gottes, die zugleich Organ der göttlichen Allmacht ist, die durch die „Hypothese des Seienden" als der „Quell aller Weltverleumdung" (III, 684) in ihrer Herrschaft nur gestärkt und verendgültigt wird. Die ohnmächtige Selbstbescheidung des Menschen in seine Kraftlosigkeit perpetuiert die ewige Tyrannei des Un-sinns der göttlichen Selbstbefriedigung, die Konkupiszenz Gottes, der das Endliche vertilgt —, aber, da er durch diese Begierde seine Macht aufbaut, das Verzehrte je neu konstituieren muß, um Nahrung zu finden. Diese Dialektik ist das Maß menschlicher ‚Subsistenz'.

II. Gott als Gestalt des verweigerten Seins-ja der Liebe und ihrer Selbstpreisgabe

1. Gott als jenseitiger Ort des »Wahren", „Guten" und „Schönen". Die gegenständliche Dissoziation von „Wahrheit und Lüge", „Gut und Böse", „Schönheit und Schein"

Im Himmel der Seinsschwebe (dieser gott-losen, weil die absolute Freiheit nicht entbergenden, sondern Gott als *Sache* bezeugenden Sphäre) entdeckt der Mensch dann den Ort des „Wahren", „Guten" und „Schönen". Des „Wahren", denn er verlangt inmitten seiner verunsicherten, zerbrochenen, vom Seins-ja *nicht* unterfangenen und freigesetzten Endlichkeit nach Macht, Identität und „Sicherheit", um sich vor der willkürlichen Beliebigkeit der göttlichen Allmacht zu retten und im Gewoge des irdischen Werdens und Vergehens festen Boden unter die Füße zu bekommen. Er sucht Halt und Stand, so daß ihm der Sinn für die Wahrheit aus dem „Sinn für Sicherheit" (I, 1031) erwächst. Deshalb verbirgt sich im „Willen zur Wahrheit" ein „versteckter Wille zum Tode" (II, 208), nämlich zugleich: der Wille zum substanziierten, *toten* Sein und eben *darin* der Wille zur *zerstörten* endlichen Realität, die durch die sie verarmende Macht des jenseitigen Seins abgestorben ist. Der „Wille zur Wahrheit" meint somit immer Entschluß zur „Unwahrheit der Welt", weshalb der Mensch auf der Suche nach der Wahrheit zwischen zwei Todespolen hin und her läuft: dies nennt er dann ‚das Leben'. —

Im vorenthaltenen Reichtum des summum ens zeigt sich der Welt aber auch das sogenannte „Gute", das den Menschen zu einem „idealen Sklaven" (III, 723) macht, in dessen Existenz Sollen und Können zerspalten sind. Denn das Sollen des in den Himmel eingesperrten Seins „als Wert" übereignet sich nicht (seiner selbst entäußert) liebend der endlichen Freiheit; es wird ihr nicht Wurzelgrund der Selbstmächtigkeit. Wie das Sein dem Menschen nicht wirklich geschenkt ist, so fordert es auch etwas, was er nie vollziehen kann. Das Sollen des Moral-wertes will haben, ohne zu schenken; es gebietet, ohne das Gebotene, durch den Tod seiner Fleischwerdung hindurch, mitten im Endlichen zu ermöglichen. Es gibt nicht ‚umsonst', sondern verlangt nur. Es ist nicht an ihm selbst reich genug, um arm-werden, dem Menschen die Erfüllung schenken zu können. Das Sollen „verzweckt" das Dasein über sich selbst hinaus auf eine ihm fremde Macht hin, die, weil sie sich nicht selbst preisgibt, auch nicht Über-gabe des Herzens hervorlockt, sondern nur die Äußerlichkeit des abgeleisteten Gesetzes provoziert.

Jeder Versuch, dieses logisierte Sollen, das gewußte Gesetz (in dem die *wirkliche* Fülle des Guten zu einem Moment der Reflexion, das heißt *verbegrifflicht* worden ist!) zu verwirklichen, muß eo ipso scheitern und der Knecht nur um so tiefer in die sich ständig vermehrende Schuld (gegenüber der uneinholbaren Forderung einer zum intelligiblen Sollen vergegenständlichten Liebe) seines Nichtkönnens verzweifelt herabsinken. Also *muß* die Welt, angesichts dieses sie transzendierenden Reiches der Moral-werte, das sie der unermeßlichen „Schuld" überführt, *„böse"* sein. Und weil diese Werte die adäquate Repräsentation der in ihnen und durch sie herrschenden absoluten Substanz sind, so *muß* Gott als der „Gegensatz des Bösen" gedacht werden. Die Realität (dieser *unserer* Welt) besteht somit gar nicht an ihr selbst, sondern erscheint als eine bloße „Verneinung". Sie enthüllt sich im *Akt* der „Negation aller Begierden und Affekte" (III, 912), aller Leiblichkeit, in die hinein das im starren Sein logisierte Gute, die „gewußte Liebe" (als Moral-wert) sich nicht verendlichen will und kann. Der ins abstrakte „Wahre" hinein pervertierte Wert schließt a priori alle Entäußerung aus. Denn diese würde die Befreiung des Endlichen *als Endlichen* an ihm selbst bedeuten und realisieren. Das kann nicht sein! Dazu ist Gott unvermögend. Das Sein flieht somit vor seiner Kenosis; das Wahre vor dem ‚Fleisch der Lüge'; das Gute vor dem Schrecken des Bösen; das Schöne vor der Unbestimmtheit und dem Spiel des Scheins; das Wissen vor dem schöpferischen Wagnis der Kunst. Sie retten ihre

Herrlichkeit *gegen* die Ohnmacht der Entäußerung, den Reichtum *gegen* die Armut, ihre heile Integrität *gegen* den selbst-losen Abstieg ins Andere ihrer selbst; ihre Einheit *gegen* die Vielheit; das Leben *gegen* den Tod[3]. —

2. Der Unglaube des unschöpferischen Menschen an das Werdende: der tote Himmel und die negierte Leiblichkeit

Aber — *dieser* Gott existiert für Nietzsche nicht wirklich. Er bezieht sein ‚Sein' vielmehr aus der faktischen Ohnmacht des Menschen und der Welt. Er ist nur das Korrelat einer Freiheit, die ihr Dasein nicht selbst verantwortet. An ihm selbst ist Gott ebenso *nichtig*, wie die Unfreiheit des Menschen nichtig ist. Da der Mensch den Tod der Selbstannahme, der Vereinzelung, der Besonderung zum „großen Einzelnen" nicht sterben will; weil er sein unvertauschbar einmaliges Leben

3. In solcher Entgegensetzung von Wahrheit *und* Lüge, Gut *und* Böse, Schönheit *und* Schein tritt, ontologisch gesehen, die *vermittelte* Einheit von „Einheit *und* Vielheit", „Sein *und* Werden" gegenständlich, in der Form von zwei isolierten Sphären, auseinander: Nur-Reichtum (Jenseits, Heil, Unschuld, Leben) auf der einen, Nur-Armut (Diesseits, Unheil, Schuld, Tod) auf der anderen Seite. — Auf das Mysterium der Liebe hin *gedeutet* besagt dies: das Sein als Liebe wird nicht *an ihm selbst* (!) als Einheit von „Reichtum und Armut", „Macht und Gehorsam", „Leben und Tod" erfahren, sondern verlegt gewissermaßen seine Armutsgestalt (außerhalb seiner selbst!) in die Endlichkeit hinein. — Aufgrund *dieser* Voraussetzung bricht dann die große Versuchung auf, Verendlichung, Entäußerung (als Vermittlung von Einheit in Vielheit) des Seins dadurch zu realisieren, daß die vormals *jenseits* des Werdens (des Scheins, der Schuld) hypostatiste Wahrheit (Gutheit und Schönheit) mit der außer ihr liegenden Dimension des Negativen (Schein, Lüge, Schuld) identifiziert wird. *Dann* allerdings ist Armut *keine positive* Aussagegestalt der Liebe, nicht die „andere Seite" ihrer Herrlichkeit; vielmehr wird sie mit „Schein, Lüge, Schuld" gleichgesetzt, die nun fraglos zu bejahen, zu „leben" sind — und zwar als die „einzige *Realität*, die es gibt". Diese jedoch hat in dem Augenblick, wo sie „gutgeheißen" wird, ihren (vormals) negativen Charakter *verloren*, da der *jenseitige* Maßstab des Guten, des Wahren und der Schönheit, voran die *Negativität* von Schein, Lüge und Schuld gemessen worden ist, durch die „Heraufkunft des Nihilismus" als „Nichts" erscheint. Negativität von „Schuld" fällt mit der *positiven* Armut des verendlichten Seins zusammen. Hier nimmt nur der „verschwundene Himmel" der (vormaligen) Nichtigkeit von Schein, Lüge und Schuld den negativen Charakter. Man muß fragen, ob dadurch gerade nicht, wenn auch unter anderen Vorzeichen, im Grunde die Sphäre des „negativen Diesseits" weiter „konserviert" bleibt!

36

nicht leben (vgl. III, 658), vom „Gefängniswärter" seines ihm entzogenen Anfangs sich *nicht trennen* will: deshalb ‚lebt' Gott! Da der Mensch das restlose, absolute Ja zum Endlichen als Endlichen sich nicht zutraut, sondern lieber in die urbildliche Identität mit dem absoluten Ursprung hinein sich vergißt (der sein Leben verwaltet und ihm alle Verantwortung abnimmt); weil er sich die ihm (und *nur ihm allein!*) immer schon zugehörige Macht nicht selbst „zurechnet": *deshalb* ‚ist' Gott und er ‚ist' solange: als der Mensch nicht sich selbst und der Welt im „Willen zur Macht" das absolute „*Ja*" schenkt und zuspricht, das Gott ihm verweigert.

Diese Verweigerung darf jedoch nicht auf Gott selbst bezogen werden. Sie ist im Grunde nichts anderes als das nicht gewagte „Ja" des Menschen! Es gibt Gott solange, als der Mensch nicht sein verlorenes Selbst aus dem Himmel (und *als* Himmel!) auf die Erde zurücknimmt, die an das Jenseits vergeudeten Schätze (die *seiner* „Freigebigkeit" entstammen!) nicht in die Welt hinein zurückholt, also nicht jene Kenosis des absoluten Seins-ja *durch sich selbst* austrägt und tut, zu der Gott (das heißt bislang der Mensch selbst!) nicht fähig war. Gott ist eine Projektion, die wir aus Angst vor der Zukunft herausgebären. Er ist die Logik der Tatsache, daß der Mensch nicht sterbend mehr-werden will, daß er sich für kein Morgen offenhält, sondern alles Kommende der Herrschaft des Gewesenen unterordnet, es im ‚Sein' stagniert, das heißt sich selbst nicht wandeln will. Hieraus rechtfertigt sich seine lähmende Selbstwiederholung, die Hoffnungslosigkeit des Daseins. Die Stabilität des jenseitigen Seins versiegelt nur seinen negativen Tod. Denn er sucht sich selbst als Fix-Fertigen im Himmel, seinen unveränderlichen Reichtum in der Transzendenz. Von dorther versteht und legt er sich aus, um der „alte" bleiben zu können, so daß sich der „Glaube an das Seiende" nur als eine *Folge* bekundet: „das eigentliche primum mobile ist der Unglaube an das Werdende, das Mißtrauen gegen das Werdende, die Geringschätzung alles Werdens" (III, 549), vor allem aber: das Nein zur Leiblichkeit! Denn diese enthüllt die Materie als den im Wissen nicht logisierbaren Ermöglichungsgrund *konkreter* Gegenwart der Freiheit. Der Leib ist das Medium des seiner selbst entäußerten, liebend bejahenden Geistes, der das Sein (als Gabe) *tut:* „‚Ich' sagst du und bist stolz auf dieses Wort. Aber das Größere ist, woran du nicht glauben willst — dein Leib und seine große Vernunft: die sagt nicht Ich, aber *tut* Ich" (II, 300). Das Ja zur Leiblichkeit zerstört alle möglichen Antizipationen von Zukunft; *in ihr* hat alle schöpferische Preisgabe der Freiheit die Krisis ihrer Armut, die Offenheit zum *Je-mehr* zu bestehen. „Untergehn will euer Selbst, und darum wurdet ihr zu Verächtern des Leibes! Denn nicht mehr vermögt ihr über euch *hinaus* zu schaffen" (II, 301).

Der unproduktive, passive, lebensmüde Mensch, der sich nicht nach vorn hin überbieten will, bedarf der Totenstille des mit sich gleichbleibenden Seins. Er „macht" den vollendet-vollkommenen Himmel des Gewesenen. Er reduziert den Infinitiv seines Schöpfertums auf das essentielle (ge-wesen: Wesen: essentia) Perfektum des Vergangenen. „Dächten wir uns die entgegengesetzte Art Mensch, so hätte sie den Glauben an das Seiende nicht nötig: mehr noch, sie würde es verachten, als tot, langweilig, indifferent..." (III, 549). Die Erfahrung des über-wesenhaften Seins, das sein Leben nicht gegen den Tod seiner Kenosis an-sich-hält, ist entschwunden. Es ist zu einem Seienden zusammengeschrumpft. Wer daher glaubt, daß die Welt, wie sie sein sollte (in der Idealität des logisierten Guten) *wirklich* ist, der setzt eine solche Welt erst, weil er sie nicht schaffen will. Er läßt sie sich rezeptiv als *vorhanden* ‚geben', um sie nicht schöpferisch wollen zu müssen. So versinkt er in die Ohnmacht des Nicht-Tuns, ins aktionslose Nirwana und kompensiert seine Trägheit andrerseits durch die ruhelose ‚Flucht nach vorne' (die er ‚Arbeit' und ‚Leben' nennt), worin er eine nie ankommende Zukunft ins immer leere Jetzt einzubringen versucht. „Wille zur Wahrheit — als Ohnmacht des Willens zum Schaffen" (ebd.). Wir erkennen lieber, daß etwas so und so *ist*, anstatt zu tun, daß etwas so und so *wird!* Da der Mensch sich nicht *wollend* (‚wollen' heißt ja: sich im Anderen seiner selbst vollziehen und deshalb sich in diesen hinein *aufgeben!*) seiner selbst entäußern will, kriecht er in das Schneckenhaus seiner Wesens-identität zurück, kommt ihm die Sehnsucht nach „Starr-machen", „Verewigen", nach „Sein" (II, 245). Aus der Fruchtlosigkeit seines Ich nimmt er den Begriff „Sein" und macht Gott und die Dinge „seiend" nach „seinem Bild" (II, 973).

3. Die fruchtlose Freiheit und die Verewigung des Seins gegen seine Kenosis in Unwahrheit, Schuld und Schein

Da der Mensch, so darf man Nietzsche deuten, nicht wirklich jasagend, sinn-gebend liebt, nicht so reich ist, daß er selbst-los arm sein könnte (dann würden, da er der Andere geworden ist, alle Dinge in seiner „überströmenden Freiheit" eine Heimat gefunden haben!), so zerreißt er sein Dasein in Sein *und* Nichtsein, Gut *und* Böse, in Wahrheit *und* Lüge, in Schönheit *und* Schein. Das Positive nennt er „Gott", das Negative „Mensch und Welt". Er hat den „Sinn im Anfang", die Einheit von Reichtum und Armut im Sein als Liebe (die unbeschränkt vollkommene Fülle und Licht ist, aber ein geschaffenes Leben, das nicht an-sich-haltend subsistiert, nicht egozentrisch in sich verkrampft bleibt, wie Thomas von Aquin in *De potentia*, 1, 1 sagt) verloren. Er glaubt nicht, daß die Herrlichkeit des ‚absque peccato' im ‚peccatum factum' (Paulus) aufgeht und gerade dort absolut siegt, wo sie sich nicht gegen den Tod rein zu bewahren versucht, sondern im Elend der Schuld verblutet[4]. Das Sein offenbart sich nicht mehr als ein sich verströmendes Leben („bonum est diffusivum sui", sagt der Aquinate), weil — so Nietzsche — der Mensch selbst nicht über sich hinaus-wachsen will: „Die Guten, die können nicht schaffen, die sind immer der Anfang vom Ende" (II, 459).

Gut-sein-wollen bedeutet daher: Ja zum logisierten Sein, zum Tod der Liebe im Gesetz, zum selbstsüchtigen Gott, so daß der gute Mensch als eine „Selbstbejahungsform der décadence" (III, 827) erscheint. Er ist der große Selbstverneiner — vielleicht deshalb, weil er die Macht des Ja-sagens nicht in der Ohnmacht der Schuld wagt, sondern diese nochmals zum Grund seines Nicht-könnens macht oder seine Tatenlosigkeit von solcher Voraussetzung her gerechtfertigt weiß? Aufgrund seiner Unfreiheit lügt er daher zur „scheinbaren Welt" seines endlichen Daseins eine „wahre Welt" hinzu, ja, dadurch setzt er erst seine Welt zur bloßen Nichtigkeit herab. Er konstruiert „Gut und Böse" als zwei „komplementäre Wertbegriffe" (vgl. III, 797) und läßt den Gegensatz von „Gut und Böse": „sich gegenseitig bedingen" (ebd.). Die ansichhaltende ‚Liebe' schließt die Schuld gegensätzlich aus, überwindet sie scheinbar dadurch und bleibt doch hintergründig an diese ihre ausgeschlossene Andersheit gebunden. Ihre „Positivität" entbirgt sich als Kehrseite ihrer Ohnmacht.

4. Es ist offenkundig, daß *diese* Interpretation der Aussagen Nietzsches, deren *inneren* Intention folgend, das überlieferte Wort *kritisch* übersteigt, ohne es auf einen ihm äußerlichen oder fremden Maßstab hin zu entmächtigen, bzw. in einem *schlechten* (!) *Sinne* „christlich zu taufen" und für eine „bestimmte Ideologie" zu vereinnahmen. — Gegen diesen Versuch spricht auch nicht die Tatsache, daß Nietzsche selbst sein eigenes Anliegen in einer sprachlichen Gestalt artikuliert, die *als solche* sich *nicht* mit der Sprachform deckt, in der wir ihn zu deuten hoffen. Nietzsche „müßte" sich geradezu, um sich selbst treu zu bleiben, *gegen* eine solche leiblich-ontologische Hermeneutik wenden, da sie für ihn, innerhalb seines Denkhorizontes in einer ganz spezifischen Weise „aufgeladen" und qualifiziert ist. Allein, die Reduktion des Gesprächs auf die Mechanik von „faktischer Aussage" *gegen* „faktische Aussage" hilft nicht weiter. Auf *beiden* Seiten muß die „positive (!) Vieldeutigkeit des Wortes" (M. Buber), aus der jedes Gespräch lebt, ernstgenommen werden.

Der Mensch *will nicht* wahr-haben, daß in dem Augenblick, wo mitten in der *zuvor* bloß „scheinbaren", „bösen", „verlogenen" Welt endlicher Armut das absolute Seins-ja in der Identität von „Sein und Werden", Macht und Ohnmacht aufbrechen würde, zusammen mit der früher nur „nichtigen" Welt (die jetzt die ihr immer schon zugehörige *unendliche* Bejahung erfährt) auch die Lüge der *vormals* „wahren Welt", der positiv gedachte *Schein* des toten Seins, abgeschafft wäre. Er würde dann verstehen, daß die *vormals* „wahre Welt", das Jenseits, nur von der Ohnmacht der „einzig wirklichen Welt", des „Diesseits" her gelebt hat; daß seine *eigene* Unmenschlichkeit ihn nach „Herkunft und Anfängen fragen" ließ; daß das vorausgesetzte Unbedingte und Absolute nur das notwendige Resultat seiner eigenen „Schizophrenie der Existenz", die „Ausgeburt eines Zweifels an der Einheit der Person" (III, 747) war: „Gott selbst unsre längste Lüge" (II, 134), nach dem „Typus der schöpferischen Geister gebildet" (vgl. III, 838). —

4. Die Dialektik von „Vergottung" und „Entgottung" des Daseins: Transzendenz als eine Form des „Willens zur Macht"

Trotzdem liegt, das darf nicht übersehen werden, für Nietzsche im Bezug des Menschen zur Transzendenz ein Positivum. Denn inmitten der Unwirklichkeit des Himmels bejaht der Mensch eigentlich in einem unendlichen Sinne sich selbst. Er übt sich hier ein ins *absolute Ja* zu seiner konkreten Freiheit (obwohl dieses Exerzitium mißlingen muß!). Er glaubt zwar unendlich an sich selbst, aber nicht dort, wo er konkret ver-leibt als Mensch da ist. Sein Ja tendiert somit ins Nichts. Er *mißversteht* sich selbst „als Glaube an Gott" (III, 566). Allein, dieses Mißverständnis ist grundsätzlich *kritisierbar!* An ihnen selbst sind Mensch und Welt schon absolut bejaht. Wie anders könnte man sonst diese Welt die „einzig wirkliche" nennen, wenngleich der Himmel noch immer als „die wahre Welt" vorgestellt wird? Der Mensch birgt somit schon einen unendlichen Reichtum in sich. Nur sein praktisches Verhältnis zu dem, was er wirklich ist, liegt verkehrt. Mensch und Welt suchen die Fülle ihres Seins jenseits ihrer selbst und *müssen* deshalb, sofern sie sich auf ihr Wesen beziehen, eben das verlieren, was sie *konkret* sind. —

Von hier aus kann Nietzsche den Glauben an Gott „als Kulminations-Moment" deuten: der Mensch übersteigt um ein Unendliches den Menschen, ja, aber *nicht an ihm selbst*, gleichsam durch immanente Transzendenz, sondern dadurch, daß er in einer falschen Weise aus sich herausgeht und dem ‚Himmel' verfällt. Sein absolutes Ja steht noch nicht im Lot des Endlichen als Endlichen, es ist *gegen* den ihm eigentlich adäquaten Ort seiner restlosen Gegenwart noch geschieden; der Kulminationspunkt triff nicht das Herz der Endlichkeit. Glaube an Gott „als Kulminationspunkt: das Dasein eine ewige Vergottung und Entgottung" (III, 560). Eine „Vergottung", weil das Endliche das absolute Seins-ja nicht (in der Gestalt seiner selbst!) innerhalb seiner selbst ergreift, sondern seinen Reichtum in die Transzendenz verliert, ins Jenseits abschiebt. Der Mensch will in der „Vergottung" gerade nicht er selbst sein und dies ausdrücklich dort nicht, wo er durch die Flucht (vor dem Tod des Selbstseins!) ins Jenseits: *absolut* er selbst sein will. —

In der „Annahme Gottes" offenbart sich demnach ein „Maximal-Zustand" des Menschen (keine wirklich objektive, unverfügbare Kraft, die die Welt uneinholbar vorweg bewegte), „eine Epoche: ein Punkt in der Entwicklung des Willens zur Macht" (III, 585). In diesem Maximum entbirgt sich die Gestalt einer Selbstbejahung der Freiheit, die ihr Woraufhin nicht in der Form des konkreten Menschen erblickt, sondern es ins Draußen, Oben hinein entwirft, als „u n i v e r s a l e" denkt, betrachtet, anschaut, nicht aber als „c o n c r e t u m" : will und tut. Sie traut sich nicht zu, dieses Absolute zu *sein*. Deshalb sublimiert sie ihre Macht in den Himmel. Zugleich merkt sie, daß sie sich in einem solchen Ja gar nicht selbst begegnet, nicht trifft, nicht bei sich ist. Der „Maximal-Zustand" macht ein Minimum an gelebter Freiheit offenbar.

Hieraus folgt notwendig die „Entgottung": die Welt will ‚weltlich', der Mensch ‚menschlich' werden, mit sich zusammenwachsen (vgl. den sog. Säkularismus!). Er will nun er selbst sein, indem er sich vom *zuvor* angezielten, gewollten „idealen Selbst" (dessen Nichtigkeit er spürt) abkehrt, der Endlichkeit als solcher sich zuwendet. Sucht er nämlich sein „Ich" im Sein, dann entdeckt er es als toten Nur-Reichtum (nicht geschenkter Liebe) und behält für sich die Nur-Armut zurück. Wendet er sich hingegen dem endlichen Dasein zu, um sich als Mitte der „einzig wirklichen Welt" zu gewinnen, so kann das nur in der Entselbstung enden. Denn das „Sein" steigt mit ihm nicht in die Endlichkeit herab. Nichts andres als dieses sein *Unvermögen*, seine janusköpfige Ohnmacht in der Idealität des Seins und in der Realität der Welt, die auseinanderklaffen, hat der Mensch „Gott" genannt (vgl. III, 574) [5]. Gott ist ihm ein Ersatz für die Ohnmacht seiner eigenen

5. Anders ausgedrückt: „Gott" ist die Formel für die zerbrochene ontologische Differenz des Seins zum Seienden, das adäquate Signum für die Zerspaltenheit der Grundstruktur des menschlichen Selbstvollzugs. Der Mensch flieht aus dem

nicht verendlichten, nicht fleischgewordenen Selbstliebe. Er flüchtet zu diesem absoluten Anderen, genauso wie er sich „um den Nächsten drängt" (II, 324 f.), weil er im „älteren Du", in einer ihn regressiv beanspruchenden Herkunft sich aufgehoben glaubt, dort zu erreichen hofft; im Schoß des Ursprungs ein Leben gewinnen will, das nur sein *Tod* sein kann. An diesem Punkt bricht er in die zwei Seiten von Macht (Jenseits) und Ohnmacht (Endlichkeit) auseinander.

III. Die Herkunft des Nihilismus und das zweifache Nichts (des Gottes und der sinnlosen Welt)

1. Die Rede vom „toten Gott" aus dem Vertrauen zum absoluten Ja im Endlichen als Endlichen

Derjenige, den der Mensch als seinen „Gott" verehrt, ist aber für Nietzsche in zweifacher Hinsicht ein „Nichts". Einmal deshalb, weil das Absolute, wie wir sahen, nur ein Produkt des Nicht-seins der verarmten Welt, die ins Jenseits hinein verlagerte Figur menschlicher Unfreiheit darstellt. Es ist der sich unendlich spiegelnde Reflex eines Daseins, das das alles zusammenschließende Ja der absoluten Treue zu sich selbst noch nicht gesprochen hat. Zum andern manifestiert sich die Nichtigkeit Gottes darin, daß er sich selbst nicht mitzuteilen vermag. Oder: Die Kehrseite der sich nicht an ihr selbst bejahenden Endlichkeit heißt: der geizige Gott.

Denn im Sein, das Gott gibt und doch nicht gibt (vgl. Kap. I), kommt dem Endlichen nicht das absolute Ja zu, weshalb es zu sich selbst das Amen nicht sprechen kann. Durch die Scheingabe des

---

Tod des Endlichen ins ‚Leben' des Seins (das nicht verendlicht sterben will) und kehrt, nachdem ihn dieser an-sich-haltende Reichtum als Todesmacht anstarrte, zur Endlichkeit zurück, dorthin, wo es das Sein (als ‚Gabe') eigentlich gibt oder geben sollte. *Dort* aber ist das ‚Sein' nie gewesen. So flieht er aus dem Tod des Seins ins ‚Leben' des endlich Seienden, das ihn nochmals als Tod überfällt, denn das Sein ist dort auch nicht gegeben. Diese Dialektik, aus der Nietzsche zum Atheismus kommt, entspricht genau dem, was Kierkegaard die „Verzweiflung" nennt. Vgl. dazu F. Ulrich, *Philosophische Meditation über die Einheit von Leben und Tod*, in *Arzt und Christ*, 1969/3–4, 166–197.

alles überfremdenden Gottes wird die Welt nicht reich. Im Grunde hat also Gott gar keine Autorität, er ist letztlich nicht so absolut, wie man glauben möchte. Er vermag nämlich das Endliche nicht um ein Unendliches, das heißt um den Preis seiner selbst als *Gott*, zu vermehren (auctoritas — augere — vermehren!). Gott kann das Endliche als *Endliches* nicht an diesem selbst absolut wollen. Mit zunehmender Verendlichung Gottes erlischt sein Licht, mit wachsender Vergöttlichung der Welt erstirbt das Leben des Endlichen.

Das „Sein ist des Werdens unfähig"; das Gute gibt sich nicht als Liebe preis; das Wahre versucht sich gegen die ‚Überlieferung' in den Tod von Lüge und Irrtum abzusetzen; das Schöne negiert seine Entäußerung in die Zerrissenheit des gestaltlosen Scheins. Das Brot des Lebens will sich nicht brechen lassen. Aber in einer Gabe, die von ihrem Ursprung nicht loskommt, kann sich der Gebende nicht aussprechen. Er verharrt offenbarungslos in sich selbst. Er ist sein eigener Gefangener, der Knecht seines Reichtums, den er somit nicht wirklich besitzt. Im „Sein" bröckelt nur die rissige Hauswand des Ewigen ab. Dahinter kommt der Stein des leblos Vereinsamten zum Vorschein. Gott lebt nicht, „Gott ist tot". —

Nicht deshalb stirbt Gott (in der Erfahrung Nietzsches), weil sich die Fülle seines Lebens an ihm selbst als *ewig* arm, das heißt als immer schon weggeschenkte, dreifaltige Liebe offenbart. Nein, er ist tot, weil der gegen das Arm-werden separierte Scheinreichtum des göttlichen Nur-Lebens: „Nichts" ist. Dieses Leben besteht nur aufgrund der vorausgesetzten Nichtigkeit des Endlichen, dessen die absolute Verschwendung Gottes bedarf, um ihre Macht austoben zu können. „Tod Gottes" ist also gar *kein* Postulat! Man muß ihn gerade nicht fordern, *damit* die Welt freiwerden könne. Das unendliche Nichts läßt sich nicht „verzwecken" oder für eine wie immer geartete Dienstfunktion an der Welt verwenden. Es ist völlig nutzlos, umsonst — göttlicher Unsinn, den man nicht der Welt als ihr „endgültiges Ziel" und ihren „vollkommenen Sinn" aufsetzen darf. Der Tod Gottes schenkt dem göttlichen Un-

43

sinn keinen Sinn: im Hinblick auf eine „aufzuwertende" Welt. Der Gott, der vom „Nichts" des ihm ausgelieferten Anderen seiner selbst her lebt, vermag für die Welt, auch durch sein Sterben hindurch, keine positiven Qualitäten zu entwickeln. Er ist zu wenig ‚unweltlich', um der Welt etwas bedeuten zu können. Allein die Ohnmacht des Menschen verleiht dem göttlichen Unsinn Seinscharakter — und zwar solange als der Mensch willens ist, seine eigene Hinfälligkeit in der Gestalt der ewigen Übermacht ‚Gottes' zu verewigen. In dem Augenblick, wo er das absolute Ja mitten im Endlichen als Endlichen wagt, es als dessen innerste Innerlichkeit bezeugt, das heißt, das grenzenlose Ja als Mitte seines Daseins „tut" (die Nähe zur Praxis des „positiven Humanismus" von K. Marx ist evident!), *muß* der himmlische Überbau zusammenbrechen. Der Tod Gottes erklärt sich aus dem *Indikativ* der grenzenlos ihr „Ja" sagenden endlichen Freiheit. —

Die immer schon geschehene Verendlichung des Seins macht also die radikale Kritik seines An-sich-haltens (als ideale Seinshypostase) möglich und notwendig zugleich. Der Mensch tötet Gott, weil er das vormals „jenseitige" Leben *nicht* als dem Endlichen allererst jetzt und dadurch ganz ‚geschenktes', sondern als vom Endlichen selbst aus sich herausgeborenes affirmiert. Jetzt gilt, was immer schon *wahr* ist, jedoch bislang noch verborgen blieb: „Sein = Nichts" und „es ist nichts mit den Werten". Die Basis des heraufkommenden Nihilismus liegt demnach im restlosen Vertrauen in die Präsenz des absoluten Ja im Endlichen *als* Endlichen. Erst von hier aus wird die Nichtigkeit der „Hinter-Welten" und die von ihnen her festgelegte Nichtigkeit der Welt offenbar. Durch die Transzendenz hatte sich der Mensch über sein Elend hinweggetröstet und im Absoluten sein endliches Nicht-sein als „überwunden" betrachtet, jedoch diesen Sieg nicht in Fleisch und Blut *geglaubt*, sondern im Raum der hypostasierten Ewigkeit *gedacht*. Damit war der Nihilismus heraufbeschworen.

2. Die christlich-moralische Interpretation der Welt als Wurzel des atheistischen Nihilismus

Dieser Nihilismus aber kommt nicht von ungefähr. Er hat seine Wurzel in einer ganz bestimmten Ausdeutung des Daseins, nämlich in der „christlich-moralischen" Interpretation der Welt. Eben darin steckt schon der Nihilismus (III, 881). Über den christlichen Gott hat die christliche Moralität gesiegt (vgl. II, 227). Denn die Moral des an-sich-haltenden Seins, der verweigerten Liebe, des nicht ins Fleisch hinein gestorbenen Gesetzes hat in einem die Nichtigkeit des Absoluten *und* der Welt erwiesen. Der im und durch den Moral-wert agierende Gott ist ja als solcher mit dem nicht entäußerten starren Sein verklammert, bloß auf sich bezogen, das heißt durch dieses Werkzeug seiner Macht beschränkt und zur Ohnmacht verurteilt. Die Form, in der er sich mitzuteilen versucht, wirft ihn immer wieder auf sich zurück, macht ihn gewissermaßen erst zum „jenseitigen" Gott, sperrt ihn in die leblose Identität eines Lichts ein, das nichts erleuchten und an ihm selbst freigeben kann.

a) Der jenseitige Gott und die dissoziierte Zeit der Unfreiheit

In Blick auf diese ‚Herkunft' dissoziiert die Gegenwart (der ihrer selbst mächtigen Freiheit) in die *Fernen* von Vergangenheit und Zukunft der zerbrochenen Zeit. Einerseits kann der Mensch nur werden, was er immer schon war, das heißt, er kann *nicht* werden; andererseits verarmt ihn seine Herkunft, bleibt sein jeweiliges Jetzt unerfüllt. Dies aber suggeriert ihm den pervertierten Glauben, er könne fortwährend voraussetzungslos im Punkt Null anfangen und sei dadurch auf Zukunft hin offen. Im ersten Fall ist er Sklave seiner Vergangenheit, eines im negativen Sinne autoritären Wesens, das den Akt des Existierens in sich verschluckt hat: einer Verfaßtheit des Daseins, zu der sich Freiheit nicht in kritischer Distanz verhalten kann. Sie erstickt im Gewohnten. Im zweiten Fall saugt ihn gleichsam eine noch ,ausstehende Zukunft' an, die vergangengemacht werden soll, das heißt hektisch zu vergegenwärtigen ist, damit sie ,endlich' ankomme und ihren Reichtum im Heute ausbreite. Der Mensch stirbt also entweder den Tod der Selbstwiederholung oder den Tod der bloß leistenden, arbeitenden Selbstentäußerung nach vorne hin.

Beide Formen deutet er als Figuren seines (Schein-) Lebens. In der Jagd nach der Zukunft will er dem Erstarren in der Institution (in-stituere = ein-richten!) des statischen Wesens entrinnen. So nennt er den ,Tod nach vorne': ,Leben' und sucht sich selbst, *aufgrund* seiner *passiven* Gefangenschaft im Gleichbleibenden, in der Zukunft: „-sehnsüchtig nach Fernerem, Höherem, Hellerem". „Ich will Erben, so spricht alles, was leidet, ich will Kinder, ich will nicht *mich*" (II, 556). In der Regression hingegen versucht er diesem Todeszwang ins Vorwärts hinein zu entkommen und sucht sich im Bei-sich-sein (in dem, was er ,immer schon war') und nennt seine Einheit mit dem Ursprung ,Leben', das er jenseits des (nun verlorenen) Selbstseins festhält. Den Tod in der actio transiens will er im Leben einer (nicht entäußerten, also toten!) acito immanens: den ersten durch einen zweiten Tod aufheben (und umgekehrt). Er lebt, so oder so, nicht die Einheit von Leben und Tod, Reichtum und Armut des Seins als Liebe. Das sind die zwei Seiten seiner fruchtlosen Unreife.

b) *Moral als Kompensation für den „toten Gott"*

Aber: „,Was vollkommen war, alles Reife — *will sterben!*' so redest du. Gesegnet, gesegnet sei das Winzermesser! Aber alles Unreife will leben, wehe!" (II, 556). Die Moral des in den Fernen von Herkunft und-Zukunft verbannten, an-sich-haltenden Seins fixiert den Menschen in dieser Unreife, im Unvermögen zur Gegenwart des freien Heute. Das Endliche kann nicht erlöst um seiner selbst willen leben; es ist in ein absolutes „Um-zu" von Herkunft und Zukunft hinein verbraucht, das den „Willen zum Dasein abwehrt" (III, 568), die „Typen des Lebens überwältigt" (III, 417) und die diejenigen zur Voraussetzung hat, die sich nicht selbst bejahen wollen. Das „Um-zu" der zerbrochenen Zeit hat „den Nutzen der Herde auf dem Grunde" (III, 861) und lehrt (sowohl von der Vergangenheit als auch von der Zukunft her): „den

Menschen als erkannt und bekannt" (III, 868). Er ist in beide Richtungen „durchschaut", gewußt. Diese Struktur des Daseins macht den „Tod Gottes" nur um so unausweichlicher. Sein Scheinreichtum zeigte sich ja als Reflex der eben geschilderten Spaltung von Leben und Tod in der dissoziierten Zeit der Unfreiheit, die in der Totenstarre des gegen seine Armut geschiedenen Seins wurzelt, worin die „Werte" beheimatet sind.

Daher manifestiert sich der „Glaube an die Wertlosigkeit der Werte" als eine „Folge der moralischen Wertschätzung". In dem Maße wie der Mensch seine Versklavung „zur Dauer zu bringen versucht", sofern er das freie ,Umsonst' seines „heiligen Ja-sagens" in der Gewesenheit des Himmels absterben läßt (um nicht eigen-ständig „Zukunft" entwerfen, die „Setzung eines Zieles nicht wagen" zu müssen!), fördert er die „Heraufkunft des Nihilismus". Zwar war die „Moral nötig, um den Menschen durchzusetzen" (III, 858). Mit ihr vollzog der Mensch den notwendigen Schritt aus der Vielheit des Werdens zur „Einheit des Seins" und brachte darin *eine* Form seines wachsenden „Willens zur Macht", *eine* Gestalt des über den Tod siegenden Lebens zum Ausdruck.

Das erreichte ,Leben' offenbart sich jedoch, wie wir sahen, nun nochmals als eine Gestalt des Todes, so daß sich die Moral gerade dort selbst überwindet, wo sie die absolute Herrschaft angetreten hat. Je mehr sich alle Tendenzen der ohnmächtigen menschlichen Selbstverwirklichung im substanziierten ,Sein als solchen' zusammenschließen, desto unumkehrbarer wird der „Tod Gottes". Denn der Nihilismus (Sein = Nichts) ist nur „die zu Ende gedachte Logik unsrer großen Werte und Ideale" (III, 635), die letzte Konsequenz des als ,Liebe' verweigerten Seins, des nicht als restlos verendlicht bejahten, absoluten Ja, der *zerfallenen* Einheit von Reichtum und Armut der Liebe. Würde der Mensch das absolute Leben als einen an ihm selbst weggeschenkten Reichtum erfahren, der sich hinter den Gittern der „idealen Werte" nicht zu verstecken braucht, dann ginge er über die Moral hinaus. Denn der „Glaube an Gott ist unmoralisch" (III, 600). Umgekehrt: „wer Gott fahren ließ, der hält um so strenger am Glauben an die Moral fest" (III, 880). Er ersetzt seine echte Transzendenz, das heißt das Armwerden in schöpferisch entäußerter Selbstüberüberbietung, durch das gegenständliche Jenseits der Werte, worin er eben das, was *er* vollbringen soll, schon als Vollbrachtes hinter sich hat und als die unzerstörbare Frucht seines Lebens ,anschauen' kann.

Er kompensiert die nihilistische Selbstauflösung des in sich verstrickten Gesetzgebers, die Nichtigkeit des absoluten Tyrannen, durch die Fixierung seiner eigenen Freiheit an den Moral-wert. Er scheint dafür legitimiert zu sein, da Gott, der im Moral-wert spricht (und doch *nichts* sagt!), sich dem Menschen aus der Mitte seines absoluten Lebens heraus gar nicht schenkt. Er redet vielmehr durch eine Maske, die er selbst nicht ‚ist'.

c) Der Ursprung der Gottlosigkeit in „Gott" und die versuchte Rechtfertigung des Atheismus durch Moral

Im Grunde ist der Moral-wert Gott fremd, keine Epiphanie seiner Selbstaussage. Verfügt Gott also den Menschen auf sich hin, ruft er ihn in die Transzendenz, dann konzentriert er die endliche Freiheit auf ein totes, gegenständliches Sein (den Moral-wert), das außerhalb des Ewigen liegt. Gott will demnach *nicht*, daß der Mensch *ihn* finde und an *ihm* Anteil bekomme. Er ver-notwendigt die Sehnsucht des Endlichen vielmehr auf das logi-sierte Gut hin und stößt den Menschen dadurch von sich ab, indem er ihn an sich bindet. Gott selbst treibt den Menschen also in die Gottlosigkeit, die sich andrerseits wiederum durch die Moral „rechtfertigt". Die Dialektik der Moral ist bis ins Mark: *atheistisch.* Sie „lebt" schon aus der Wahrheit „Gott ist tot" und verdeckt dennoch diesen Tod mit dem Schleier der Moralwerte, die das absolute Nichts umhüllen. Daher behütet die Moral, aufgrund der Hypostasierung der Werte, „die Schlechtweggekommenen vor dem Nihilismus" (III, 854 f.), den die Unfreien nicht annehmen wollen, weil sie ihn nicht ertragen können. Sie fliehen vor dem äußersten ‚Umsonst' der gewagten Sinngebung des Daseins, das mit dem „Nichts der Werte" *sinn-los* zu werden beginnt. Sie haben Angst vor dem Austrag des absoluten Ja *im* Endlichen als Endlichen. Weil sie die Wahrheit „Sein = Nichts" nicht bejahen wollen, so versuchen sie den Himmel *entweder* durch die hypo-stasierten Moralwerte zu restaurieren, die den toten Gott ver-bergen *oder* aber sie suchen hinter dem alten „toten Gott" einen „neuen", um wieder Sicherheit zu haben, das Geheimnis zu wissen und über der Ohnmacht ihres nicht Ja-sagen-könnens sich zu be-ruhigen.

3. „Sein = Nichts" und die nihilistische Vergeblichkeit der sinnlosen Welt

Allein, die „Heraufkunft des Nihilismus" schreitet unaufhaltsam fort. Die bisherige Wert-interpretation des Daseins macht ihn „notwendig" (III, 493), denn „wir haben in Gott das Nichts vergöttlicht" (II, 1178). Nihilismus bedeutet daher, daß „die obersten Werte sich entwerten" (III, 557). Die ideale Seins-hypostase bricht zusammen. Die gegebene (und doch nicht gegebene) Scheingabe des Seins entschwindet. Es fehlt das jenseitige Ziel, das gewußte, reflexiv gehabte „Wozu" der Welt. Alle Voraussetzungen, auf die sich der Mensch stützen konnte, entgleiten ihm ins Nichts. Das unbedingte Sollen (des ihn vorweg bestimmenden und einfordernden Moral-Gesetzes) ist nicht mehr. Alle Wesensstrukturen der Dinge, an denen der Mensch vernehmend (= empfangend) „maß"-zunehmen hatte, lösen sich in „dynamische Prozesse" auf. Jedes „Ding an sich" zerfällt. Überall dort, wo früher die zu rezipierende Qualität eines Vorweg aufleuchtete, gähnt jetzt das stumme Nichts hervor. Es gibt keine „Wahrheit", keine „absolute Beschaffenheit" der Realität. Denn die Instanz, die der plastischen Welt das statische Gepräge unveränderlicher Wesenheiten aufdrückte: das substantiierte Sein, bekundet sich als Grabmal des toten Gottes. Die Welt ist, ihres „einzigen" Sinnes beraubt, „sinnlos" geworden. „Es fehlt jeder Ort, jeder Zweck, jeder Sinn, wohin wir unser Sein, unser So-und-so-sein abwälzen könnten" (III, 823). Der entselbstete Mensch und die entmächtigte Welt haben den Sinn, in dem sie Licht und Leben des Daseins aufgehoben wußten, verloren.

Woraufhin und wozu soll die verarmte Welt überwunden werden? Wir erfahren zwar, daß diese Welt in ihrer Nichtigkeit „nicht sein sollte" — und wissen doch zugleich „von der Welt, wie sie sein sollte, daß sie nicht existiert" (III, 557). Das Nichts des Jenseits treibt uns in das Nichts des Diesseits, und gerade hier geht uns nochmals auf, daß es kein Sein gibt, auf das hin dieses Nichts relativiert, das heißt zumindest auf das Niveau einer Potenz aufgewertet werden könnte. Das bleierne Gefühl einer abgründigen Vergeblichkeit breitet sich aus. Weil der Mensch sein wirkliches Leben mit dem „Hirngespinst" des Seins identifiziert hatte, dieses aber jetzt als Nichts offenbar wird, so versinkt er in der Erfahrung: ‚Ich bin nichts und kann nichts'. Aber: *„eine* Interpretation im Dasein ging zugrunde: weil sie aber als *die* Interpretation galt, erscheint es als ob es gar keinen Sinn im Dasein gebe, als ob alles *umsonst* sei" (III, 853). Weil wir den Sinn des Daseins in die Sphäre des sich verweigernden Seins, in das nicht verendlichte ‚Ja und Nein zugleich' hinein verlegt hatten, alle Positivität dort, in der Idealität des Moral-Wertes, zu entdecken glaubten, so scheint, *nach* der Selbstauflösung dieser Dimension, aller Wert und Sinn überhaupt vernichtet zu sein. Die Welt kommt aus dem Nichts ihres ‚Ursprungs' auf sich selbst zurück und begreift doch noch nicht, daß ihre Sinnlosigkeit, mit der sie konfrontiert wird, vom (jetzt endgültig *erloschenen!*) Sein her gestiftet worden war, das heißt also (*nachdem* dieses „Nichts" ist) gar nicht mehr die ‚alte' Sinnlosigkeit sein kann.

4. Die Unfähigkeit des Nihilismus zur absoluten Bejahung des Endlichen als Endlichen

Der Mensch schwingt daher zwischen einem zweifachen Nichts hin und her: dem Nichts der Transzendenz und dem Nichts der Welt, wobei diese als *doppelt* nichtig gedeutet wird. Vom „ewigen Sinn" her war sie bis auf den Grund depotenziert worden, obgleich sie dadurch immer noch, aufgrund der durchgehaltenen („verewigten") Zerspanntheit des Menschen in Macht (Gott) und Ohnmacht (Welt), einen ‚Sinnbezug' aufweisen konnte. Ihr Nichts war durch das jenseitige Sein gedeckt. Dieses jedoch ist ihr jetzt *ganz* genommen. Das Maß ist verschwunden, an dem ihr Nicht-sein gemessen wurde; ein *neuer* Sinn ist ihr aber noch nicht geschenkt. Die frühere Gestalt ihres Nicht-seins hat sich (mit dem „Sein = Nichts") aufgelöst. Solchermaßen ist die Welt nicht mehr *nur* nichtig. Allein, der Tod Gottes hat ihr noch *keinen Wert an ihr selbst* vermittelt. Im Offenbarwerden des „Sein = Nichts" kommt ja nicht eine objektiv wirkliche, wenn auch früher der Welt entzogene Fülle zur Verendlichung. Der atheistische Nihilismus bedeutet nicht, daß die zuerst an-sich-haltende Gabe des Seins nun affirmativ in die Welt hinein ‚Fleisch wird'. Im Gegenteil, von oben her ist *nichts* zu erwarten.

Keine (in statu primo) „abstrakt, leblos, einsam" angesetzte „absolute Identiät" (Hegel) gewinnt in der „Periode des Nihilismus" mitten in der Welt (durch die Negativität ihrer Entäußerung) konkrete Gestalt. Die dialektische Vermittlung von „Sein = Nichts" im Sinne des Anfangs der hegelschen Logik ist *nicht* mehr möglich. Dem vorausgesetzten Nur-Reichtum Gottes bleibt nur der Ausweg, sich als absolut nichtig und nicht-seiend zu erweisen. Das „leere Sein" wird durch die „Arbeit, Geduld, den Schmerz und die Not seiner Entäußerung" (Hegel) nicht als „r e i c h" entborgen. Es ist schlechthin „Nichts". Welche Restbestände des Seins sich auch gegen die Wahrhaftigkeit des Nihilismus zu schützen versuchen —, was der Wahrheit „Sein = Nichts" nicht nachgibt, dem setzt der Mensch durch die „Philosophie mit dem Hammer", dem macht der „Zertrümmerer der Werte" ein Ende. Dies ist des Menschen *neue* Wahrhaftigkeit, seine lautere Objektivität, die zum Vorschein kommen läßt: was „ist" — und dies heißt: „Sein = Nichts".

Trotzdem erreicht er dadurch *keine* Affirmation des sinnlos gewordenen Daseins; er macht die Sinnlosigkeit nur um so deutlicher. Der Nihilismus gibt kein Ja her, er deckt nur ein „Nicht" auf. Deshalb versucht er den Menschen zum resignierenden „Pathos des Umsonst". Er läßt ihn die Vergeblichkeit ‚wissen', macht das „Umsonst" nochmals zu einer Kategorie des Verstandes und nimmt ihm so den Mut zur Überwindung desselben. Er suggeriert ihm, es sei doch alles vergeblich, sinnlos (zukunfts- und herkunftslos) und bindet ihn durch dieses Pathos wiederum rückläufig an den verschwundenen Sinn. Die gefährliche Versuchung des Nihilismus liegt darin, daß der Mensch seinen Blick auf den leeren Platz heftet, an dem er zuvor das Sein schaute. Indem er sagt: ‚es ist nicht', führt er in der Negation ein ‚Subjekt' ein. Die Grammatik auferweckt den toten Gott: „Ich fürchte, wir werden Gott nicht los, weil wir noch an die Grammatik glauben" (II, 960). In ihr bleiben die „versteinerten Grundirrtümer der Vernunft" (II, 789) erhalten. Denn solange der Sinn (wenn auch als negiert, vernichtet) im Gedächtnis der Sprache wirkt, kann die Depression des trostlosen Umsonst die Initiative der Freiheit absorbieren. Der „lähmendste Gedanke" als die „Dauer der Vergeblichkeit" legt sich auf alles Wollen. Der tote Gott „foppt" den Menschen noch, und dieser hat noch keine Macht, „sich nicht foppen zu lassen" (III, 853). Das „Pathos des Umsonst" entspringt somit der „Inkonsequenz des Nihilisten" (III, 557), der im Verborgenen immer noch den „Hinterwelten" verpflichtet bleibt und ihnen nachtrauert. Also: „Zwischenperiode des Nihilismus: bevor die Kraft da ist, die Werte umzuwenden und das Werdende, die scheinbare Welt als die einzige zu vergöttlichen und gutzuheißen" (III, 550).

5. Die Zweideutigkeit des nihilistischen „Umsonst"

So verharrt der Nihilismus in einer abgründigen Zweideutigkeit: er ist „Zeichen der gestärkten Macht des Geistes", der die Werte nicht mehr nötig hat; der das Joch des Absoluten abwerfen durfte, weil er kräftig genug ist: „zum Wollen eines Zieles", weil er reif ist für das „Umsonst" (im Sinne der gratuité) selbstloser, bejahender (liebender?) Sinngebung, gerade weil er sich selbst liebt! Der Mensch durchbricht von sich her seine Ohnmacht und braucht sie nicht mehr vom „Sein" her als überwunden zu behaupten. Dieses vermag ohnehin niemals seine Not zu wenden, sondern perpetuiert und legitimiert sie vielmehr nur. Der Nihilismus ist aber andrerseits auch eine Chiffre des „Niedergangs und der Ohnmacht des Geistes", der die Nichtigkeit der Welt durch Transzendenz nicht mehr in Schach halten kann, sondern sich selbst in eine sinnlos gewordene Welt hinein entgleitet. Es wird ihm unmöglich gemacht, im Reich der Werte sich anzusiedeln und dort zu wohnen. Sein Lebenselement (das logisierte Sein!) ist zunichte geworden. —

Dadurch, daß sie ihre Dienstbarkeit dem transzendenten Gott gegenüber wegwerfen, haben sich viele um den letzten Wert ihres Daseins gebracht, so daß jetzt ihre eigene Sinnlosigkeit mit einer ebenso sinnlosen Welt zur Deckung kommt (vgl. II, 326). Zwei Pole des „Umsonst", die Vergeblichkeit aufseiten des Subjekts und der Welt, stehen einander gegenüber und stürzen in den Abgrund der Sinnlosigkeit. Eine lastende Müdigkeit kriecht durch alle Glieder des Daseins ... und dennoch keimt schon der „Über-Mensch", der Kommende, der über diesen nihilistischen Zustand und die ihm entsprechende Lebensstruktur, das heißt über den Menschen, hinauswächst. Jener, der *berechtigt* ist, seine Dienstbarkeit abzuschütteln, weil er den Mut zum absoluten Ja mitten im Endlichen *als Endlichen* und mitten in dessen Sinn-losigkeit aufbringt: der Mensch als (nicht idealisierte und dennoch *reine!*) Endlichkeit ‚in Person'; kein bloßes Ich = Ich, kein individuiertes (in sich ungeteiltes, nicht weggeschenktes) „Einzel-ego", aber auch kein bloßes Moment am „älteren Du". Der Mensch, der aus dem bedingslosen Vertrauen in die Gegenwart des restlos verendlichten (umsonst geschenkten?) „Seins *im* Werden" lebt, das voraussetzungslose Ja zur Erde spricht; es umsonst verschenkt und nicht „verzweckt" austeilt; nicht von außen, sondern von innen bewegt wird. Der mitten in der eigenen und der Welt Not anfängt, da *weder* die Welt in ihrer *noch* er in seiner bislang waltenden Ohnmacht ein irgendwie außerhalb seines „Umsonst" liegendes „Um-zu" sich vorgeben oder auffinden können.

IV. Der „Wille zur Macht" als Sinngebung des Sinnlosen

1. Der Über-Mensch als Geburtsort des absoluten Ja im Endlichen als Endlichen

Die nihilistische Zerstörung besagt nicht, daran muß erinnert werden, daß das Sein gewissermaßen aus einem festen in einen flüssigen Aggregatzustand übergeführt wird, den Schenkungscharakter einer Gabe gewinnt, die imstande wäre, sich dem Endlichen zu übereignen, das heißt, dieses zu affirmieren. Das Leugnen eines Gottes und der Verantwortlichkeit des Menschen in Gott „erlöst zwar die Welt", aber nicht dadurch, daß sie jetzt etwas empfängt, was sie zuvor noch nicht besessen hätte. Damit wäre — von den Voraussetzungen der Gotteserfahrung Nietzsches her gesehen — nur der alte Zustand der Abhängigkeit des Endlichen von Gott wiederhergestellt. Es bleibt auch kein unendlicher Hohlraum übrig, in den hinein der Mensch ein neues Gottesbild einnisten könnte. Der Mensch kann Furcht und Faulheit nicht mehr durch den Glauben an die beständige, nicht wankende „Wahrheit des Ewigen" beschwichtigen. Diejenigen, die das immer noch zu tun versuchen, geraten ins „Nichts", das heißt, sie haben schon alle „Lebensberechtigung" verloren. Das „Sein = Nichts" kann ihnen nicht mehr Recht geben, denn es ist ‚nichts', kein Substantiv, kein Subjekt.

Wer wird diese unauslotbare Not wenden? Wer wird die bloße Reduktion des Unglaubens auf die Sinnlosigkeit der Welt dadurch beantworten (nicht reaktiv, denn das Nichts spricht nicht, sondern *spontan!*), daß in ihm „neue Wertgefühle frei werden", ein neues Sein-lassen ausgeboren, ein noch nie dagewesenes „Wertschätzen" entbunden wird, ein Ja, das bisher „auf die seiende Welt verschwendet worden ist" (III, 551)? Man merkt zwar, daß der alte Gott gestorben ist, aber ebenso unerbittlich geht uns auf, daß „noch kein neuer Gott in Windeln liegt" (II, 532). Wer wird es wagen, die Rolle des Befehlsempfängers abzulegen, nicht nochmals seine Passivität durch eine neue Flucht ins Jenseits abzusichern, sondern ein Werte-setzender, ein Sinn-stifter, ein Befehlender zu sein? Wer wird die Demut dieses vertrauenden Umsonst aufsichnehmen, das Ja verantworten?

Das erfahrene „Sein = Nichts" ist *nicht* der Grund, auch nicht Ursache, sondern nur Vorbereitung dieses Ja. Mit anderen Worten: Der Nihilismus spricht das Ja nur als abstrakte Möglichkeit aus, nicht konkret. Er macht offenbar, daß das Ja gesprochen werden *kann!* Die sinnlose Welt gibt dem Ja-sagenden gleichsam Raum: „ein kleines Stück von ihr selbst zu organisieren" und ist doch als diese sinnlose Welt (vom *Ende* des Nihilismus her gesehen) viel mehr als eine bloße Potenz (eine solche *war* sie durch ihre Verarmung vom Absoluten her!). Sie verlockt daher zu diesem Ja, aber offeriert dem Menschen keine schon vorausgesetzten Qualitäten. Von sich her spricht sie also kein Ja.

Deshalb vermag nur der Mensch, der unendlich mehr geworden ist als bloß ‚er selbst', die Sinngebung zu vollziehen: der „Über-

Mensch", auf den hin der „jetzt lebende Mensch", der das Umsonst der Bejahung noch nicht wagende, unterwegs ist. Der Über-Mensch ist als Endlicher: der *absolut* Frei-gewordene; der im Werden Frei-seiende, der mitten in der Endlichkeit (und für sie!) das absolute Ja des umsonst verschenkten Seins aus sich heraus gebiert und dadurch in einem: Gott als absolute Substanz *und* das „Nichts" überwindet[6]. Das bisherige Ideal (des hypostasierten Seins!) hatte auf die einzige Wirklichkeit, die es gibt, einen Fluch gelegt. Es war ein wirklichkeitsloses Ja, das heißt ein Nein, weniger noch: nichts! Aber es mußte dem kommenden Menschen „voraufgehen". Denn auf *dieses* Ja hin versuchte er die Wahrheit zu wagen, die ihn als unendlich mehr enthüllte, als er faktisch war, bis er merkte, daß er in *diesem* Ja unendlich weniger wurde, als er in Wirklichkeit sein konnte. Eine solche Form seines „Willens zur Macht" mußte scheitern, da der Mensch an ihm selbst viel größer ist, als er sich in *dieser* Figur seines (abstrakten) Selbst vorstellte, dachte und wollte. Im ,Ja' des hypostasierten Seins wollte er eigentlich: das „Nichts".

Indem er jedoch seinen „Willen zum Nichts" überwindet, verneint er das Ideal und damit seine Bindung an den ,gewesenen Anfang' und die ,ausstehende Zukunft' seines Lebens. Er beginnt in der Gegenwart zu wollen und hebt die dissoziierte Zeit in die Fülle des vollendeten Heute hinein auf. Er hat die Zeitdimensionen des „Morgens", der alles vor sich hat, und des „Abends", der alles hinter sich hat; die Leere des Nichts, aus dem alles kommen soll, und die Gewesenheit des vergangenen Seins, in dem alles war, in den Zenit durchstoßen: der „Glockenschlag des Mittags". Er befreit (als der große Bejaher) den Willen aus der Kerkerhaft im „Ideal" *und* aus dem Zurückfallen auf sich selbst,

---

6. „Dieser Mensch der Zukunft, der uns ebenso vom bisherigen Ideal erlösen wird als von dem, *was aus ihm wachsen mußte,* vom großen Ekel, vom Willen zum Nichts, vom Nihilismus, dieser Glockenschlag des Mittags und der großen Entscheidung, der den Willen wieder frei macht, der der Erde ihr Ziel und dem Menschen seine Hoffnung zurückgibt, dieser Antichrist und Antinihilist, dieser Besieger Gottes und des Nichts — *er muß einst* kommen . . ." (II, 837).

angesichts der sinnlos gewordenen Welt, die ihm keine Werte präsentiert, auf die hin er sich wollend selbst überbieten könnte. Er befreit zum voraussetzungslosen Wollen, und in dem Maße wie er das tut, vernichtet er den jenseitigen Gott *und* das Nichts der Sinnlosigkeit. Er schenkt der Erde ein neues *Ziel*, in dem alles ,wird' und ,nichts' gewesen ist; ein Ziel, das aber nicht als eine sich vorenthaltende, ausstehende Zukunft gedacht werden darf, sondern schon restlos angekommen ist. Denn alles ist im grenzenlosen Umsonst des über-menschlichen Ja gegenwärtig und da. Der Über-Mensch gibt dem Menschen das Noch-nicht der Hoffnung zurück und zersprengt dadurch seine kraftlose *Vermessenheit*, die im Ideal des Moral-Wertes alles vorwegzunehmen versuchte. Er erlöst ihn aber ebenso aus der zukunftslosen *Verzweiflung* des „Es ist alles umsonst", weil er dieses Umsonst der Vergeblichkeit ins befreiende, lebenerweckende Ja eines seiner selbst entäußerten Sein-lassens, ins *positive* Umsonst der Sinngebung verwandelt.

2. Der Über-Mensch als Antichrist und Antinihilist: Ort der atheistischen Kenosis des Seins

Der Über-Mensch ist „Antichrist", weil ihm der „Gott am Kreuz" als „Fluch auf das Leben" erschienen ist (III, 773). Am Kreuz wurde für Nietzsche die Welt in den schlechten Tod des verweigerten Ja geführt, nicht ins je größere Leben der Liebe hineingeboren. *Dieses* Mittlers ist der Mensch der Zukunft nicht bedürftig. Und trotzdem verschreibt er sich nicht dem Nichts. Er ist „Antinihilist", da er sich durch den Tod Gottes nicht mit einer abstrakten Freisetzung der Welt begnügt, sondern in seinem umsonst getanen Anfang den Gott *und* das Nichts besiegt[7]. Er

7. Als diesen Menschen sah und wollte sich Nietzsche selbst: „... der erste vollkommene Nihilist Europas, der aber den Nihilismus schon in sich zu Ende gelebt hat" (III, 634). An diesem Ende wird ihm aber nochmals das absolute Ja der Sinngebung des Sinnlosen fragwürdig; an der Unmöglichkeit, dieses Ja voraussetzungslos aus sich selbst sprechen zu können, ist er gescheitert. Denn

ist die Gegenwart des „Willens zur Macht", der „allem Werden den Charakter des Seins aufprägt" (III, 895). Er vollzieht immanent die Kenosis des Seins, die der Gott als Gleichnis menschlicher Ohnmacht nicht zu vollziehen vermochte. Aber der Über-Mensch fängt damit nicht im Jenseits an, sondern im Diesseits, das in sich erweiternden Kreisen über sich hinausgeht und doch es selbst bleibt.

Der Über-Mensch kann „höher" steigen; als Sinngestalt alles Lebendigen, das sich nicht erhalten, sondern „mehr" werden will (III, 750) in wachsenden Ringen von der Mitte her, die schon als *Gegenwart* vollendet ist, sich selbst überbieten; er kann von innen her leben, weil sein Sein nicht mehr „in einen Gott ausfließt" (II, 167), ihm in die Transzendenz hinein nicht enteignet ist. Er durchbricht als heiler Symbolos endlicher Freiheit (die nicht mehr, im Gegensatz zum an-sich-haltenden Sein, *nur* — endlich ist!) alle Gespaltenheit von Sein und Werden, Geist und Leib, Wesen und Erscheinung. Für ihn gibt es keine logisierte Scheidung, kein „Wissen" von „Gut *und* Böse", keine hypostasierende Trennung von Wahrheit *und* Lüge, Schönheit *und* Schein. Denn das, was zuvor „Lüge" war, hatte aufgehört, Lüge zu sein: als die Wahrheit, von der her sich die „Lüge" *bestimmte*, als „Nichts" offenbar wurde. Daher bejaht der Übermensch „die Lüge" als die „einzige Wahrheit", die es gibt. „Die Lüge, nicht die Wahrheit ist göttlich" (III, 918).

Zum Bösen entschlossen, will er es doch nicht ,als solches'. Denn es besteht als Böses nur solange, als das logisierte Gute, das gewußte Gesetz der toten Liebe, im Himmel herrschte. Das Nichts *dieses* „Guten" gewährt nun Raum für den „Willen zum Bösen",

---

das Endliche muß (obwohl es im *vormaligen* Sinne von „Endlichkeit", die am unendlich Ganz-Anderen ihrer Begrenztheit überführt wird, *nicht mehr* existiert), den absoluten, voraussetzungslosen Anfang aus sich selbst hervortreiben; *ohne* das absolute Wort des Lebens empfangen zu haben: aus sich selbst ein Gottes-(Selbst)-Gebärer sein. Führt das aber nicht gerade zur schlechten Vorwegnahme aller Zukunft im letztlich hoffnungslosen Ring einer in-sich-kreisenden Endlichkeit?

das von seiner Negativität befreit ist und als das „einzig Gute" vorstellbar wird. Der Mensch ist demnach „frei von Gut und Böse, wie von Wahr und Falsch" (III, 723). Was zuvor angeschaute Idee, ins Wissen eingefrorene oder substantiell gegen das Feld der Erscheinung abgetrennte Wesensgestalt war, das Spiel der materiell-sinnlichen Vielfalt und Mannigfaltigkeit außer sich hatte, das taucht jetzt (über-wesenhaft entäußert!) mitten in seinem *früheren* (negierten) Nichtsein verlebendigt auf.

Das Wissen vollendet sich im „Willen zur Macht" als *Kunst*: „Schein ist . . . das Wirkende und Lebende selber" (II, 73) und so „haben wir die Kunst, damit wir nicht an der Wahrheit zugrunde gehen" (III, 832). Alles und jedes meint Verleiblichung. Nicht in dem Sinne, daß die Wirklichkeit nun entidealisiert würde und von außer her, nach Leib-werdung verlangend, in die Dimension der Materie einrückte, sondern so, daß sie mitten in ihrer (zuvor ausgeschlossenen) Nichtigkeit als *deren* Positivität aufbricht. Das „starre Sein" wird radikal dividiert und multipliziert, und mit ihm auch die entsprechende Denkform. War diese zuvor dem statischen Wesens-*Raum* verpflichtet, dem Gleichbleibenden zugestaltet, so gewinnt sie jetzt die dynamische Struktur der im Werden flüssig gewordenen (*über*-wesenhaften) Seins-*Zeit*. Dies besagt: die einsinnig theoretische Schau des Ganzen der Wirklichkeit, das auf die Seinshypostase reduziert war, entäußert sich *plural* zur „Perspektivität des Daseins". Die Welt wird unendlich ausdeutbar: *jenseits* von Wahrheit *und* Lüge, Schönheit *und* Schein, Gut *und* Böse. Die gegenständlich verhärtete Polarität ihrer Widersprüchlichkeit ist aufgelöst und vernichtet, der Widerspruch von Ja und Nein im Anfang ‚vermittelt', aber nicht durch eine pneumatisch aufgeladene Logik, als „absolut konkreter Begriff" (Hegel), sondern im Umsonst des ja-sagenden „Willens zur Macht". Ringt Nietzsche eben darin nicht um die Gestalt des absolut zu sich selbst befreiten Endlichen *als Endlichen*, um die reine, ‚spielende Schöpfung'? —

3. Der „Wille zur Macht" als personale Gestalt „reiner Endlichkeit"? Das Heil in der Sinnlosigkeit

Was — oder besser: wer — ist aber dieser „Wille zur Macht", diese „Welt", die „ihr Spiel in infinitum spielt" (III, 704); „diese Welt, von innen gesehen" und „auf ihren intelligiblen Charakter hin bestimmt" (II, 601)? Wer vermag dieses sich „selbst gebärende Kunstwerk" (III, 495) zu deuten? Diese Welt, die „*besteht*" —, die „nichts ist, was wird, nichts, was vergeht" (vgl. III, 703)? Die Welt, will Nietzsche sagen, die nicht in der Zerspaltenheit der dissoziierten Zeit lebt, wer ist sie?

Ein Moment am Werden, das *gegen* ein transzendentes Sein geschieden ist, kann der „Wille zur Macht" nicht sein; denn er offenbart sich als die Einheit von Sein und Werden, von Zukunft und Gewesen. Ist er ein verallgemeinertes, idealisiertes, abstrakt stabilisiertes Moment des Werdens? Ist er der vergebliche Versuch, den verlorenen Sinn in einem einzigen Akt der Sinngeburt mitten aus der in ihrer Nichtigkeit festgehaltenen Endlichkeit wiederzuerzeugen? Nein, denn die im Nihilismus sinnlos gewordene Welt kann aus ihrem bloßen Nicht-sein keinen Sinn produzieren. Dieser muß vielmehr der schon vollendeten Gegenwart des absoluten Ja im freien Endlichen als Endlichen entspringen. Als dem bloßen Null-Punkt der sinn-los gewordenen Welt entstammend, wäre der „Wille zur Macht" nochmals ein werdendes Ereignis, ein Pseudo-Gott, der nachgemachte tote (alte) Gott und somit der verzweifelte Versuch seiner immanent inszenierten Wiederkunft, die von der Welt fabrizierte Parousia des toten Gottes, also: das Phänomen einer erst ankommenden Zukunft (*nicht*: Gegenwart des Seins im Werden) und damit immer noch ein Abklatsch und letzter Ausläufer des in Wahrheit nichtseienden, „jenseitigen" Sinnes. Der „Wille zur Macht" kann auch nicht „ewig" sein im Sinne des substanziierten Seins. Denn dieses ist ja gerade ein Reflex des verweigerten *Ja-sagens*, Verfallsform der Freiheit, die der „Wille zur Macht" überwindet. —

„Der ‚Wille zur Macht' kann nicht geworden sein" (III, 690), da er selbst dem Werden erst seinen Sinn *verleiht*! Er ist also mitten im Werden „ungeworden", ohne in ihm wie ein Fels aufzuragen. Er ist ‚vor' allem Werden, ohne dieses als Seinshypostase zu überherrschen, das heißt zugleich ‚im' Werden. Er ist die *endliche* Gestalt eines Reichtums, der an ihm selbst arm ist; eines Lebens, das sich als die Einheit von Leben und Tod entbirgt, das heißt nichts an sich hat, was nicht reif ist, nicht sterben will, die Kenosis flieht. Er ist die Welt, die darauf setzt, daß das absolute Seins-ja in ihr gegenwärtig ist und ihre ‚reine‘ Welt-lichkeit versiegelt. Eine Welt, die schon ihre *Frucht ist* und nicht bloß (in Herkunft und Zukunft zerrissen) ‚Frucht macht‘. Das Leben als *Tod* aller Entwicklung; der Tod des *Werdens* als Epiphanie seines *Reich-tums!* Die Präsenz einer Endlichkeit, die ‚sie selbst‘ ist, weil sie nicht nur ‚sie selbst‘ ist, da sie im Umsonst eines absoluten Ja, also durch eine *unendliche* Armut hindurch ‚sie selbst‘ ist. Ein reifer Baum, an dem Wurzel und Frucht kein Gegensatz sind, dem alles *wird*, weil er es schon ist: der „Ring der Ringe“, die „ewige Wiederkehr des Gleichen“; das Heute der vollendeten Vergangenheit und Zukunft; die „spielende Freiheit“ im „heiligen Ja-sagen“; der Mensch als Kind, voller Anfänge und Reife zugleich. Der ‚menschliche‘ Mensch in der ‚weltlichen‘ Welt, die das absolute Licht spiegelt, indem sie es (*freilich: ohne* es empfangen zu haben!) aus sich hervorbrechen läßt. Nichts „Fertiges“, sondern etwas zu *Wollendes*, weil „*nicht* Gewordenes“: „Der Über-Mensch *ist*(!) Der Sinn der Erde. Euer *Wille* sage: der Über-Mensch *sei*(!) der Sinn der Erde“ (II, 280). Auf diese Gestalt hin ist der Mensch zu überwinden. „Was habt ihr getan, ihn zu überwinden?“ (II, 279). —

Warum tanzt ihr nicht auf dem Seil über dem Abgrund, der auf-klafft zwischen dem Tier und dem Über-Menschen? Warum wollt ihr immer-fort zurück ins Gehege der Tiere oder zurück zum „absoluten Gefängniswärter“ eurer Unfreiheit, der Nicht-Liebe? Warum wagt ihr nicht die Zukunft, die *einzig zu erfüllende* (arme, bedürftige, hungernde, nackte), weil umsonst *schon erfüllte* (reiche, begabende, frei-machende, erlösende)? Warum wollt ihr nicht eine Zukunft, die nicht moralisch zu erleisten ist, für deren Gegenwart euch vielmehr der „Wille zur Macht“ die Augen öffnet und das Ja-sagen entzündet? Warum flieht ihr vor der Menschwerdung: in der Freiheit, Hoffnung und Freude des Endlichen *als Endlichen*? Warum zerreißt ihr das Dasein gegenständ-lich in die Dimension von Akt und Potenz, Reichtum und Armut, Him-mel und Erde, Macht und Ohnmacht, Herr und Knecht?

Warum wagt ihr nicht die Torheit des „Jenseits von Gut und Böse“, das Heil in der Sinnlosigkeit, die Weisheit im Fleisch, den Geist in der Materie, die Kraft in der Schwachheit (ohne daraus nochmals ein „tertium compositionis“ zu machen!)? Denn „alle Dinge sind getauft am Born der Ewigkeit und jenseits von Gut und Böse“ (II, 416). Wie-weit verträgt eure Wahrheit die *„Einverleibung“*, die Kenosis? „Das ist die Frage, das ist das Experiment“ (II, 118). Wieweit reicht die Armut des Seins, die Preisgabe seiner Entäußerung, die Ohnmacht, der Tod seiner Verendlichung?

Denn nur soviel ist an ihm wahr, echt, schöpferisch, wie-viel sich umsonst verschenkt. Wieweit kann sich euer Gutes mit dem Bösen solidarisieren, um gerade dadurch *sich selbst* (im vormaligen An-sich-halten) *und* das Böse zu vernichten? Wieweit geht das ‚peccatum factum' als Epiphanie des ‚absque peccato'? Solange das Sein als Liebe nicht restlos verströmt, ist es ‚nichts'; aber in dem Augenblick, wo ihr das Sein *im* Werden verendlicht lebt, hat sich sein Reichtum in der Narretei des Umsonst entborgen, sind der geizige Gott und der Nihilismus des „Sein = Nichts" überwunden. — Ist *das* nicht die Intention der atheistischen Sinngebung des Sinnlosen?

V. Das „Umsonst" der atheistischen Freiheit und die in ihm verborgene Gotteserfahrung

1. Die restlose Präsenz des Sinnes im Werden und die „ewige Wiederkehr des Gleichen"

Als „Wille zur Macht" und „Sinn der Erde" (II, 287) gewinnt der Über-Mensch die an den Himmel vergeudeten Schätze der Erde wieder zurück. Er ‚verendlicht' das, was *immer schon* verendlicht ist, und kann deshalb, von der vollendeten Gegenwart der absoluten Zukunft her, alle noch ausstehenden Reste des nicht fleischgewordenen Seins für null-und-nichtig erklären. Daher geschieht die Rückholung des Seinssinnes nicht im Akt einer Seinsempfängnis von oben nach unten, sondern durch eine voraussetzungslose Initiative, ein entbundenes, sich verströmendes Wollen *mitten* in der Endlichkeit, die „um ihrer selbst willen" da ist. Zuvor hatte der Mensch überall „Gott hinein gesteckt und Nützlichkeit herausgezogen" (III, 579). Alles war verzweckt, ihm in die schlechte Zukunft entzogen, ins ‚Dann ... dann' hinein entfremdet. Jetzt kehrt alles heim zu sich selbst, gerade dadurch, daß es über sich hinausgeht, nicht für sich, sondern im Bezug da ist; das „Gleichgewicht des lebendigen Systems sich beständig verschiebt". „Jedes Atom wirkt in das ganze Sein hinaus — es ist weggedacht, wenn man diese Strahlung von Machtwillen wegdenkt. Deshalb nenne ich es ein *Quantum Wille zur Macht*" (III,

777). Die zuvor substanziierte Einheit des Seinssinnes entbirgt sich *funktional* dadurch, daß sich ein jedes durch alles andere definiert, durch die horizontale Dynamik eines über-wesenhaften Seins-sinnes mit und in allem vermittelt ist; eine innere Strahlung besitzt, eine Atmosphäre von Seinsmächtigkeit, die alle substantiellen Grenzen sprengt. Zuvor lief alles von sich selbst fort, einem Zweck und Ziel nach, die doch unerreichbar waren. Nun werden alle „Schluß-Ziele, die längst erreicht worden sein müßten" (III, 853), geleugnet. Die Krisis liegt in der Beantwortung der Frage: „Bringen wir die Zweckvorstellung aus dem Prozesse weg und bejahen wir trotzdem den Prozeß? Das wäre der Fall, wenn etwas innerhalb jenes Prozesses in jedem Moment desselben *erreicht* würde — und immer das *Gleiche*" (ebd.).

2. Der ja-sagende „Wille zur Macht": eine verborgene Ekklesiologie?

Wer aber ist die endliche Gestalt des ‚Gleichen' im Werden? Ein ‚Gleiches', das weder die abstrakte Identität geschichtlicher ‚Systematik' noch eine ins Werden hinein untergegangene, das heißt in der bloßen Vielheit zerbrochene und *so* sich selbst wiederholende Einheit meint! Dieses ‚Gleiche' bekundet sich als das Ja-sagen des „spielenden Schaffens" (II, 294), das sich selbst, gleichsam „unwissend" (II, 720), das heißt nicht ins logisierte Sein, verstrickt, „vergißt"; sinn-schenkend und wert-schätzend sich losläßt und dies vermag, weil es „übervoll" in sich gründet, bei-sich-ist. „Ich liebe den, dessen Seele sich verschwendet, der nicht Dank haben will und nicht zurückgibt . . ." (II, 282). Die übervolle (vgl. abundantia caritatis!) Freiheit verzweckt die Gabe des Daseins weder auf einen erwarteten Dank noch auf die bloß reaktive Beantwortung eines Empfangen-habens hin. Es gibt nichts an ihr, was erst *dadurch*, das heißt nachträglich, zur Gabe würde, daß es von außen her, durch die Forderung eines Gesetzes, oder von innen, durch das begierliche Haben-wollen angestachelt, zur Selbstüberbietung käme. Der sich selbst Verschwendende „schenkt immer und will sich nicht bewahren" (II, 282). Er ist frei von der tyrannischen Arche-typik des logisierten Seins.

Er hat es durch die Annahme seiner selbst, das freie Ja zu sich, durch die Selbstlosigkeit seiner *Selbstliebe* überwunden und ist eben dadurch zum Anderen vermögend geworden. Er ist die freie Mitte des endlichen Daseins, in der und von der her alles Wirkliche ins Ge-heim-nis seines Selbstseins hineinreißt, in die Tiefen *seines* Lebens eingelassen wird. Er hat den Diabolos, der das seins-lose Werden in die dissoziierte Zeit auseinanderwirft, besiegt. „Ich aber bin ein Segnender und ein Ja-sager" (spricht Zarathustra), „wenn du nur um mich bist, du Reiner! Lichter! Du Licht-Abgrund! — In alle Abgründe trage ich da noch mein segnendes Ja-sagen" (II, 415). Wer ist dieser Licht-Abgrund, die heile Gestalt der freien Endlichkeit, die Epiphanie des absoluten Ja in der Form des Endlichen *als Endlichen*? Dürfte man es nicht wagen, Nietzsche auf die Kirche Jesu Christi als den Ort der durch die absolute Liebe befreiten endlichen Freiheit hin zu interpretieren?[8]

„Zum Segnenden bin ich geworden und zum Ja-sagenden: und dazu rang ich lange und war ein Ringer, daß ich einst die Hände frei bekäme zum Segnen" (Hände, die nicht brauchend, nutzend,

---

8. Diese „Interpretation" versteht sich *weder* als ein Auslöschen der „Unterscheidung des Christlichen" *noch* als eine „unangemessene Verchristlichung des Antichristen namens Nietzsche". Worum es viel mehr geht ist das Hinhörenlernen auf das, was der Geist des menschgewordenen Gottes im Fleisch der Geschichte „seinem Volk" durch ein „Nicht-Volk" zu sagen hat: „Ich werde das, was nicht mein Volk ist, mein Volk nennen und der Ungeliebten den Namen ‚Geliebte' beilegen" (Hos. 2, 25) und (Hos. 2, 1): „Es wird geschehen: *an dem Orte*, wo zu ihnen gesagt worden ist ‚Ihr seid *nicht* mein Volk', *dort* werden sie ‚Söhne des lebendigen Gottes' genannt werden" (vgl. Röm. 9, 25 bis 27). — „Darum nahm sich Osee ein Weib der Hurerei, in solcher Handlung verkündend, daß „hurend die Erde sich vom Herrn weghuren wird", die Menschen nämlich, die auf Erden sind, und daß gerade *aus solchen Menschen* es *Gott* gefallen werde, die *Kirche auszuwählen*, die in der *Lebensberührung* mit seinem Sohne zu heiligen ist, so wie jenes Weib geheiligt ward durch die *Lebensberührung* mit dem Propheten" (Irenäus von Lyon, Adversus Haereses, Kap. IV, 20, 12; Migne PG VII). Diese zu vollziehende „Lebensberührung" ist gerade heute für eine „Philosophie im Glauben" (die *möglicherweise* „philosophischer" sein *kann* als manche Nur-Philosophie) eine ernste Herausforderung, der man nicht ausweichen sollte.

haben-wollend an den Dingen kleben, sondern als „Sinne der Freiheit" sich ausgestalten; mit denen der Mensch also auch sich selbst nicht mehr wie eine Sache festzuhalten versucht). „Das aber ist mein Segnen: über jedwedem Ding als sein eigener" (nicht fremder!) „Himmel stehen, als sein rundes Dach" (das sich nicht aufsteilt, sondern birgt, sammelt, befriedet), „seine azurne Glocke" (durch die es dissonanzlos auftönen, sich aus-singen kann) „und seine ewige Sicherheit" (die nicht „starres Sein" ist!): „und selig ist, wer also segnet" (II, 415).

3. Die post-atheistische Sinngebung und die Perversion ihrer immanenten ‚kirchlichen Struktur'

Dieses Ja des „Willens zur Macht" hat für Nietzsche den Tod Gottes und das Pathos des nihilistischen „Umsonst" schon lange hinter sich. Es lebt aus einem nach-atheistischen Urvertrauen, aus dem Wagnis des Absoluten *im* Endlichen *als Endlichen*. Erst von *hier aus* konnte der Mensch aus dem Hin-und-Her zwischen dem Nichts des Himmels und dem Nichts der sinnlosen Welt: die *Welt* (als sinn-los gewordene) wählen. Von ihr (als der *einzig* wirklichen und wahren) her war sein Ja gerechtfertigt, das Nein zum Himmel legitim. Das unentschiedene Oszillieren zwischen dem doppelten Nichts *mußte* (aus der Notwendigkeit des neuen Anfangs, in der Ermutigung durch seine Kraft) zugunsten der Welt entschieden werden. Wenn überhaupt, dann ‚gibt' es *hier* und nirgendwo anders ‚das Sein'. Und doch darf dieses Ja, damit es restlos und umsonst geschenkt werde, *nicht* empfangen worden sein [9]. Es wird empfängnislos mitten im Endlichen hervorgebracht:

9. Da der über sich selbst hinaus-gewachsene Mensch (als „Übermensch") dieses Ja aus dem Quellgrund seiner eigenen Freiheit gebären und sprechen muß (und es auch „*kann*"), so darf die Manifestation seines Selbst-Seins nicht im Gehorsam der Selbstempfänger von Gott her gründen. Die blasse Verneinung (Atheismus) der Verneinung (Gott, Himmel) führt zu nichts; weshalb die blasse *Negation* des Empfangens (im Sinne des Nein zur Vermittlung des ja-sagenden Willens zur Macht in und durch Gott) zur Geburt des Ja-sagens *nichts* beiträgt. Der Weg der Freiheit zu sich selbst, der ausschließlich „über"

durch ein mütterliches Prinzip, das des Gottes *ledig* ist, *nicht* weil es sich in den Abgrund seiner je größeren Liebe hinein verschweigen, jungfräulich auf ihn sich loslassen, gehorchend ihm sich ausliefern würde, sondern weil Gott *tot* ist.

Deshalb hat diese Mutter alles in sich und bleibt doch, da das Sein ‚Nichts' ist, von keinem anderen befruchtet und affiziert: jungfräulich. Sie *ersetzt* den Gehorsam ihrer ‚Armut' (aufgrund dessen sie den ihr einwohnenden Reichtum nicht in sich verschließen und einsperren kann, da er Gott überantwortet ist) durch die ‚Armut' eines voraussetzungslosen Ja-sagens, durch das Umsonst immanenter Sinngebung. Somit scheint sie das absolute Ja nicht für sich selbst, sondern als wert-schätzende Selbst-übergabe für die Welt zu besitzen. Das „Kunstwerk" gebiert sich selbst! Denn alles Vorweg-geliebt-sein des Menschen von Gott her, alles Überholt-werden vom absoluten Leben, alle den Menschen unterfangende Initiative der göttlichen Torheit *mußte* (im Blick auf die schon geschilderte Voraussetzung) ausgelöscht werden, damit das Umsonst des Ja-sagens im Endlichen zum Durchbruch komme. Der Reichtum des ewigen Lebens war nicht an ihm selbst als unendlich arm, nicht als ewig weggeschenkte Liebe (vom Vater an den Sohn, vom Sohn dem Vater verdankt: in der Einheit des

---

den Atheismus gegangen wird, endet somit in einer „abstrakten Philosophie" (vgl. K. MARX, *Frühschriften*, Stuttgart 1953, 281 f). Zwar bleibt das „Sein = Nichts des Nihilismus", das „Verschwinden der Wahrheit des Jenseits", die Abschaffung des der Armut sich vorenthaltenden Nur-Reichtums („Kapital"), dessen himmlische Logik der Gott ist, eine *notwendige Voraussetzung* der „absoluten Initiative" des Menschen, obgleich das isolierte Nein zum „jenseitigen Nein" (in allen seinen Spielformen) den notwendigen Durchbruch der umsonstanfangenden Freiheit *nicht* zu vollbringen vermag. „Erst durch die Aufhebung *dieser*" (gemeint ist die atheistische!) Vermittlung, die aber eine notwendige Voraussetzung ist — wird der positiv von sich selbst beginnende, der *positive* Humanismus" (K. MARX, a.a.O.). — Von Verendlichung oder Fleischwerdung des Jenseits zu sprechen hat keinen Sinn mehr; sondern das positiv-spontane Anfangen der Freiheit in der Welt enthüllt allein die Wahrheit, daß das Sein *immer schon* verendlicht ist. Sich aus *diesem* Tun heraus- und nochmals ins Empfangen zurücknehmen hieße für Nietzsche (und Marx): die bedingungslose = unbedingte Voraussetzungslosigkeit der Freiheit verlieren.

Pneuma als der personalen Mitte des fruchtbaren Je-mehr der Selbigkeit von Reichtum und Armut der Liebe) erfahren worden. Nun springt ein Quell in der Endlichkeit auf, der in ein ewiges Leben fortfließt und überströmt (als die *„ewige* Wiederkehr des Gleichen" sich offenbart), ohne daß der Mensch von den Wassern des Lebens, die Gott schenkt (weil er selbst diese Wasser i s t), getrunken hätte.

4. Die Ohnmacht des Umsonst-Schenkens durch die Negation des Empfangen-habens

Wie aber soll ein Reichtum, der nicht als Gabe empfangen worden ist, an ihm selbst wirklich *arm* sein oder es werden können? Wie kann die im Über-Menschen sich entbergende Macht des absoluten Ja auf die Seite der Anderen treten, die Anderen werden, von ihnen empfangen sein, sich ihnen als *ihr* Leben einverwandeln, wenn diese Macht nicht selbst empfangen worden ist? Endet das Wagnis des Ja-sagens nicht nochmals in einer egoistischen Selbstverschwendung des *sich* genießenden, in sich gekrümmten, auf sich zurückfallenden Reichtums der an-sich-haltenden Liebe, des logisierten Seins (das schon vernichtet zu sein schien)? Gerät das Segnen nicht wiederum in den Tod eines zur wahren Selbstentäußerung unfähigen Lebens? Wenn der Mensch dieses Ja aus sich selbst hervorbringt, nicht durch die Kenosis des Seins als Gabe der ewigen Liebe zu diesem Umsonst befreit wird, sein Leben also nicht mehr als Gabe lebt (*so,* daß er nur *sein* kann, indem er immerfort schenkt, weil das, was er weggibt, als solches schon durch und durch entäußerte, das heißt weggeschenkte und *deshalb* auch empfangene Gabe *ist!*) — wer, so muß man fragen, rettet ihn dann aus der bloßen Selbstwiederholung? Wer macht ihn frei für das unverfügbare Du, in dem der Reichtum des Ja-sagenden nur ankommen kann, wenn der andere vorweg schon empfangen hat, an ihm selbst schon reich ist, das heißt der Reichtum des Sinn-gebenden selbst *dieses* Reichtums des Du bedürftig, also *arm* sein muß, um wirklich reich sein zu können? Wer gibt dem Menschen die Kraft, durch die von ihm nicht verfügbare, unschließbare *dialogische* Differenz von Ich und Du hindurch, seiner selbst los-zu-werden, ein *Du* zu werden und zu sein? Wer wird ihn so arm machen, daß er imstande ist, die Fülle des liebenden Seins-ja *im* Anderen zu vollziehen, ohne diesen zu einem Hohlraum der eigenen Selbstdurchsetzung zu degradieren, das heißt aber als der Mächtige gerade abzusterben, monologisierend einzufrieren? Wer erlöst ihn zum Werden des Anderen solchermaßen, daß der Wert-schätzende und Sinnstifter das Du nicht wiederum auf seinen eigenen Reichtum hin funktionalisiert, zu einem Moment an seiner fruchtlosen Selbstbehauptung entmächtigt? —

Nietzsche hat unter diesen Fragen unsagbar gelitten: „Licht bin ich, ach, daß ich Nacht wäre! Aber dies ist meine Einsamkeit, daß ich von Licht umgürtet bin. Ach, daß ich dunkel wäre und nächtig! Wie wollte ich an den Brüsten des Lichtes saugen! ... Aber ich lebe in meinem eigenen Licht, ich trinke die Flammen in mich zurück, die aus mir brechen ... Ich kenne das Glück des Nehmenden nicht ... Das ist meine Armut, daß meine Hand niemals ausruht vom Schenken" (II, 362 f.). Im „Nacht-Lied" singt der Nur-Gebende, Nur-Reiche seinen Schmerz heraus. Das, was er gibt, bringt außerhalb seines Lebens keine Frucht, es sinkt in den vergeblich Schenkenden hinein zurück. Er kann sich selbst nicht verlassen. Denn seinem Leben ist der Charakter des Empfangenwordenseins vernichtet. Der Gebende ist ein Gefangener seines Lichtes, das ihn beschränkt, ihm die notwendige Kenosis raubt, jene unabdingbare Selbstunterscheidung, in der er sich *an ihm selbst* als Ich-Du erfahren könnte, sofern er sein Ich als *Gabe* vom absoluten Du her übernimmt. Dieses Ich-Du-sein des freien Selbst würde es erst für das begegnende Du und die Andersheit der Welt aufschließen, zur Befreiung des Du befähigen. Der Mensch wäre in allen freien, umsonst getanen Anfängen (als Macht der *Zukunft*), in allem Ja-sagen immer schon im und beim Anderen gewesen, gerade weil er ihn nicht mehr „braucht", ihn nicht auf sich hin enteignet. Dieses ist daher die große Versuchung der atheistischen Sinngebung des Sinnlosen: „geizig zu werden in der Dürre der sinnlosen Welt" (vgl. II, 1264), nicht überströmen, der vergilbten Wildnis nicht befruchtender Tau werden zu können. „Zu reich bist du, du Verderber vieler! zu viele machst *du* neidisch, zu viele machst du arm . . ." (II, 1266)

Es geht um die „Armut des Reichsten", der sich nur in *einer* Richtung vollenden kann: „Du mußt *ärmer* werden, weiser Unweiser! willst du geliebt sein. Man liebt nur die Leidenden, man gibt Liebe nur den Hungernden: verschenke dich selber erst, o Zarathustra" (II, 1267). In der Qual seines Reichtums sucht Zarathustra eine neue *Armut*, die Knechtsgestalt des Bedürftigen, die Not des Hungernden. Er sucht die Macht (die ja auf seiner Seite liegt) *in* der Ohnmacht (die noch außer ihm ist). Er sucht beides in Einem, das er, aufgrund der zweideutigen Voraussetzungslosigkeit seines Umsonst, nicht vollbringen kann. Wer gibt ihm die Kraft, das *letzte* Wagnis einzugehen: nämlich die „Einheit von Sein und Werden", die Präsenz des absoluten Ja im Endlichen als Endlichen, die Unbedingtheit seines Umsonst *nochmals* los- und fahrenzulassen und sich dadurch in eine neu erfahrene Form von Endlichkeit hinein zu relativieren, das heißt ein Empfangender zu werden?

5. Nietzsche und die „Armut des Reichsten"

Ist in diesem Aufschrei („Mein Glück im Schenken erstarb im Schenken . . .", II, 363) nicht eine abgründige Gotteserfahrung verborgen? Die Erfahrung Gottes, der die Liebe ist, die den Menschen so absolut vorweg-geliebt, daß er mitten im Fleisch des (nihilistisch „sinnlos" gewordenen) Werdens den Anfang eines Umsonst zu setzen vermag, die Sinngebung des Sinnlosen vollzieht, ein Ja spricht, das alles zu sich selbst befreit (vgl. 2 Kor 1, 17 ff), so tief und ursprünglich, daß Die Liebe in ihrer Armut vom schon reichen ‚Wenn' dieses Ja des liebenden Menschen sich abhängig macht, aber *eben dadurch* die reine Gestalt des menschlichen Umsonst hütet: „*Wenn* wir aber einander lieben, so bleibt Gott *in* uns" (1 Jo 4, 12). — Die Liebe wahrt aber auch die „*Armut* des Reichsten". Denn „wir lieben, *weil* Er uns *zuvor* geliebt hat" (1 Jo 4, 19). Nur die Armut des Glaubens, der geschenkten Hoffnung, der gekreuzigten und auferstandenen Liebe rettet das Ja-sagen des „Willens zur Macht", sichert sein „Amen". Denn nur das empfangene, verdankte Dasein spricht sein Ja umsonst. Nur der gekreuzigte und auferstandene Herr zur Rechten des Vaters ‚erklärt' die Sinn-losigkeit des „Gott ist tot". Nur die Torheit der göttlichen Liebe *kann* den Tod Gottes rechtfertigen, weil sie ihn möglich macht, austrägt und als Epiphanie ihrer Herrlichkeit in Ewigkeit nicht von sich abstreift. Die verklärten Wunden der auferstandenen Liebe sind der wahre Ort des „Jenseits von Gut *und* Böse", der Triumph über die Hölle.

„Ich lehre euch den Freund, in dem die Welt fertig dasteht, eine Schale des Guten — den schaffenden Freund, der immer eine fertige Welt zu verschenken hat. Und wie ihm die Welt auseinanderrollte, so rollt sie ihm wieder in Ringen zusammen, als das Werden des Guten durch das Böse, als das Werden der Zwecke aus dem Zufalle" (II, 325) [10]. — „Deshalb liebt mich der Vater, weil ich mein Leben *hingebe*, daß ich es wieder *empfange*"; „. . . ich habe die *Macht*, es hinzugeben, und ich habe die *Macht*, es wieder zu empfangen" (Jo 10, 17). „*Niemand* nimmt es von mir, sondern *aus mir selbst* gebe ich es hin." Und eben dies ist Gehorsam, Armut des Reichsten: „diesen *Auftrag* habe ich erhalten von meinem *Vater*" (Jo 10, 18).

10. Vergessen wir aber nicht, daß Nietzsche mit der Unterscheidung von Gut „*und*" Böse jene Entgegensetzung meint, die der Logisierung des Guten als „Ort" entspringt. Das Jenseits von Gut „und" Böse bzw. das Werden des Guten „durch" das Böse ist innerhalb einer Erfahrung zu deuten, die, aufgrund des Nihilismus *und* (vor allem) des ja-sagenden „Willens zur Macht", *diese* (!) Unterscheidung schon hinter sich hat.

Literatur in Auswahl

BALTHASAR, H. U. VON, *Die Gottesfrage des heutigen Menschen*, Wien–München 1956.

BISER, E., *Gott ist tot. Nietzsches Destruktion des christlichen Bewußtseins*, München 1962.

FINK, E., *Nietzsches Philosophie*, Stuttgart ²1968.

HEIDEGGER, M., *Nietzsche*, 2 Bände, Pfullingen 1961.

JASPERS, K., *Nietzsche. Einführung in das Verständnis seines Philosophierens*, Berlin 1936.

LOTZ, J. B., *Entwurf einer Ontologie bei Fr. Nietzsche*, in: *Scholastik* 24 (1949) 1–29.

DERS., *Zwischen Seligkeit und Verdammnis. Ein Beitrag zu dem Thema: Nietzsche und das Christentum*, Frankfurt 1953.

LÖWITH, K., *Von Hegel zu Nietzsche*, Stuttgart ⁵1964.

SCHULZ, W., *Der Gott der neuzeitlichen Metaphysik*, Pfullingen 1957.

ULMER, K., *Nietzsche*, Bern–Stuttgart 1962.

ULRICH, F., *Homo abyssus. Das Wagnis der Seinsfrage*, Einsiedeln 1961.

DERS., *Das theologische Apriori des neuzeitlichen Atheismus*, in: *Potere e responsabilità*, Brescia 1962, S. 341–377.

DERS., *Die Macht des Menschen bei Fr. Nietzsche*, in: *Il problema dell'ateismo*, Brescia 1963, S. 154–198.

DERS., *Atheismus und Menschwerdung*, Einsiedeln 1966.

DERS., *Der Mensch als Anfang*, Einsiedeln 1970.

VOLKMANN – SCHLUCK, K. H., *Leben und Denken. Interpretationen zur Philosophie Nietzsches*, Frankfurt 1968.

WELTE, B., *Nietzsches Atheismus und das Christentum*, Darmstadt 1958.

Eduard Huber

Atheismus im Marxismus

„Die Philosophie, solange noch ein Blutstropfen in ihrem welt-
bezwingenden, absolut freien Herzen pulsiert, wird stets den
Gegnern des Epikur zurufen: ἀσεβὴς δὲ οὐχ ὁ τοὺς τῶν πολλῶν θεοὺς
ἀναιρῶν, αλλ᾽ ὁ τὰς τῶν πολλῶν δόξας θεοῖς προσάπτων[1]. Die Philosophie verheimlicht es nicht: Das Bekenntnis des Prometheus —
ἁπλῷ λόγῳ τοὺς πάντας ἐχδαίρω θεούς[2] — ist ihr eigenes Bekenntnis,
ihr eigener Spruch gegen alle irdischen und himmlischen Götter,
die das menschliche Selbstbewußtsein nicht als die oberste Gottheit anerkennen. Es soll keiner neben ihm sein." So verkündete
KARL MARX im Jahr 1841 in der Einleitung zu seiner Dissertation,
die er mit den feierlichen Worten schloß: „Prometheus ist der vor-
nehmste Heilige und Märtyrer im philosophischen Kalender."[3] —
Jahre bevor sich die sozialen, wirtschaftlichen, politischen und
philosophischen Ansichten von K. Marx ausprägten, war er schon
ein überzeugter Atheist. Anzeichen für eine religiöse Krise in seinem Leben konnten seine Biographen bislang nicht finden.

Es soll hier versucht werden, zunächst Marxens Weg von
diesem humanistischen Atheismus zur Gesellschaftskritik zu
skizzieren. Anschließend folgt eine Darstellung von Engels Be-
mühungen, ein atheistisches Weltbild zu schaffen, sowie eine

---

1. „Gottlos aber ist nicht der, welcher mit den Göttern des gemeinen Volkes
aufräumt, sondern der, welcher den Göttern die Vorstellungen des gemeinen
Volkes andichtet."
2. „Grad heraus: Die Götter haß ich allesamt."
3. K. MARX, *Frühe Schriften*, Erster Band (= Karl-Marx-Ausgabe, *Werke —
Schriften — Briefe*, hg. v. H.-J. LIEBER und P. FURTH, Band I), Stuttgart 1962,
S. 21.

Skizze über den kämpferischen Materialismus V. I. Lenins. Nach diesem mehr geschichtlichen Teil sollen die drei Fragenkreise „Causa sui — Ursache von sich selbst?", „Wissenschaft und Religion" und „Gott und Mensch" in die Problematik des Atheismus im heutigen Marxismus einführen.

I. Marx und Engels

1. Um die Jahreswende 1843/44 schrieb Marx: „Für Deutschland ist die Kritik der Religion im wesentlichen beendigt."[4] — Was war geschehen? LUDWIG FEUERBACH hatte 1841 *Das Wesen des Christentums* veröffentlicht. Darin erschien die Religion als das Verhalten des Menschen zu sich selbst, zu seinem Wesen als zu einem anderen Wesen, und das göttliche Wesen war „nichts anderes als" das Wesen des Menschen, abgesondert von den Schranken des wirklichen leiblichen Menschen, angeschaut und verehrt als ein anderes Wesen. So war das Wesen Gottes „nichts anderes als" das Wesen des Menschen, und damit das Wesen der Religion „erklärt"[5]. In seinen *Erläuterungen und Ergänzungen zum Wesen des Christentums* fügte Feuerbach hinzu, *der Grund der Religion sei das Abhängigkeitsgefühl des Menschen*, der Gegenstand dieses Gefühls aber sei ursprünglich „nichts anderes als" die Natur. So sei also der erste, ursprüngliche Gegenstand

4. Ebd., S. 488.
5. Vgl. L. FEUERBACH, *Sämtliche Werke* (neu hg. von W. BOLIN und F. JODL), Band VI, Stuttgart ²1960, S. 17. — Ist nicht die „Entmythologisierung", wenigstens in gewissen Formen ein — hoffentlich letzter — Ausläufer dieses Erklärungsschemas des „nichts anderes als"? Vom strukturalistischen Standpunkt, der ja auch die Mythen nicht mehr hinwegdeuten, sondern in einem Zusammenhang verständlich machen will, bemerkt LUCIEN SEBAG: „Seit Feuerbach und Marx ist es ein Gemeinplatz geworden, zu erklären, daß der Mensch Gott sein eigenes Sein in einer exemplifizierten Form zugeschrieben habe, und daß die Zeit der Wiederaneignung gekommen sei. Aber es wäre ohne Zweifel genauer, zu sagen, daß Gott jene Attribute zugeschrieben wurden, die es erlaubten, die menschliche Wirklichkeit im Gegensatz dazu zu denken" (*Marxismus und Strukturalismus*, Frankfurt 1967, S. 299, Anm. 12).

der Religion die Natur, was ja die Geschichte aller Religionen und Völker sattsam beweise [6].

Der christliche Glaube von FRIEDRICH SCHLEIERMACHER war 1821/22 erschienen. Darin begann „Der Glaubenslehre erster Theil" mit der Darstellung des schlechthinigen Abhängigkeitsgefühls, das in jedem christlich frommen Selbstbewußtsein immer schon vorausgesetzt und also auch enthalten sei. Schleiermacher ging damit wohl nicht allzuweit am Selbstbewußtsein vieler Christen seiner Zeit vorbei. Für Feuerbach ist das Gefühl der Abhängigkeit des Menschen von Gott eine Projektion der Abhängigkeit des Menschen von den Mächten der Natur. Für Marx sollten die Mächte der Gesellschaft hinzukommen. Bis auf den heutigen Tag fußen der marxistische Atheismus und die marxistische Religionskritik auf der Auffassung, Religion gehe aus dem Gefühl der Abhängigkeit hervor.

2. Für MARX war also die Kritik der Religion im wesentlichen beendet. Was ergab sich für ihn daraus? In demselben Artikel *Zur Kritik der Hegelschen Rechtsphilosophie. Einleitung,* in dem er dies feststellte, schrieb er: „Das Fundament der irreligiösen Kritik ist: Der Mensch macht die Religion, die Religion macht nicht den Menschen. Und zwar ist die Religion das Selbstbewußtsein und das Selbstgefühl des Menschen, der sich selbst entweder noch nicht erworben oder schon wieder verloren hat. Aber der Mensch, das ist kein abstraktes, außer der Welt hockendes Wesen. Der Mensch, das ist die Welt des Menschen, Staat, Sozietät. Dieser Staat, diese Sozietät produzieren die Religion, ein verkehrtes Weltbewußtsein, weil sie eine verkehrte Welt sind." So sei *die Kritik der Religion* im Keim *die Kritik des Jammertales,* dessen Heiligenschein die Religion ist, meinte Marx, und er kam zu dem Schluß: „Die Kritik der Religion endet mit der Lehre, daß der Mensch das höchste Wesen für den Menschen ist, also mit dem kategorischen Imperativ, alle Verhältnisse umzuwerfen, in denen der Mensch ein erniedrigtes, ein geknechtetes, ein verlassenes, ein veräch-

---

6. L. FEUERBACH, *Sämtliche Werke,* Band VII, Stuttgart ²1960, S. 434.

liches Wesen ist."[7] — Es ergab sich also für Marx eine Aufgabe, die auch eines Christen durchaus würdig gewesen wäre.

FRIEDRICH ENGELS sagte später (1886) in seiner Schrift über Feuerbach: „Aber der Schritt, den Feuerbach nicht tat, mußte dennoch getan werden; der Kultus des abstrakten Menschen, der den Kern der Feuerbachschen neuen Religion bildete, mußte ersetzt werden durch die Wissenschaft von den wirklichen Menschen und ihrer geschichtlichen Entwicklung."[8] Dies war der Weg der Entwicklung des Denkens von Karl Marx. Er begann mit einem prometheischen Kult des Menschen und führte zu einem großangelegten Versuch, die Strukturen der Herrschaft in der ihm gegenwärtigen Gesellschaft wissenschaftlich zu erfassen, um daraus Schlüsse für deren *revolutionäre Überwindung* ziehen zu können. Daß ihm diese langwierige Arbeit mehr Feinde eintragen würde, als atheistische Propaganda, wußte er: „Heutzutage ist der Atheismus selbst eine culpa levis, verglichen mit der Kritik überlieferter Eigentumsverhältnisse" (Vorwort zur ersten Auflage des *Kapital*)[9]. Marx hatte erkannt, daß der wirkliche „Gott" (im Feuerbachschen Sinne, das heißt jene Macht, die die Menschen aus sich heraussetzen und zu ihrem Herrn machen) jener Gesellschaft, die er untersuchte, weder ein über den Wolken thronender Alter noch ein ins Jenseits projiziertes menschliches Wesen war, sondern *das Kapital*. Dies war jenes Geschöpf der Menschen, dem sie sich unterordneten. So war der Weg vom *Wesen des Christentums* zum *Kapital* ein Weg von der Ideologie zur Wissenschaft[10].

3. Marx und Engels sind also nicht Atheisten geworden, weil sie soziale Umwälzungen erstrebten und die Kirchen ihnen dabei im Wege standen, wie man manchmal hören kann. Für sie war Religion illusorischer Trost in Abhängigkeit und Elend, Atheismus

---

7. K. MARX, *Frühe Schriften*, Erster Band, Stuttgart 1962, S. 488–497.
8. K. MARX – F. ENGELS, *Werke*, Band 21, Berlin 1962, S. 290.
9. K. MARX – F. ENGELS, *Werke*, Band 23, Berlin 1968, S. 16.
10. Man könnte sich fragen, was es bedeutet, wenn nach dem zweiten Weltkrieg eine Reihe von Marxisten mit ihrem Humanismus diesen Weg rückwärts verfolgen und eine Reihe von christlichen Theologen ihnen bis zu Feuerbach entgegenkommen.

aber *die Forderung nach Freiheit und Glück des Menschen.* Daß sie aus ihrem Atheismus heraus zu Kritikern von Unterdrückung und Ausbeutung in ihrer Gesellschaft wurden, ist bezeichnend für diese. Ihr Atheismus war also kein „politischer Atheismus", wenn dieser Ausdruck bedeuten soll, daß sie aus politischen Gründen zu Atheisten wurden, er hatte aber politische Komponenten. Lebten sie doch in einem Milieu, in dem Politik und Religion vielfach in eigenartiger Weise verquickt waren. Nicht nur das Staatskirchentum spielte eine Rolle. Engels beschreibt sicher tatsächliche Verhältnisse, wenn er sagt, die zuerst so freigeistigen Bourgeois hätten angesichts der rebellischen Arbeiter die Losung ausgegeben: „Die Religion muß dem Volk erhalten bleiben." (Wie oft haben wir das selber noch gehört!) Aber sie hätten, so meint Engels, dies zu ihrem Unglück erst entdeckt, nachdem sie ihr Menschenmöglichstes getan, um die Religion für immer zu ruinieren [11].

4. Eine Zusammenfassung der Auffassung von der Religion, ihren Gründen und ihrem Verschwinden, die bis heute für viele Marxisten maßgebend ist, gab Engels in seinem *Anti-Dühring.* Alle Religion ist nach ihm „nichts anderes als" in den Köpfen der Menschen *eine phantastische Widerspiegelung* derjenigen Mächte, die ihr Dasein beherrschen. Dies sind einmal die Mächte der Natur, dann auch die der Gesellschaft, die zunächst ebenso unerklärlich erscheinen. Sie nehmen eine überirdische Form an, wobei im Lauf der Entwicklung schließlich sämtliche natürlichen und gesellschaftlichen Attribute der vielen Götter auf einen allmächtigen Gott übertragen werden, der selbst wieder nur der Reflex des abstrakten Menschen ist. Erst wenn die Gesellschaft durch Besitz-

11. K. Marx – F. Engels, *Werke,* Band 19, Berlin 1962, S. 542 f. – Dies bedeutet jedoch nicht etwa, daß Marx und Engels sozial gesinnten Christen gegenüber Sympathien gezeigt hätten; Marx schrieb im Jahr 1869 an Engels: „Bei dieser Tour durch Belgien, Aufenthalt in Aachen und Fahrt den Rhein hinauf habe ich mich überzeugt, daß energisch, speziell in den katholischen Gegenden, gegen die Pfaffen losgegangen werden muß. Ich werde in diesem Sinn durch die Internationale wirken. Die Hunde kokettieren (z. B. Bischof Ketteler in Mainz, die Pfaffen auf dem Düsseldorfer Kongreß usw.), wo es passend scheint, mit der Arbeiterfrage..." (K. Marx – F. Engels, *Werke,* Band 32, Berlin 1965, S. 371).

ergreifung und planvolle Handhabung der gesamten Produktions-
mittel sich selbst und ihre Mitglieder aus der Knechtung befreit
hat, verschwindet die letzte fremde Macht, die sich heute noch in
der Religion widerspiegelt, und damit die Religion selbst, „aus
dem einfachen Grunde, weil es dann nichts mehr widerzuspiegeln
gibt" [12].

Wenn MARX in seinen *Thesen über Feuerbach* (1845) dem alten,
„anschauenden" Materialismus einen neuen Materialismus gegen-
überstellt, so spricht er damit vor allem seine grundlegende Ansicht aus, daß alles auf die „gegenständliche Tätigkeit", *die Praxis
des Menschen* ankommt, in der dieser die Welt verändert und sich
selber formt. Es geht also zunächst nicht um eine Lehre von Wesen
und Grund aller Dinge, sondern um eine Auffassung vom Menschen, die nicht vom Selbstbewußtsein, sondern von der gegenständlichen Tätigkeit ausgeht. Trotzdem wurde in der Folgezeit
der Einfluß jenes alten Materialismus auf das marxistische Denken, besonders auf das sowjetische, sehr groß, woran Marx und
Engels keineswegs unschuldig waren.

1844 schrieb Marx in dem mit Engels gemeinsam herausge-
gegebenen Werk *Die heilige Familie, oder Kritik der kritischen
Kritik*, daß alle Metaphysik nun dem mit dem Humanismus zu-
sammenfallenden Materialismus erliegen würde. Theoretisch
werde dieser von Feuerbach, auf praktischem Gebiet aber vom
französischen und englischen Sozialismus und Kommunismus dargestellt. Es gebe zwei Richtungen des französischen Materialismus,
deren eine von Descartes herrühre und in die eigentliche Naturwissenschaft auslaufe, die andere von Locke ihren Ausgang nehme
und in den Sozialismus einmünde. So war *ein doppelter Zusammenhang mit dem Materialismus des 18. Jahrhunderts* hergestellt, einmal über den Sozialismus, zum andern über die Naturwissenschaft [13].

12. K. MARX – F. ENGELS, *Werke*, Band 20, Berlin 1962, S. 294 f.
13. Vgl. K. MARX, *Frühe Schriften*, Erster Band, Stuttgart 1962, S. 819–823,
872.

76

ENGELS war es, der *die naturwissenschaftliche Linie* aufnahm. Er fand, daß die wirkliche Erkenntnis der Natur die Götter oder den Gott aus einer Position nach der anderen vertreibe, ein Prozeß, der theoretisch schon als abgeschlossen gelten könne. So entwarf er ein nach seiner Meinung für seine Zeit hinreichendes Bild von einer ewig existierenden, notwendig in Bewegung befindlichen Materie, die im ewigen Kreislauf, in ungeheuren Zeiträumen das Leben und ihre höchste Blüte, den denkenden Geist, erst erzeugt, dann ausrottet und mit derselben eisernen Notwendigkeit wieder erzeugen muß, denn „wir haben die Gewißheit, daß die Materie in allen ihren Wandlungen ewig dieselbe bleibt, daß keins ihrer Attribute je verlorengehen kann"[14].

II. Lenin

1. Im zaristischen Rußland war das Staatskirchentum so sehr ausgeprägt, daß es unter revolutionär gesinnten Leuten heftige Reaktionen hervorrufen mußte. So auch bei V. I. LENIN. Unter dem Einfluß der Schriften von Tschernyschewskij, der den Ideen Feuerbachs nahe stand, und von Marx wurde Lenin zum überzeugten Atheisten. Für ihn war Religion eines der niederträchtigsten Dinge, die es auf der Welt gibt, war jede Art von Gottesidee eine unsagbare Abscheulichkeit und der Kampf gegen die Religion das ABC jedes Materialismus und folglich auch des Marxismus. Und doch, ja vielleicht gerade deshalb war er es, der an die Stelle der Staatsreligion einen Staatsatheismus setzte, indem er aus dem Marxismus *eine atheistische Weltanschauung* machte, auf die er seine Partei verpflichtete und in der ein von dieser Partei regierter Staat nun die Massen erziehen sollte.

Damit war auch hinsichtlich des Atheismus *das Problem der Rechtgläubigkeit*, des Revisionismus und der Parteilinie gegeben. Im Marxismus ist es vor allem unter dem Stichwort „Revisionismus" bekannt geworden. Dieses Wort bedeutet zunächst Ab-

14. K. MARX — F. ENGELS, *Werke*, Band 20, Berlin 1962, S. 327.

weichung von der rechten Lehre. Irgend jemand, irgendeine Instanz muß aber darüber befinden, was als wahre Lehre zu gelten habe. Da dies die Parteispitze ist, wird Revisionismus zur Abweichung von der Parteilinie[15]. Doch gab es hier keineswegs schrankenlose Willkür. Die allgemeine Richtung der „Parteilichkeit in der Philosophie" war schon vorgezeichnet.

2. Engels hatte in seiner Schrift über Feuerbach dessen Idee von der Grundfrage der Philosophie aufgenommen. Für Feuerbach war dies die Frage, ob ein Gott die Welt geschaffen. Da aber Gott „nichts anderes als" der Inbegriff der Gattungsbegriffe sei, so sei dies zugleich die Frage nach dem Verhältnis des Allgemeinen zum Wirklichen, des Geistes zur Sinnlichkeit[16]. Für Engels war die Grundfrage die nach dem Verhältnis des Denkens zum Sein, des Geistes zur Natur, die sich der Kirche gegenüber so zugespitzt habe: Hat Gott die Welt geschaffen, oder ist die Welt von Ewigkeit da? Je nach ihrer Antwort auf diese Frage gehören die Philosophen zu einem der beiden großen Lager, dem Lager des Idealismus, das eine, wie auch immer geartete, Weltschöpfung annimmt, oder dem Lager des Materialismus, das diese ablehnt[17].

Lenin spricht auf den letzten Seiten seines Buches *Materialismus und Empiriokritizismus* (1908) vom Kampf der Parteien in der Philosophie, der in letzter Instanz die Tendenzen und die Ideologie der feindlichen Klassen der modernen Gesellschaft zum Ausdruck bringe[18]. Die kämpfenden Parteien seien *Materialismus und*

15. STALIN führte diese Logik in der Praxis durch und erreichte, daß während eineinhalb Jahrzehnten niemand, der in seinem Herrschaftsbereich über weltanschauliche Dinge schrieb, sich auch nur um Haaresbreite von seiner Auffassung des dialektischen und historischen Materialismus entfernen konnte.
16. L. FEUERBACH, *Sämtliche Werke*, Band VIII, Stuttgart ²1960, S. 149 f.
17. K. MARX – F. ENGELS, *Werke*, Band 21, Berlin 1962, S. 274 f.
18. Damit war der Zusammenhang zwischen Weltanschauung und Politik hergestellt. „In letzter Instanz" bedeutet hier, daß es sich um einen keineswegs unmittelbaren, sondern um einen sehr vermittelten Zusammenhang handle. Aber dieser Ausdruck sollte bald einen tragischen Sinn bekommen. Die Zeiten waren ja nicht fern, wo man in dem von Lenin gegründeten Reich wegen idealistischer Tendenzen ganz unvermittelt in erster und letzter Instanz zum Klassenfeind abgestempelt wurde.

Idealismus. Der Idealismus sei nur eine verfeinerte Form des „Fideismus"[19]. Unparteilichkeit in der Philosophie aber sei nichts anderes als jämmerlich maskierter Lakaiendienst für den Idealismus und Fideismus[20]. — So kam es, daß in der Sowjetunion das Bekenntnis zum Materialismus zu einem wesentlichen Bestandteil für den Erweis der marxistischen Rechtgläubigkeit wurde. Bis auf den heutigen Tag gilt es dort als ein bedenkliches Zeichen für revisionistische Tendenzen, wenn sich jemand um eine klare Stellungnahme zur „Grundfrage" herumdrücken will[21].

Materialist ist man nach Lenin dann, wenn man annimmt, daß *Materie* eine philosophische Kategorie zur Bezeichnung der objektiven Realität ist, die von unseren Empfindungen kopiert, photographiert, abgebildet wird und unabhängig von ihnen existiert, und daß dies die einzige objektive Realität ist, außer der es eine andere nicht gibt und nicht geben kann. Nur auf diese Weise, so meinte Lenin, werde dem „Fideismus" ein für allemal die Tür versperrt[22]. So war die Frage nach einer objektiven, das heißt hier: unabhängig vom menschlichen Bewußtsein existierenden Wirklichkeit, die nicht Materie ist, ausgeschlossen. Es blieb die Frage nach der grundlegenden Eigenschaft — Engels nannte sie Attribut — der Materie, nach der Bewegung. (Damit ist hier nicht nur Ortsbewegung, sondern jede Art von Veränderung gemeint.)

19. „Fideismus" ist in diesem Buch Lenins ein Euphemismus für „Pfaffentum". Lenin schrieb das Buch im Schweizer Exil. Seine Schwester besorgte in Rußland die Herausgabe. Er teilte ihr mit, sie könne, wenn das „Pfaffentum" Schwierigkeiten mit der Zensur verursachen sollte, dafür „Fideismus" einsetzen.
20. V. I. LENIN, *Materialismus und Empiriokritizismus*, Berlin 1952.
21. Je unbestrittener die beanspruchte Autorität, um so geringer wird die Notwendigkeit für den Erweis der Rechtgläubigkeit. So kann man auch verstehen, daß Stalin, dem zu Lebzeiten eine weit größere Unfehlbarkeit zuerkannt wurde, als je ein Papst sich träumen ließ, während der letzten zehn Jahre seiner Regierungszeit ungestraft den Kampf gegen die Religion „vergessen" konnte, wie man ihm bald nach seinem Tode vorwarf, während unter der Regierung von N. S. Chruschtschow, der sich auf anderen Gebieten bald dem Vorwurf des Revisionismus ausgesetzt sah, eine der größten antireligiösen Kampagnen lief, die die Geschichte der Sowjetunion kennt.
22. V. I. LENIN, *Materialismus und Empiriokritizismus*, Berlin 1952, S. 118 f.

Lenin studierte während des Krieges Hegel. Eine Frucht dieses Studiums war sein *Fragment über die Dialektik*, dem von seinen Anhängern eine große philosophische und atheistische Bedeutung beigemessen wird. Er schreibt darin, es gebe zwei Weisen, *die Bewegung* aufzufassen: einmal so, daß deren treibende Kraft nach außen, etwa in Gott, verlegt werde, zum andern so, daß diese im Kampfe sich ausschließender innerer Gegensätze gesehen werde. Nur die zweite Weise liefere den Schlüssel zum Verständnis der „Selbstbewegung" alles Seienden. „Die Einheit der Gegensätze", so schließt Lenin diesen Gedankengang, „ist bedingt, zeitweilig, vorübergehend, relativ. Der Kampf der sich ausschließenden Gegensätze ist absolut, wie die Entwicklung, die Bewegung absolut ist" [23].

III. Materie — „Ursache ihrer selbst"?

Für die als unendlich und in notwendiger Bewegung existierend gedachte Materie ist in letzter Zeit unter Marxisten, besonders in der Sowjetunion, der Ausdruck Spinozas „*causa sui*" in Umlauf gekommen. So heißt es in der *Philosophischen Enzyklopädie*, die in Moskau erscheint, unter dem Stichwort „Unendlichkeit": „Insofern die Materie als einzige Substanz anerkannt wird, die causa sui (Ursache von sich selbst) ist, kann ihre Entwicklung und Bewegung durch nichts begrenzt sein." Und unter dem Stichwort

---

23. V. I. LENIN, *Aus dem philosophischen Nachlaß*, Berlin 1954, S. 286. — Diese Lehre von den Gegensätzen als der Quelle aller Bewegung wird heute auch von manchen marxistischen Autoren angezweifelt. Einmal, weil in der Natur jeder „Kampf von Gegensätzen" Bewegung ist und man so zu einer Tautologie käme. Zweitens, weil man weiter fragen könne, was dann die Quelle dieses Kampfes sei, wofür sich nur die Bewegung angeben ließe, und man so zu einem circulus vitiosus käme. Drittens, weil noch niemand habe zeigen können, wie denn die Gegensätze die Bewegung hervorbrächten. — Vgl. Texte und Diskussion hierzu: E. HUBER, *Um eine „dialektische Logik"*, München 1966, S. 111—117.

„Wechselwirkung" wird dort von einem in Raum und Zeit unendlichen Universum als einem System von Wechselwirkungen gesprochen, außer dem es keine Ursachen geben könne, die es in Bewegung setzen könnten[24]. Die Ursachen seiner Bewegung seien zugleich die Folgen seiner Bewegung. Dies werde sehr gut durch die Formel Spinozas „causa sui" zum Ausdruck gebracht[25].

Soweit die Behauptungen. Wie allerdings in der Materie, von der ja gesagt wird, sie existiere in Raum und Zeit, die Ursachen der Bewegung zugleich ihre Folgen sein können, wird nicht erklärt. Sucht man nach wirklicher „Selbstbewegung", so kann sie doch im Bereich menschlicher Erfahrung nur da gefunden werden, wo schöpferisches Tun, Liebe, Selbstbesitz durch Selbsthingabe erscheinen. Nur solches könnte in irgendeinem Sinne „causa sui" genannt werden. So ist auch der Grund, der keines Grundes mehr bedarf, in der Richtung zu suchen, die uns durch die Erfahrung des Persönlichen gewiesen wird, nicht aber im Unpersönlichen, in der Materie.

IV. Wissenschaft und Religion

Engels fand, wie wir sahen, daß die Wissenschaft Gott, zumindest theoretisch, schon verdrängt habe. Für Lenin lief die Front zwischen Wissenschaft und Religion parallel zu der zwischen Materialismus und Idealismus. Auch heute noch wird dieser Standpunkt in der Sowjetunion und anderswo eingenommen. So zählt z. B. der tschechische Marxist A. KOLMAN die Lehre vom

24. Engels und nach ihm viele Marxisten scheinen sich, wenn sie von der Unendlichkeit der Materie sprachen, ein in einem euklidischen Raum unbegrenzt ausgebreitetes und in einer homogenen Zeit unbegrenzt existierendes Universum gedacht zu haben. Dieser Standpunkt ist der modernen Kosmologie gegenüber kaum mehr haltbar. Daher werden heute verschiedene andere Lösungen vorgeschlagen, man solle beispielsweise unter „Unendlichkeit" nur noch „Unerschaffbarkeit und Unzerstörbarkeit", nicht aber metrische Eigenschaften verstehen.

25. *Filosofskaja Enciklopedija*, Band I, Moskau 1960, S. 154 und S. 250.

unversöhnlichen Gegensatz zwischen wissenschaftlicher Erkenntnis und religiösem Glauben zu den „grundlegenden Positionen des Marxismus", von denen sich allerdings heute einige Marxisten, die in ihrer Ablehnung des Dogmatismus über das Ziel hinausschössen, allzu leichten Herzens entfernten[26].

Man könnte versucht sein, das Problem Wissenschaft und Religion für überholt zu halten, es als ein Pseudoproblem zu betrachten, das aus einer Reihe von Mißverständnissen besteht und sich höchstens noch propagandistisch ausschlachten läßt. Aber es besteht dennoch.

1. Es ist zunächst ein wissenssoziologisches Problem. Wenn eine weltanschauliche Lehre nicht nur einige Prinzipien enthält, sondern weiter ausgebaut ist, dann enthält sie auch Elemente eines Weltbildes, das dem Stand des Weltverständnisses einer bestimmten Epoche und Kultur entspricht. Erscheinen nun *wissenschaftliche Lehren*, die *mit diesem Weltbild nicht vereinbar* sind, so erwecken sie oft den Eindruck, als seien sie mit den Grundlagen dieser Weltanschauung nicht vereinbar. Wer diese für wahr hält, wird geneigt sein, die neue wissenschaftliche Lehre für falsch zu halten. Wenn er sich zudem zum Hüter dieser Weltanschauung bestellt fühlt, wird er entsprechend reagieren. Setzt sich dann die neue wissenschaftliche Lehre tatsächlich durch, so haben hervorragende Anhänger der betreffenden Weltanschauung im allgemeinen Zeit gehabt, zu zeigen, daß die neue Erkenntnis den Grundlagen dieser Weltanschauung nicht nur nicht widerspricht, sondern sie sogar aufs beste bestätigt. — Solches ist ja nicht nur in der Geschichte der so „unwissenschaftlichen" Religion, sondern auch der „einzig wissenschaftlichen Philosophie", des Marxismus-Leninismus, noch in unserem so „fortschrittlichen" Jahrhundert — und nicht etwa im „finsteren" Mittelalter — vorgekommen. Man braucht nur an die zeitweiligen Schicksale der Relativitätstheorie, der Genetik und der Kybernetik in der Sowjetunion zu erinnern. Auch da gab es leider mehr als *einen* „Fall Galilei".

26. *Voprosy filosofii*, Moskau 1968, Nr. 10, S. 98.

2. Zweitens ist das Problem Wissenschaft und Religion ein Problem eben dieses Weltbildes. Gläubigen Menschen und Autoren von apologetischen Schriften scheint heute oft noch ein Weltbild vorzuschweben, das man mit dem Bild eines Bienenstocks vergleichen könnte, der zwar seine inneren Gesetzmäßigkeiten hat, die aber vom Imker durch gelegentliche Eingriffe von außen, zum Beispiel durch Einsetzen eines Weisels, unterbrochen werden. Solche Eingriffe können aus den inneren Gesetzmäßigkeiten des Bienenstocks nicht erklärt werden. In ähnlicher Weise fordert man dort, wo Erscheinungen unserer Welt wissenschaftlich nicht in Zusammenhang gebracht werden können, einen *Eingriff Gottes*. Es ist klar, daß dieser „Gott" durch die Wissenschaft immer mehr verdrängt wird. Er verdient den Namen *„Gott = nescio"*, den ihm Engels gab.

Wenn die Welt keine durchgehende immanente Wahrheit, das heißt Erkennbarkeit, hätte, wäre sie dann nicht eher als das Ergebnis eines Kampfes aufzufassen, denn als das Werk eines Schöpfers? Es ist überraschend zu sehen, daß Atheisten so sehr an der Erkennbarkeit der Welt festhalten, obwohl sie nicht angeben können, warum das so ist, während gläubige Menschen oft daran zu zweifeln scheinen, obwohl sie doch allen Grund hätten, diese Erkennbarkeit zu behaupten.

3. Einen weiteren Grund für die Unvereinbarkeit von Wissenschaft und Religion gibt I. A. Kryweljow, ein führender sowjetischer Propagandist des Atheismus, in einer Polemik gegen Max Planck an. Er sagt, Religion halte notwendig an der Existenz Gottes fest, das heißt eines Wesens, das *nicht den Naturgesetzen unterliege*[27]. Daher widerspreche die Religion den Naturgesetzen und sei mit der Wissenschaft nicht zu vereinbaren. — Wenn jemand glauben sollte, Gott „existiere" so, wie die Dinge existieren, die den Naturgesetzen unterliegen, unterläge ihnen aber nicht, dann ist seine Religion freilich nicht mit der Wissenschaft vereinbar. Aber leisten wir solchem Aberglauben nicht selbst gelegentlich

27. I. A. Kryvelev, *Sovremennoe bogoslovie i nauka*, Moskau 1959, S. 177.

Vorschub? Wenn zum Beispiel in einem Religionslehrbuch eine Zeichnung zu sehen ist, die eine Kette von Hennen und Eiern zeigt, an deren Ende dann ein Symbol für Gott steht . . .

Aber muß denn alles den Naturgesetzen unterliegen? Naturgesetze, das sind vom Menschen erfaßte beständige Zusammenhänge zwischen den Erscheinungen der Natur. Ihre Kenntnis ermöglicht die Beherrschung der Natur. Vielleicht hat H. Marcuse nicht so unrecht, wenn er meint, unser einseitiges Streben nach Naturerkenntnis und Naturbeherrschung habe unser Denken und unser gesellschaftliches Sein „eindimensional" gemacht, lasse uns alles nur mehr unter dem Blickwinkel von Zweck und Mittel, von Herrschaft sehen. Wäre nicht die notwendige zweite Dimension eher auf der Anerkennung des ganz Unbeherrschbaren zu gründen, als auf der „großen Weigerung" Marcuses? — Aber damit sind wir wieder beim Problem des Menschen angelangt, von dem wir mit Marx zusammen ausgegangen waren.

V. Mensch und Gott

1. In dem Maß, in dem der Mensch zu sich kommt, verschwindet nach marxistischer Ansicht die Religion. Über dieses „Absterben der Religion" sind in den letzten Jahren einige Diskussionen unter Marxisten geführt worden. Der Anlaß dazu war ein Bericht von L. ILJITSCHOW auf einer Sitzung der Ideologischen Kommission des Zentralkomitees der KPdSU Ende 1963. Dieser sprach dort so, daß man den Eindruck hatte, er halte das Verschwinden der Religion für eine conditio sine qua non der Errichtung der kommunistischen Gesellschaft [28]. Dagegen protestierten vor allem französische und italienische Kommunisten. Sie sagten, nach marxistischer Lehre sei es genau umgekehrt: die Errichtung der kommunistischen Gesellschaft sei die conditio sine qua non des Absterbens der Religion, wie übrigens auch des Staates und des Rechts.

28. Über diese Tagung vgl.: *Nauka i religija*, Moskau 1964, Nr. 1.

2. In letzter Zeit finden einige philosophisch orientierte Marxisten es für richtig, religiösen Werten und Persönlichkeiten der Vergangenheit, ja sogar religiösen Denkern der Gegenwart, wie zum Beispiel Teilhard de Chardin, Achtung zu erweisen. Manche gehen sogar so weit, daß sie anerkennen, ein *religiöses Bewußtsein* könne auch heute noch unter Umständen *„progressiv"* wirken[29]. *Trotzdem ist Marxismus für sie Atheismus,* und zwar wesentlich. So sagt R. Garaudy, die Logik des Kampfes für den Menschen führe die Marxisten zum Atheismus. Wenn die Größe der Religion darin bestehe, eine Antwort auf die Fragen nach dem Sinn des Lebens und des Todes, nach dem Ursprung und dem Ziel, auf die Ansprüche des Denkens und des Herzens zu geben, so liege ihre Schwäche und ihr Fehler darin, daß sie den Anspruch erhebe, eine dogmatische Antwort zu wissen. Jede Antwort auf diese Fragen sei an einen bestimmten Stand des Wissens gebunden, die dogmatische Antwort aber wolle endgültig und unantastbar sein. So habe der Protest des Atheismus einen reinigenden Wert und sei notwendig zur Ehrenrettung des Menschen[30].

V. Gardavsky weiß in seinem Buch *Gott ist nicht ganz tot* religiöse Persönlichkeiten der Vergangenheit durchaus zu würdigen. Aber Gott ist für ihn deshalb nicht ganz tot, weil der Mensch nicht ganz lebendig ist. Für ihn ist der Atheismus die radikale Dimension der marxistischen Weltanschauung. Ohne ihn sei Marx' Begriff vom totalen Menschen ebenso unbegreiflich wie seine Auffassung vom Kommunismus[31].

3. *Andere lehnen* die oben erwähnten *„Zugeständnisse"* an *religiöses Denken* ab. So sagt G. Lukács in einem Gespräch mit Leo Kofler, das religiöse Bedürfnis bestehe in einem dumpfen Ge-

---

29. Sowjetische Atheisten haben hier eine Unterscheidung angebracht. Sie sagen, Kirchen und andere Religionsgemeinschaften könnten unter Umständen eine progressive Haltung einnehmen. Religion aber sei immer schädlich und als Opium des Volkes zu bezeichnen, weil sie die Aufmerksamkeit der Menschen von den irdischen Aufgaben ab- und auf ein Jenseits hinlenke. Vgl.: *Nauka i religija* (1969) Nr. 4, S. 51 f.
30. Vgl. R. Garaudy, *De l'anathème au dialogue,* Paris 1965, S. 82.
31. V. Gardavsky, *Gott ist nicht ganz tot,* München 1968, besonders S. 173.

fühl des Menschen, daß sein Leben kein sinnvolles Leben sei. Die Marxisten müßten versuchen, hier einen Zugang zu finden. Dabei seien sie von zwei Seiten behindert. Das eine Hindernis sei die dogmatische Auffassung vieler Marxisten, die an den alten Argumenten des Atheismus festhielten, die heute jede Wirkung verloren hätten. Das andere Hindernis seien Leute, wie Garaudy, die bestimmten Gestalten, zum Beispiel Teilhard de Chardin, ideologisch entgegenzukommen suchten. Man könne aber doch jenen Menschen, deren religiöses Bedürfnis echt sei, mit der Anerkennung ihrer falschen ideologischen Stützen keine Hilfe leisten. Der Mensch könne sich nur selber ein sinnvolles Leben geben, und in diesem Kampf um ein sinnvolles Leben könne ihm, wie die „Internationale" sage, kein Gott helfen [32].

In einer seiner *Göttlichen Geschichten* läßt der sowjetische atheistische Satiriker FELIX KRIWIN die Bevölkerung der Insel Ägina von einer Pest dahingerafft werden. Nur die Ameisen kamen davon, weil sie so klein und unscheinbar waren. Schließlich verwandelte Zeus sie in große, stramme, arbeitsame Menschen. Sie aber gingen nach alter Ameisengewohnheit mit zur Erde gebeugten Häuptern einher, als hinge über ihnen ein Stiefel. Da brüllte Zeus sie an, denn er schämte sich ihrer: „Menschen, seid Menschen!" Doch je mehr er brüllte, um so mehr krümmten sie sich zur Erde. „Der alte, einfältige Gott", so schließt Kriwin seine Geschichte, „verstand eben eine einfache Wahrheit nicht: Ameisen in Menschen verwandeln kann man, aber Menschen zu Menschen machen, das steht nicht in der Macht der Götter" [33]. — Durch Anpfiffe kann man freilich keine Menschen zu Menschen machen, ebensowenig wie dadurch, daß man sie ganz an die Erde bindet und ihnen dadurch den aufrechten Gang nimmt. Kriwins Zeus aber scheint viel mehr das Verhalten der Kommunistischen Partei nach der Pest des Stalinismus widerzuspiegeln, als das Bewußtsein gläubiger Menschen zu treffen.

32. G. LUKÁCS, *Gespräche mit Georg Lukács*. Reinbek bei Hamburg 1967, S. 50.
33. F. KRIVIN, *Božestvennye istorii*, Moskau 1966, S. 26.

4. Der Mensch macht sich ein Bild von Gott, das zu dem Bild, das er von sich selbst hat, in einem bestimmten Verhältnis steht. „Die Religion ist eben die Anerkennung des Menschen auf einem Umweg, durch einen Mittler", sagte Marx in seinem Artikel *Zur Judenfrage*. Sie ist aber auch — so müssen wir hinzufügen — eine vermittelte Anerkennung Gottes, vermittelt durch das gesellschaftliche Sein des Menschen. Unsere *Vorstellungen von Gott* sind zwar *immer ungenügend*. Nur eine unmittelbare Gotteserkenntnis, die zugleich eine unvermittelte Anerkennung des Menschen wäre, könnte sie überflüssig machen. Es gibt aber auch ein relatives Ungenügen dieser Vorstellungen, wenn nämlich an Vorstellungen festgehalten wird, die einer anderen gesellschaftlichen Situation entsprachen, der gegenwärtigen aber nicht.

Menschen, die Gott nicht die Vorstellungen ihrer Gesellschaft andichteten, wurden immer für gottlos gehalten. Auch Jesus Christus wurde mit dem Ruf: „Habt ihr die Gotteslästerung gehört?" von den Priestern seines Volkes und der Religion, in der er treu gelebt hatte, zum Tod verurteilt. In solchen Menschen geschieht Offenbarung. Sie sprechen für Gott. Doch auch diese Offenbarung bleibt immer relativ. Das Maß des erträglichen Neuen ist ja in jeder Gesellschaft begrenzt. Um sich verständlich zu machen, ihr *neues Gottesbild* zu schaffen, müssen die Propheten sich zudem alter Elemente bedienen. So kann vieles von dem, was sie sagen, erst durch nachfolgende Reflexion erfaßt werden. Und auch dieses Verständnis ist wiederum davon abhängig, inwieweit gesellschaftliche Verhältnisse geschaffen werden, die ihrem Gottesbild entsprechen, denn Religion ist ja eine durch das gesellschaftliche Sein vermittelte Anerkennung Gottes. So können auch Entstellungen und Rückschritte entstehen.

5. Formen religiösen Bewußtseins, die auf dem Gefühl der Abhängigkeit gründen, erliegen der marxistischen Religionskritik, wenn auch — wie die Erfahrung lehrt — nicht ganz, so doch relativ leicht. Der marxistische Atheismus aber erliegt dort, wo — wie marxistische Atheisten heute selbst zugeben — junge Menschen, die in ihm erzogen sind, sich auf der Suche nach „Wahrheit",

nach „sittlicher Reinigung und Erneuerung" zum christlichen Glauben bekehren[34]. Religiöses Bewußtsein, das aus der Suche nach Wahrheit und Echtheit kommt, führt zur Freiheit. Es beruht auf der Anerkennung des ganz Unbeherrschbaren und formt sich nach ihm.

Bibliographie

BASKIN, M. P., *Materialismus und Religion*, Berlin 1957.

BOCKMÜHL, K. E., *Leiblichkeit und Gesellschaft. Studien zur Religionskritik und Anthropologie im Frühwerk von L. Feuerbach und K. Marx*, Göttingen 1961.

CALVEZ, J.-Y., *Karl Marx, Darstellung und Kritik seines Denkens*, Olten und Freiburg 1964.

COTTIER, G. M.-M., *L'athéisme du jeune Marx. Ses origines hégéliennes*, Paris 1959, ²1969.

EHLEN, P., *Der Atheismus im dialektischen Materialismus*, München und Salzburg 1961.

GARAUDY, METZ, RAHNER, *Der Dialog. Ändert sich das Verhältnis zwischen Katholizismus und Marxismus?*, Reinbek bei Hamburg 1966.

GARDAVSKY, V., *Gott ist nicht ganz tot*, München 1968.

GOLLWITZER, H., *Die marxistische Religionskritik und der christliche Glaube*, München und Hamburg 1967.

KELLNER, E. (Hrsg.), *Christentum und Marxismus — heute. Gespräche der Paulusgesellschaft*, Wien—Frankfurt—Zürich 1966.

KLOHR, O. (Hrsg.), *Religion und Atheismus heute. Ergebnisse und Aufgaben marxistischer Religionssoziologie*, Berlin 1966.

LENIN, W. I., *Über die Religion*, Berlin 1962.

MARX, K., *Werke, Schriften, Briefe*, Stuttgart 1962 ff.

MARX, K. — ENGELS, F., *Werke*. 39 Bände und 2 Ergänzungsbände, Berlin 1957 bis 1967.

MARX — ENGELS, *Studienausgabe*. 4 Bände, Frankfurt/Main 1966.

MARX, K. — ENGELS, F., *Über Religion*, Berlin 1958.

REDING, M., *Der politische Atheismus*, Graz—Wien—Köln 1958.

SCHACHNOWITSCH, M. I., *Lenin und die Fragen des Atheismus*, Berlin 1966.

SKODA, F., *Die sowjetrussische philosophische Religionskritik heute*, Freiburg—Basel—Wien 1968.

VERRET, M., *Les marxistes et la religion*, Paris 1961.

Vom Jenseits zum Diesseits, Leipzig—Jena—Berlin 1959—1962.

WACKENHEIM, Ch., *La faillite de la religion d'après Karl Marx*, Paris 1963.

34. Vgl. *Nauka i religija* (1969) Nr. 3, S. 37.

Herwig Büchele

Die Gottesverneinung im Namen des Menschen: Sartre und Camus

I. Der Atheismus bei Sartre

1. Gott als Widersacher der Freiheit

Bei SARTRE begegnen wir dem atheistischen Zweig der sogenannten Existenzphilosophie. Diese setzt die „Existenz" in den Mittelpunkt ihrer Betrachtung; sie geht vom Menschen in seiner Totalität aus, dem Menschen, der nur zu sich selbst findet, wenn er in Entscheidung und Verantwortung, also in Freiheit, sein Leben selbst entwirft. Der Grundbegriff der Existenzphilosophie ist die *Freiheit* in ihrer konkreten dialogischen, institutionell-politischen, ökonomischen und kosmisch-biologischen Vermittlung. Das Grundproblem: die Entfremdung des Menschen durch Fremdverfügung und die Frage nach dem Wie der Selbstbefreiung des Menschen durch Selbstverfügung.

In der Begründung seines Atheismus setzt Sartre mit der Existenzphilosophie an der Kritik der bisherigen Philosophie ein. Für diese Philosophie galt nach Sartre der Grundsatz: Die Essenz geht der Existenz voraus. Der Mensch war einer überindividuellen Gesetzlichkeit untergeordnet. Das zunächst Gegebene ist das Wesen; es begründet die Wirklichkeit. Die Überwindung dieser Metaphysik vollzieht sich bei Sartre in der radikalen Umkehr des Essenz-Existenz-Verhältnisses: Die Existenz geht dem Wesen voraus; sie begründet das Wesen. Wenn früher gesagt wurde: Der Mensch wird, was er ist, so gilt für Sartre: Der Mensch ist, was er wird, und nichts sonst. „Es gibt ein Wesen, das existiert, bevor es durch irgendeinen Begriff definiert werden kann, und dieses

Wesen ist der Mensch ... Der Mensch ist lediglich so, wie er sich konzipiert ... Der Mensch ist nichts anderes, als wozu er sich macht."[1] „Wir erinnern den Menschen daran, daß es außer ihm keinen anderen Gesetzgeber gibt."[2] „Der Mensch ist frei, der Mensch ist Freiheit ... Der Mensch ist verurteilt, frei zu sein."[3] Der Mensch Sartres ist absolute Freiheit, ist volle Autonomie. Der Mensch ist damit der Schöpfer seiner selbst und seines Wesens.

Von dieser Freiheitsauffassung leitet Sartre zur Gottesfrage über und stellt die These auf: Wenn Gott existiert, ist der Mensch nicht mehr frei, sondern ein Nichts, ein Ding unter Dingen, ein Objekt unter Objekten. Der Beweis beruht auf zwei Grundgedanken:

1. Existiert Gott, so hätte der Mensch *sein Wesen von Gott empfangen*. Der Mensch wäre folglich dazu verpflichtet, ein ihm vorgegebenes Wesen — Gottes Denken und Gottes Wille, ein bestimmtes Ziel, ganz bestimmte Werte — zu verwirklichen. Die Möglichkeit der Wahl und damit die Freiheit des Menschen wäre aufgehoben. Der Mensch stünde im Zwang, sich den Gesetzen Gottes anzugleichen. Die Existenz Gottes würde den Menschen zu einer Puppe reduzieren, die nach dem Willen eines anderen zu tanzen hätte. Da der Mensch nun frei, ja sein eigener Schöpfer ist, der Schöpfer aller Werte, kann Gott nicht existieren.

2. Den zweiten Grund leitet Sartre aus dem „Sein für Andere" ab. Über die Analyse des Bewußtseins teilt Sartre das Sein in *Ansichsein und Fürsichsein*. Insofern das Bewußtsein „etwas" denkt, denkt es Objektives. Dieses objektive Sein ist das Ansichsein, das materielle, sichere, feste Sein, das Sein der Phänomene. Neben diesem Ansichsein eröffnet die Bewußtseinsstruktur einen anderen Seinsbereich: das reflexive und präreflexive Bewußtsein, das die Möglichkeit hat, nach dem Sein zu fragen. Die Frage schließt die Möglichkeit der Verneinung ein. Die Verneinung verweist auf das Nichts als ihren Grund. Das Nichts kann aus dem

---

1. J. P. SARTRE, *Ist der Existentialismus ein Humanismus?*, in: *Drei Essays*, Berlin 1961, S. 11.
2. Ebd., S. 35.
3. Ebd., S. 16.

Ansichsein nicht hervorgehen, das reine Positivität ist. Die Möglichkeit zur Frage und zur Verneinung kann so nur im Fragesteller selbst liegen. „Der Mensch ist das Seiende, durch das das Nichts in die Welt kommt."[4] Der Mensch kommt folglich nur zu sich selbst in der Nichtung des Ansichseins. Insoweit er das Ansichsein nicht nichtet, das heißt insoweit er es anerkennt, ist er selbst ein Stück des Ansichseins, damit außer sich und sich selbst entfremdet. Durch die Nichtung wird der Mensch *für sich;* sie begründet seine Freiheit, sich selbst entwerfen zu können. „Das einzige Seiende, das frei sein kann, ist das Seiende, das sein Sein nichtet."[5]

Das Fürsichsein ist für Sartre das gefährdete, das brüchige Sein. Der Mensch erweist sich als ein Mangelwesen. In seinem Fürsichsein ist er *auf den Nächsten angewiesen.* Während das materielle Sein in sich selbst steht, geschlossen ist, hat die Existenz einen Anspruch auf den Anderen, da der Andere der ist, den sie zu ihrem Selbstsein benötigt. In diesem Angewiesensein auf den Anderen gerät der Mensch in Abhängigkeit, empfängt er seine Existenz vom Anderen, wird dadurch seiner Freiheit beraubt, wird zum Objekt des Anderen und damit sich selbst entfremdet. Aus diesem Bewußtsein resultiert die Scham: Wie werde ich vom Anderen gesehen? Mein Selbstbewußtsein bestimmt sich danach, wie mich der Andere sieht. Im Auftauchen des Anderen in meinem Horizont werde ich mir bewußt, daß meine Welt, die durch meinen Entwurf existiert, mir entgleitet, um in den Entwurf des Anderen einzugehen. Als Konsequenz gibt es nur den Kampf. Sartres Analyse des Blickes zeigt: Der Andere muß notwendig zum Objekt gemacht werden. „Die Anderen sind die Hölle." „Die Erbsünde ist mein Auftauchen in einer Welt, wo es den Anderen gibt."[6] Wenn Gott nun existierte, wäre er der Inbegriff des Anderen. Während ich meinerseits den Anderen zum Objekt machen kann, wäre dies gegenüber Gott unmöglich. Gott wäre *das* Subjekt, das

4. J. P. Sartre, *Das Sein und das Nichts. Versuch einer phänomenologischen Ontologie,* Hamburg 1962, S. 678.
5. Ebd., S. 714.
6. Ebd., S. 714.

ich aufgrund seiner Allmacht nie zu meinem Objekt machen könnte. Existierte Gott, würde ich total Objekt Gottes werden. Gott wäre die Hölle schlechthin.

2. Widerspruch im Gottesbegriff

Ein zweiter Aufweis der Nichtexistenz Gottes geht davon aus, daß der Gottesbegriff in sich einen Widerspruch aussage. Der Mensch, so sahen wir, existiert nur, insoweit er das Ansichsein nichtet, insoweit er „Nichts" ist. Das Streben des Menschen geht nun dahin, diesen Mangel an Sein, diese Geworfenheit in Kontingenz zu überwinden, und zwar in der Suche nach der Identität von Sein, im Verlangen nach dem An- und Fürsichsein. „Das Für-sich ist das Sein, das sich selbst sein eigener Seinsmangel ist. Und das Sein, dessen das Für-sich ermangelt, ist das An-sich."[7] Diese Suche nach der Synthese ist jedoch ein fortwährendes Scheitern: denn im Ansichsein geht der Mensch als Mensch unter, im Fürsichsein bleibt er ein Nichts. Die Identität ist nicht vollziehbar. Die Menschen sind zur Verzweiflung verurteilt, „denn sie entdecken gleichzeitig, daß alle menschlichen Tätigkeiten gleich viel wert sind — denn sie zielen alle darauf ab, den Menschen zu opfern, um die Ursache ihrer selbst auftauchen zu lassen — und daß grundsätzlich alle zum Scheitern verurteilt sind. Demnach läuft es auf das Gleiche hinaus, ob man sich im stillen betrinkt oder ob man die Geschicke der Völker lenkt"[8].

Was der Mensch im Versuch, seinem Mangel zu entrinnen, das heißt im Streben nach dem An- *und* Fürsichsein, zu realisieren sucht, ist nichts anderes als die Idee eines mangelhaften Gottes. Der Begriff „Gott" drückt nichts anderes aus als das Ideal eines vollen An- und Fürsichseins zugleich. Dahinter steht die Begierde des Menschen, Gott zu sein. In diesem Wunsch offenbart sich für Sartre die totale Absurdheit des menschlichen Seins. Denn in

7. Ebd., S. 711.
8. Ebd., S. 785.

dieser Leidenschaft vernichtet der Mensch sich selbst, „um das Sein zu gründen und um zugleich das An-sich zu konstituieren, das als sein eigener Grund der Kontingenz entgeht, das Ens causa sui, das die Religionen Gott nennen. Die Leidenschaft ist somit die Umkehr der Leidenschaft des Christus, denn der Mensch richtet sich als Mensch zugrunde, damit Gott entstehe. Aber die Idee Gottes ist widerspruchsvoll, und wir richten uns umsonst zugrunde; der Mensch ist eine nutzlose Leidenschaft" [9]. „Es ist widersinnig, daß wir geboren sind, es ist widersinnig, daß wir sterben." [10] Da eine volle Identität von Fürsichsein und Ansichsein ein Unbegriff ist und ein absolutes Wesen nur so denkbar wäre, ist der Gottesbegriff absurd, ein Widerspruch in sich selbst. Gott müßte als An- und Fürsichsein ganz mit sich selbst übereinstimmen und gleichzeitig von sich völlig abgehoben sein.

3. Stellung des Atheismus bei Sartre

Nach dieser Darstellung der Grundgedanken, die Sartre zur Gottesverneinung führen, ist nunmehr nach der Bedeutung zu fragen, die dem Atheismus im Werke Sartres zukommt. Sie wird von seinen Interpreten sehr verschieden beurteilt. Die einen sehen im sartreschen Atheismus nur einen „Aspekt seines Denkens", keinesfalls einen „Kernpunkt seines Werkes", andere deuten sein philosophisches Hauptwerk geradezu als eine „natürliche Antitheologie". Uns scheint der Aufweis des Atheismus für Sartre nicht von primärer Bedeutung zu sein (gerade auch — wie wir noch sehen werden — seines stark „postulatorischen" Charakters wegen); der ehrliche Verzicht auf die „Hypothese" Gott ist für ihn jedoch eine Grundbedingung seines Humanismus. Das Ziel der Gottesverneinung Sartres ist zum einen die Erlösung des Menschen von dem Wahne, Gott werden zu wollen, zum andern die Entlarvung der Tendenz des Menschen, durch den Verweis auf

9. Ebd., S. 770.
10. Ebd., S. 688.

die Existenz Gottes dem Engagement seiner totalen Freiheit und damit seiner Sinnbestimmung zu entgehen. Zielpunkt dieser Gottesverneinung ist die Befreiung des Menschen aus dem Zustand der Unwahrhaftigkeit (mauvaise foi): Der Mensch findet nur zu sich selbst, wenn er sich zuvor annimmt, wie er ist, annimmt als ein Wesen, dem es versagt ist, ein An-und-für-sich zu werden. Dieser Verzicht ist gleichzeitig die Besinnung darauf, daß der Mensch nur dort sein Wesen verwirklicht, seinem Leben Sinn und Wert verleiht, wo er sich in einem dauernden Sichlosreißen von jeder Bestimmung selber wählt und nicht vermeint, Sinn und Wert in einem Himmel zu finden. Nur eine solche Haltung ist auch moralisch vertretbar: Der Mensch wird voll verantwortlich für sein Handeln. Weder der Rückgriff auf Gott noch der Rückgriff auf das durch ihn vermittelte Wesen, noch der Rückgriff auf eine sonstige Vorausbestimmung vermögen ihm als Ausrede und Entschuldigung seines Handelns und seines Schicksals zu dienen. Sein Entwurf muß sein Selbst befreien, „wahrhaft" annehmen und verantwortend verwirklichen.

Hervorgehoben zu werden verdient ein für Sartres Gottesverneinung typisches formales Charakteristikum: Der Atheismus ist für ihn in ein noch nie dagewesenes Reifestadium eingetreten. Zwei Merkmale sind dafür bezeichnend. Sartre trägt seinen Atheismus ohne antireligiösen Affekt vor; seine Aussagen sind ohne polemischen Unterton. Anderseits wendet sich Sartre auch gegen den Atheismus als eine wie immer geartete Ideologie. „Der Existentialist stellt sich in lebhafte Gegnerschaft zu einem gewissen Typus von weltlicher Moral, die Gott mit so wenig Kosten wie nur möglich beseitigen möchte."[11] Und er bekennt: „Der Atheismus ist ein grausames und langwieriges Unterfangen; ich glaube ihn bis zum Ende betrieben zu haben."[12]

11. *Ist der Existentialismus ein Humanismus?*, S. 15.
12. J. P. SARTRE, *Die Wörter*, Hamburg 1965, S. 194.

4. Zur Kritik an Sartre

In einer Diskussion mit Sartre gilt es vor allem, Sartres Anliegen gerecht zu werden. Eine vierfache Interpretation scheint sich uns wegen ihres zu undifferenzierten Charakters auszuschließen: G. MARCEL macht es sich zu einfach, wenn er Sartre als einen „systematischen Gotteslästerer" und einen „Verderber der Jugend" bezeichnet. CL. TRESMONTANT schließt zu unvermittelt und damit zu schnell, wenn er in der Argumentation Sartres selbst einen Beweis der Existenz Gottes entdecken will. Der Hinweis H. DUMERYS, Sartres Gottesbegriff als Widerspruch in sich treffe zwar auf einen monolithischen, axiomatischen oder dualistischen Gottesbegriff, nicht aber auf einen trinitarischen Gott zu, scheint uns zumindest höchst anfechtbar zu sein. Es dürfte auch Sartres Grundintention verfehlen, wenn man — wohin F. JEANSON tendiert — Sartres Humanismus als Vollendung des christlichen Humanismus preist.

1. Die erste Frage, die an Sartre zu stellen ist: Vermag die Seinslehre, deren Ziel es ist, Gott zu verneinen, um den Menschen zu seiner absoluten Autonomie zu befreien, dieses Ziel zu verwirklichen, das heißt einen Humanismus zu begründen? Philosophie verkürzt sich für Sartre wesentlich auf Anthropologie und gründet in der Humanität als ihrem Absolutum. Die philosophischen Analysen Sartres scheinen uns nun aber nicht nur Gott, sondern auch *jeden Humanismus unmöglich zu machen.*

Das Nichts begründet nach Sartre das Wesen des Menschen. Der Mensch ist reine Faktizität. Er ist von Anfang an unausweichlich der Kontingenz unterworfen. Der Mensch als Fürsichsein ist leeres Bewußtsein, das durch „nichtendes" Tun sich bestätigt. Der Mensch wird durch den Entwurf auf Mögliches hin konstituiert, im Entwurf selber ist er außer sich selbst. Der Mensch existiert nur im Außer-sich-sein; sein Sein ist immer in der Schwebe, weil sein Sein ein fortwährender Aufschub ist. *Das Sein des Menschen ist das Nichts.* Wie vermag eine solche Seinslehre einen „Humanismus" zu begründen?

Die Absolutsetzung der Freiheit in ihrer Schranken- und Bindungslosigkeit isoliert den Menschen aus seinen Bezügen. Der Mensch verfällt einer letzten Sinnlosigkeit. In seiner Gebrochenheit findet er sich absolut auf sich selbst zurückgeworfen, da er aus sich selbst keinen letzten Sinn, keinen tragenden Grund für sein Dasein finden kann. Das Sein ist das Nichts. Vermag der Mensch in einer absolut sinnlosen Welt überhaupt frei zu sein?

Sartres Seinslehre, und daraus folgend die Lehre vom Menschen und von der Freiheit, weist aus sich heraus auf eine letzte, notwendige Sinnlosigkeit allen Seins hin. Nach Sartre würde — wie bereits gezeigt — die Existenz Gottes die Freiheit des Menschen aufheben. Konkret übertragen auf die Seinslehre Sartres bedeutet dies, daß die Existenz Gottes eine sinnlose Freiheit negieren würde. Berechtigt dieser Gedanke nicht zumindest zur Frage — ohne dabei „unwahrhaftig" zu werden —, *ob nicht* die Sprengung der radikalen Immanenz in *Öffnung auf Transzendenz hin die Sinnlosigkeit*, nicht aber Mysterium und Wagnis *aufheben würde?* Trotz der Häufung von pessimistischen Aussagen versteht Sartre seinen Humanismus als *radikalen Optimismus* und wehrt sich verbissen gegen jede pessimistische Interpretation. Das Wesentliche ist für ihn nicht das, was man aus dem Menschen gemacht hat, sondern was der Mensch aus dem macht, zu dem man ihn gemacht hat. Diese dauernde Selbstschöpfung, dieser Durchbruch zu einem absolut eigenverantwortlichen Denken und Handeln bildet das Fundament dieses Optimimus. Sartre will uns dadurch zum Umdenken zwingen und uns sagen, daß das übliche Denken, das die Gottesverneinung unbedingt an Pessimismus, Hedonismus, Nihilismus oder Materialismus bindet, von nun an aufzugeben ist. Sartres Humanismus mündet so in ein *Paradoxon* ein: zum einen sieht er im Menschen eine nutzlose Leidenschaft, einen Widersinn im Geborenwerden, einen Widersinn im Sterbenmüssen; zum anderen betrachtet er seine Philosophie der Tat als optimistische Lehre der Sinnverwirklichung des sich zu sich selbst befreienden Menschen.

2. Wenn wir uns nun dem philosophischen Ansatz Sartres selbst zuwenden, so muß zuerst ein Wort zu seiner Erkenntnis-

theorie gesagt werden. Das Fürsichsein als das bewußte Sein, das in der Überwindung seines Seinsmangels immer schon zum Ansichsein tendiert, findet nur in der Nichtung des Ansichseins zu sich selbst, ist also durch das Nichts gebrochen. Frei ist das Bewußtsein nur, wenn es nicht Ansichsein ist. Eine solche Seinsauffassung macht jede Erkenntnis unmöglich. Erkenntnis kann sich nicht in der Trennung von Fürsichsein und Ansichsein vollziehen, sondern nur in dem Maße, in dem Fürsichsein und Ansichsein identisch sind oder werden. Ohne eine vorgängige Vermittlung von An-sich und Für-sich käme nie Erkenntnis zustande. Auf dieser Grundlage einer vorausgehenden Identität ist jedoch das Ansichsein als dem Fürsichsein nicht entsprechende Andersheit keinesfalls in der Lage, das Fürsichsein als Bewußtsein zu sich selbst zu vermitteln; das vermag nur eine Andersheit, die Freiheit ist, ein Du. Der konkrete *Ort der Erkenntnisvermittlung* ist nicht die materielle Welt — das Ansichsein —, sondern *das personale Du*. Bewußtsein und Freiheit sind so im Grunde an Sein und an Intersubjektivität rückgebunden. In einer solchen Perspektive erfahren die Freiheits- und Du-Lehre Sartres einen durchgreifenden Wandel, und damit fällt auch der aufgrund seiner Seinslehre entworfene Gottesbegriff Sartres. Der *Grundirrtum Sartres* liegt also *im Ansatz selbst*.

3. Sartres Seinslehre läßt sich herleiten aus der alten, metaphysisch-depravierenden *Unterscheidung von Existenz* (Subjekt, Fürsichsein) *und Essenz* (Objekt, Ansichsein), von faktischem Existenzakt und Wesen. Danach war das Fundierende und zunächst Gegebene das Wesen, dem Dasein zukommen kann. Das Vorordnungsverhältnis lag so, daß das Dasein das Wesen voraussetzte. Die Überwindung dieser Metaphysik geschieht bei Sartre in der Weise, daß das Verhältnis umgekehrt wird: die Existenz begründet das Wesen. Aus diesem Grunde kann es auch keinen Gott geben. Sartre bleibt in demselben Grundschema von Existenz (Fürsichsein) und Essenz (Ansichsein) — *nur in Umdrehung*. Solche Umdrehungen zerstören sich immer wieder selbst. Sartre hat die eigentliche Seinsfrage überhaupt nicht gestellt, weil

das Sein dieser Unterscheidung von Essenz und Existenz immer schon zugrunde liegt. Das Sein unterläuft diese Unterscheidung von Subjekt und Objekt. Damit fällt aber auch die Sinnhaftigkeit seiner Gotteskritik. Sartres Kritik der Gottesidee zielt den metaphysischen Gottesbegriff an, der aus der Subjekt-Objekt-Spaltung geboren wurde, und trifft auf entscheidende philosophische Strömungen zu. So bezieht sich Sartre in seiner Gotteskritik selbst auf den Gottesbegriff von Descartes und Leibniz. Sein Atheismus geht also auf den deistischen Gottesbegriff zurück. Der *rationalistische Deismus* dachte Gott als „summum ens" jenseits der Welt. Dieser Gott wird zu einem Ordnungshüter, zu einem technisch-mechanischen Demiurgen. Stellt man sich Gott wie Sartre als einen „höherstehenden Handwerker" oder als einen eifersüchtig über seinen Schatz wachenden Polizeiaufseher oder als einen Uhrmacher (Voltaire) vor, der den Menschen wie eine Uhr schafft, die in einer ihr vorgegebenen Gesetzlichkeit abläuft, so ist der Mensch in seiner Jeeinmaligkeit aufgehoben und all seiner Freiheit und Würde beraubt. Oder denken wir an den Gott Hegels, den absoluten Geist, der den Menschen zu einem Mittel-Wert degradiert, um zu sich selbst zu kommen. Sartres „Gott" ist ein geiziger und neidischer Gott, der den Menschen beengt und bedroht. Sein Atheismus bekämpft so in Wirklichkeit einen Götzen. Und wenn Sartre auf dem Gipfel seiner Berühmtheit nach der Befreiung Frankreichs in Genf vor Journalisten erklärte: „Meine Herren, Gott ist tot", so fragt sich eben: Welcher[13]?

Daß durch eine *falsche religiöse Erziehung* die Gottesvorstellung Sartres entscheidend beeinflußt wurde, deutet Sartre in seinem autobiographischen Werk *Die Wörter* selbst an: „Ich ahnte die Religion voraus, ich erhoffte sie, da sie die Rettung war. Hätte man sie mir verweigert, ich hätte sie selbst erfunden. Man verweigerte sie mir nicht: im katholischen Glauben erzogen, erfuhr ich, der Allmächtige habe mich zu seinem Ruhme erschaffen. Das war mehr, als ich zu glauben gewagt hätte. In der Folge aber er-

---

13. So nach G. Marcel, *Der Mensch als Problem*, Frankfurt 1956, S. 40.

kannte ich in dem gesellschaftsfähigen Gott, den man mir beibrachte, nicht denjenigen, den meine Seele erwartete. Ich brauchte einen Weltschöpfer, man gab mir einen Obersten Chef; die beiden bildeten eine Einheit, aber das wußte ich nicht; lustlos diente ich dem pharisäischen Idol, und die offizielle Lehre nahm mir die Lust, meinen eigenen Glauben zu suchen."[14]

4. Unsere Aufmerksamkeit verdient noch eine bemerkenswerte Äußerung Sartres zum Gottesproblem, die die gesamte Fragestellung in ein anderes Reflexionsfeld zu verweisen scheint. „Ich kann mir nicht vorstellen, daß ein einziger Gläubiger von heute durch die Argumente des hl. Bonaventura oder des hl. Anselm zum Christentum geführt wurde; ich glaube aber auch nicht, daß ein einziger Ungläubiger durch die gegenteiligen Argumente vom Glauben abgebracht wurde. Das Gottesproblem ist *ein menschliches Problem*, das die Beziehung der Menschen untereinander betrifft, es ist ein totales Problem, zu dessen Lösung jeder durch sein ungeteiltes Leben beiträgt, und die Lösung, die man ihm vermittelt, spiegelt die Haltung wieder, die man gegenüber den anderen und sich selbst gewählt hat."[15] Wie immer auch Sartre diesen Hinweis — dessen Wahrheit man sich kaum entziehen kann — verstehen mag, er scheint uns auf die Aporie einer kartesianischrationalistischen Philosophie hinzuweisen, die in ihrer rationalen Erhellung von Wirklichkeit immer schon zu spät kommt, und zur Forderung überzuleiten, M. Heideggers Anliegen aufzunehmen, die „Geschichtlichkeit" menschlicher Existenz aus der „Geschichtlichkeit" des Seins her zu denken und zu erfahren. Daraus folgt aber auch, daß der philosophische Zugang zum Gottesproblem mittels der Frage nach Grund und Ziel von Welt ergänzt werden muß, durch die Freilegung der Implikationen einer *Freiheitsentscheidung*, die der eventuelle Anruf eines immer je neu geschichtlich handelnden, freien Gottes der Geschichte fordert.

5. Man steht nicht ohne Respekt vor Sartres unerschrockenem Eintreten für die „Erniedrigten und Beleidigten", vor seinem

14. *Die Wörter*, S. 74.
15. J. P. Sartre, *Situations* IV, Paris 1964, S. 88.

Ringen um die Freiheit des Menschen gegen totalitäre Strukturen jeder Art in ihrem Anspruch auf Entpersönlichung, zuletzt in seiner eindeutigen Stellungnahme gegen den Strukturalismus.

Sartres Kritik der „Unwahrhaftigkeit" des Glaubens zwingt den Gläubigen auch zur Reinigung und Überprüfung seiner Glaubenshaltung, die allzu leicht das auf sich bezogene, unfreie Ich widerspiegelt. Glaube ist allzu oft Ausdruck der „Unwahrhaftigkeit", eine Folge gesellschaftlicher Konvention und Prestigedenkens, ein Angst und Verdrängung kompensierendes Phänomen, eine Fassade, die den eigenen Unglauben verbirgt, ein Mittel der Legitimation von Einzelinteressen oder von Gruppenansprüchen, eine Flucht vor Verantwortung usw. Anderseits hat Karl Rahner überzeugend gezeigt, daß die Forderung der „intellektuellen Redlichkeit" den Mut zum christlichen Glauben in seinem evangelischen Anspruch nicht nur nicht verbietet, sondern geradezu dazu ermächtigt.

Sartre weist schließlich christliche Apologetik auf die Aufgabe hin: zu zeigen, daß der Gott der Liebe und der Freiheit wirklich das „befreiende Du" ist, das den Menschen von den verschiedensten in sich nur Unendlichkeit vortäuschenden endlichen Gestalten in eine wahre Unendlichkeit hinein erlöst. Eine philosophische Theologie müßte noch viel klarer die Grundthese aufweisen, die einen christlichen Humanismus von allem atheistischen Humanismus unterscheidet: daß der Mensch seine Erfüllung nicht in und nicht durch sich selbst, sondern allein durch die Annahme der Liebe Gottes findet.

II. *Albert Camus und der Atheismus*

1. Camus' Welterfahrung

1. Als Gabriel Marcel vor nicht langer Zeit gefragt wurde, was dem heutigen Frankreich wohl fehle, antwortete er: ein Molière und ein Camus. Der 1960 in einem Autounfall mit 47 Jahren tödlich verunglückte Albert Camus war wohl eine der groß-

artigsten Gestalten des 20. Jahrhunderts. Wir betreten mit Camus eine ganz andere Denkwelt. Das abstrakt-systematische, intellektuell-rationale
Mittelmeermenschen, zu einem intuitiv-irrationalen Wertfühlen und Werte-Schauen, deren Evidenz ihn dazu drängt, eine Korrektur der vorgefundenen Schöpfung zu fordern. Wenn Sartre den ganzen Kosmos nur als „ontologische Fäulnis" zu sehen vermag, vor dem einen ekelt, spricht Camus vom Kosmos, von der Natur mit einer geradezu sakralen und hymnischen Begeisterung. Bei Sartre steht der Schriftsteller und Dramatiker im Dienst des Philosophen. Camus versteht sich als Künstler; er lehnte es mehrfach ab, als Philosoph bezeichnet zu werden. Das will für ihn besagen, nur über das sprechen zu können, was er selbst erlebt und gelebt hat. Ein unterscheidendes Licht wirft auf beide Denker die geistige Ahnenreihe, der sie sich verpflichtet wissen. Sartre steht unter dem Einfluß von Descartes, Hegel, Marx, Husserl und dem frühen Heidegger. Camus beruft sich auf Nietzsche, Dostojewski, Unamuno, Pascal und Molière. Er bekennt sich zur Tradition des „demütigen" Denkens; er verwirft jede Fachsprache und versucht die Alltagssprache neu zu beleben, die sich in ihrer Leidenschaft nicht so sehr an den Verstand, als vielmehr an das Empfinden und das Gemüt des Mitmenschen wendet, um ihm gerade so die entscheidenden Fragen der Menschheit vor Augen zu führen. Mit welcher Demut nimmt er 1957 in so jungen Jahren den Nobelpreis entgegen.

2. Camus' Denken ist von der *Spannungseinheit zweier Grundantinomien* getragen, die die Einheit und Differenz seines Denkens in Theorie und Praxis umgreifen. Die erste Grundantinomie erwächst aus der Erfahrung der Einheit als der Erfahrung der Positivität des Lebens, die durch die Erfahrung der Absurdität des Lebens gebrochen wird. Diese Differenz-Erfahrung führt den sich dieser Antinomie stellenden Menschen vor die Grundfrage seines Daseins: sich für das Leben oder für den Tod zu entscheiden. Die Negation dieser Differenz, *die metaphysische Revolte,* ist positiv verwirklicht in der Forderung von absoluter Freiheit und abso-

luter Gerechtigkeit. Der konkrete Vollzug dieser Einheit, *die historische Revolte*, führt den Menschen vor die zweite Antinomie: absolute Freiheit und absolute Gerechtigkeit sind in versöhnender Einheit nicht vollziehbar. Die Negation dieser Differenz impliziert eine Philosophie des Maßes und des Verzichts: das Aufgeben des Absoluten. Die Gestaltgebung der Gegenwart des je größeren Maßes an Freiheit und Gerechtigkeit fordert das Untergehen des eigenen absoluten Anspruchs und die Indienstsetzung der besten Kräfte. Dieses Maß ist dann der Anfang der Wiedergeburt einer Kultur: ein Grundsatz Camus', den es noch näher zu entfalten gilt, um die Begründung seines Unglaubens besser verstehen zu können.

3. Die Begeisterung und Bewunderung für das Leben kennzeichnet den Grunddynamismus von Camus' Denken. In dieser Welt jedoch, die er mit allen Fasern seines Herzens bejaht, begegnet er der *„Pest"*. Die „Pest" ist für ihn *das Symbol für all das Leid in der Welt*, für den Tod, die soziale Ungerechtigkeit, den Krieg, für das unschuldige Sterben eines Kindes, für die öde Durchschnittlichkeit und innere Armut des Lebens, aber auch für die Ohnmacht und den Widerspruch der Vernunft. Die Freude am Leben ist durch die Pest gebrochen. „Es gibt keine Liebe zum Leben ohne Verzweiflung am Leben."[16] Die Pest macht den Menschen zu einem „Fremden" in der Welt, die Welt der Freude wird zu einer absurden Welt. Was dem Verstehen und Empfinden nicht zugänglich ist, ist ohne Sinn. „Aber in einem Universum, das plötzlich der Illusionen und des Lichts beraubt ist, fühlt der Mensch sich fremd. Aus diesem Verstoßensein gibt es für ihn kein Entrinnen, weil er der Erinnerungen an eine verlorene Heimat oder der Hoffnung auf ein gelobtes Land beraubt ist. Dieser Zwiespalt zwischen dem Menschen und seinem Leben, zwischen dem Schauspieler und seinem Hintergrund ist eigentlich das Gefühl der Absurdität."[17]

16. A. CAMUS, *Kleine Prosa*, Hamburg 1961, S. 72.
17. A. CAMUS, *Der Mythos von Sisyphos. Ein Versuch über das Absurde*, Hamburg 1961, S. 11.

In der Erfahrung dieser absurden Welt sieht sich der Mensch vor eine doppelte Entscheidung gestellt. Er kann die Wirklichkeit annehmen, wie sie ist, oder in eine Welt der Illusion fliehen, eine Welt aus Attrappen und Kulissen bauen und damit einem „Mißverständnis" unterliegen. Entzieht er sich diesem „Mißverständnis", so steht er vor der zweiten und grundlegenden Entscheidung: Selbstmord zu begehen oder gegen das absurde Geschick zu revoltieren. „Es gibt nur ein wirklich ernstes philosophisches Problem: den Selbstmord. Die Entscheidung, ob das Leben sich lohne oder nicht, beantwortet die Grundfrage der Philosophie."[18] Camus verwirft den Selbstmord und entwirft *eine Metaphysik der Revolte*. Nicht im Untergang, nicht in der Anerkenntnis dieser sinnlosen, nicht gewählten und überwältigenden Strukturen dieser absurden Welt, nicht in einer scheinbaren Versöhnung der Vernunft mit der Wirklichkeit, sondern durch den Protest, die Auflehnung und die Herausforderung findet die menschliche Existenz ihre Bestimmung. „Ich empöre mich, also sind wir."[19] — „Die metaphysische Revolte ist die Bewegung, mit der ein Mensch sich gegen seine Lebensbedingungen und die ganze Schöpfung auflehnt. Sie ist metaphysisch, weil sie die Ziele des Menschen und der Schöpfung bestreitet."[20] Indem die metaphysische Revolte protestiert gegen das, „was der Tod an Unvollendetem und das Böse an Zerrissenheit ins Dasein bringen, ist die Revolte die begründete Forderung einer glücklichen Einheit gegen das Leid des Lebens und des Sterbens"[21].

Camus ruft also den Menschen zur Revolte auf gegen die Pest, und zwar in dem Wissen, daß sie eine *Sisyphos-Arbeit* sein wird, was heißt, daß der revoltierende Mensch in den Augen Camus' ein Mensch ist, der in einer sinnlosen Welt einen Sinn zu finden sucht, der im Angesicht der Pest nicht flieht, sondern sie zu bekämpfen sucht. Die metaphysische Revolte muß in eine histo-

18. Ebd., S. 9.
19. A. CAMUS, *Der Mensch in der Revolte*, Hamburg 1961, S. 17.
20. Ebd., S. 28.
21. Ebd., S. 29.

rische Revolte umschlagen. Die bisherigen Revolutionen trugen in sich selbst einen Widerspruch: sie kämpften zwar für Freiheit und Gerechtigkeit, dieser Kampf vollzog sich aber nicht nur durch das Blut und die Tränen Unschuldiger hindurch, sondern begründete in neuer Form — unter verschiedenster Motivation — das, was man bekämpfte: eine Schreckensherrschaft. Angestrebt wurde die Totalität in der Vernichtung der Verschiedenheit, statt die Einheit zu suchen, die sich als Harmonie der Gegensätze aussagt. Die Forderung nach totaler Freiheit zieht die Versklavung der Mitmenschen nach sich (eine Freiheit ohne Brot), die Forderung nach totaler Gerechtigkeit verkehrt sich in Unterdrückung personaler Freiheit (Brot ohne Freiheit). Die historische Revolte als Suche nach der Einheit fordert daher das Maß, die Bescheidung auf das Relative, sie fordert die Absage an das Böse und das Elend, die Absage an die Lüge, die Verweigerung zu herrschen, die Leugnung des Grundsatzes, daß das Ziel die Mittel rechtfertige, die Bereitschaft, selbst zu sterben, wenn aus einem außergewöhnlichen Grund der Tod eines Menschen gefordert werden muß. Der Mensch, der so handelt, ist für Camus *der echte Heilige.* Der Kerngedanke Camus' geht aus einem Gespräch hervor, das zwei der Hauptfiguren in seinem Roman *Die Pest* führen, nämlich Doktor Rieux und Tarrou. „Eigentlich", sagt Tarrou schlicht, „möchte ich gerne wissen, wie man ein Heiliger wird." — „Aber Sie glauben ja nicht an Gott." — „Eben. Kann man ohne Gott ein Heiliger sein? Das ist das einzig wirkliche Problem, das ich heute kenne."[22] Der Heilige ist der Mensch, der die Anstrengung des Geistes und die Auflehnung der Tat nicht scheut, die „doppelte Wahrheit" zu leben, dem Ja zur Wirklichkeit sein Nein entgegenzusetzen, um dadurch die Schöpfung zu korrigieren und in der Neugeburt der Kultur seine eigentliche Bestimmung selbst zu verwirklichen.

22. A. CAMUS, *Die Pest,* Berlin 1961, S. 233.

2. Camus' Begründung des Atheismus

Aus den zwei Grundgesichtspunkten seiner Weltanschauung — erstens der Interpretation der Welt als einer absurden Welt und zweitens der Revolte als der Sinnverwirklichung — leitet Camus auch seinen Atheismus ab.

1. Die *absurde Welt* mit all ihrem Leid, dem Bösen, dem Tod ist unvereinbar mit der Existenz eines Gottes der Liebe. „Wenn das Böse für die göttliche Schöpfung notwendig ist, dann ist diese Schöpfung unannehmbar."[23] Existierte dieser persönliche Gott, ist er der Schöpfer aller Dinge und damit für sie verantwortlich. Ein liebender Gott, der die Ungeheuerlichkeiten des Bösen und des Leidens sieht, dabei nichts gegen sie unternimmt, sondern darüber hinaus durch seine Allmacht ihren Rechtfertigungsgrund bildet, ist in den Augen Camus' ein perverser Gott. In der *Pest* sagt Dr. Rieux zu Pater Paneloux: „... ich werde mich bis in den Tod hinein weigern, die Schöpfung zu lieben, in der Kinder gemartert werden."[24] Das christliche Gottesbild ist für Camus das versteinerte Bild eines eifersüchtigen Gottes. Seine Revolte gegen Gott ist so primär kein Atheismus, sondern eigentlich mehr: ein fordernder Protest. „Zu gleicher Zeit, da der Revoltierende sich gegen seine Sterblichkeit verwahrt, weigert er sich, die Macht anzuerkennen, die ihn darin leben läßt. Wer metaphysisch revoltiert, ist also nicht unweigerlich ein Gottesleugner, wie man glauben könnte, aber er ist notwendigerweise ein Gotteslästerer. Nur lästert er zuerst im Namen der Ordnung, indem er in Gott den Vater des Todes und den größten Skandal entdeckt."[25]

Im christlichen Glauben sieht Camus nicht mehr als den raffinierten und genialen Versuch, Gott dem Vorwurf des revoltierenden Menschen zu entziehen und die beiden Grundfragen des revoltierenden Menschen — das Leid und den Tod — einer Scheinlösung zuzuführen. Der Gott, der selbst unschuldig an all dem Leid und

23. *Der Mensch in der Revolte*, S. 62.
24. *Die Pest*, S. 199.
25. *Der Mensch in der Revolte*, S. 29.

dem Tod in der Welt, in seiner Menschwerdung durch sein in Freiheit vollzogenes Opfer — durch sein Leiden und seinen Tod — die abgrundtiefe Verzweiflung des Menschen erlebt und teilt und damit auf alle Privilegien einer Gottheit verzichtet, kann nicht mehr zur Verantwortung gezogen werden: kein Leiden ist mehr ungerecht, da der unschuldige Gott selbst es erlitten hat.

Dieser Vermittlungsversuch einer erlösenden Versöhnung hob jedoch die Wirklichkeit des Leids und des Todes nicht nur nicht auf, sondern zwingt den Gläubigen zur Annahme des Leids und damit zur Resignation vor der universellen Ungerechtigkeit. „Das Christentum ist in seinem Wesen (und das ist seine paradoxe Größe) eine Lehre der Ungerechtigkeit. Sie gründet sich auf das Opfer eines Unschuldigen und die Annahme dieses Opfers. Die Gerechtigkeit dagegen . . . ist nicht ohne Revolte zu erwirken." [26] Dieser Gedanke leitet zum zweiten Grund der Gottesverneinung Camus' über.

2. Den einzigen Wert sieht Camus in der *Revolte des Menschen* gegen sein Schicksal. Durch einen Glauben an Gott würde der Mensch aber die Revolte verleugnen und so sich selbst fliehen und damit sich selbst aufheben. Es gilt, das Reich der Gerechtigkeit dem Reich der Gnade entgegenzusetzen. Das einzige Reich ist von dieser Welt; außerhalb der Welt gibt es kein Heil.

Die göttlichen Launen, die göttlichen Verfluchungen und die Grausamkeit der göttlichen Strafen vermögen den Menschen vor dem alttestamentlichen Gott aus seiner Passivität zur Revolte aufzurufen. Die Lehre vom unschuldig leidenden Gottmenschen mit ihrer Unmöglichkeit der Selbsterlösung, der Hoffnung auf die Gnade allein und die Ankündigung des Kommens des Reiches Gottes als das Versprechen des ewigen Lebens verdammen jedoch den Menschen zur Fatalität und lassen ihn die Lösung der Grundfragen der Menschheit an das Ende der Zeit, in ein Jenseits verlagern. Diese Haltung segnet die Ungerechtigkeit, indem sie Gott die Sorge um die Gerechtigkeit zuschiebt. Der Mensch hat von nun

---

26. A. Camus, *Actuelles*, Paris 1950, S. 46.

an zu wählen zwischen der Gnade und der Geschichte, zwischen Gott und dem Schwert. Die Flucht in eine transzendente Hinterwelt, die Flucht vor der Last des Lebens ist für Camus die menschliche Sünde schlechthin. Der aktive Protest gegen das Leid und das Böse bleibt die ewige Aufgabe des revoltierenden Menschen. „Da Gott tot ist, muß man die Welt mit den Kräften des Menschen ändern und neu organisieren. Die Kraft der Verfluchung allein genügt nicht mehr, es bedarf der Waffen und der Eroberung des Ganzen."[27]

3. Antwort auf Camus' Atheismus

1. Camus zu entgegnen, ist nicht leicht. Der Christ fühlt sich betroffen und befangen; der Philosoph weiß sich seines Werkzeugs beraubt. Camus trägt seinen Atheismus mit der Evidenz seiner Leidenschaft vor, ohne sich um die logische Sicherung und rationale Begründung seines Denkens zu kümmern. In seiner berühmt gewordenen Rede vor den Dominikanern in Paris betont er, sich nicht im Besitze einer absoluten Wahrheit und Botschaft zu fühlen; er gehe niemals von dem Prinzip aus, daß die christliche Wahrheit illusorisch sei. Für ihn sei sie nur unannehmbar[28]. Camus weiß auch um den Widerspruch seines Ansatzes. Sein philosophisches Anliegen kann nur als *postulatorische Absurdität* aufgefaßt werden. Jede andere Interpretation hebt sich von selbst auf. Denn: Woher weiß Camus von einer absurden Welt, die apriori absurd ist? Die Absurdheitsthese lebt vom Wissen einer Nicht-Absurdität. Führte Camus zu Anfang schon eine Dimension der Sinnhaftigkeit ein, würde er sich zu einem Dualismus bekennen, der die Spaltung seines Ansatzes und seines Ergebnisses nach sich zöge. Jeanson und Sartre haben diese Schwäche im Ausgangspunkt Camus' klar erkannt und ihm vorgeworfen, er benötige Gott, um ihm die Schuld für die Absurdität aufladen zu

27. A. Camus, *Der Mensch in der Revolte*, S. 118.
28. *Actuelles*, S. 212.

können; er sei so kein Atheist, sondern „Anti-Theist"[29]. Gott muß schon existieren, muß schon gesprochen haben, um ihn zum Schweigen bringen zu können. Im Bewußtsein der Absurdität hat Camus die Absurdität schon überschritten und sich einem Dynamismus anvertraut, der ins Unsagbare und Unübersehbare führt. Er fühlte, daß er diesem sich in tausend Weisen entfaltenden Anspruch — trotz allen Protestes — sich nicht entziehen konnte. „Wie konnte ich mit so viel Sonne im Gedächtnis auf die Sinnlosigkeit setzen?" — „... das Absurde darf in meinem eigenen Erleben nur als ein Ausgangspunkt gesehen werden ... Indem man sagt: alles ist Un-Sinn, drückt man etwas aus, das einen Sinn hat."[30]

2. Der Christ ist verwirrt durch den *„kenotischen" Grundzug* dieses Denkens: die Forderung an den Menschen, sich im Erfahren, Erleiden und Erleben der Wirklichkeit der Grundbewegung zu einer Neugeburt dieser Wirklichkeit anzuvertrauen. Nicht nur, daß sich der Christ in der Durchschnittlichkeit seines gelebten Glaubens durch den Anspruch Camus' in Frage gestellt fühlt, er sieht in Camus vielmehr einen Bruder (was Camus dem Menschen auch sein wollte), der dann, wenn es auf das Letzte ankommt, sich nicht verlegen wegstiehlt, sondern den Einsatz des Ganzen wagt. Es erhebt sich so die berechtigte Frage, inwiefern Camus' ausdrückliches Nein zum Christentum und zu Gott einer ungenügenden Hermeneutik seines Daseinsvollzuges in seiner Ganzheit entspringt. Camus lebt von und für Ideen, die in einer rein immanenten Weltsicht ohne Sinn bleiben. Damit leiten wir zur direkten Auseinandersetzung mit den Hauptargumenten seines Atheismus über.

3. Camus' Revolte gegen Gott ist trotz ihrer tiefen Ehrlichkeit und Verzweiflung Ausdruck der Ursünde des Menschen schlechthin: *Verweigerung des Heils* (G. Marcel). Camus unterwirft Gott seinem moralischen Urteil, erhebt sich so über ihn, wagt es, über ihn zu richten. Weil Gott dem Menschen angesichts des un-

29. J. P. SARTRE, *Situations* IV, S. 120.
30. A. CAMUS, *L'Eté*, Paris 1954, S. 133—135.

schuldigen Sterbens eines Kindes unbegreiflich wird, geht er mit Gott ins Gericht. „O Mensch, wer bist Du denn, daß Du mit Gott rechten willst?" (Röm 9, 20). Alles Vorrechnenwollen des Leids und des Bösen vor Gott und die daraus wurzelnde Ablehnung und Auflehnung ist letztlich ein Verfügenwollen über den unverfügbaren Gott. Der Mensch produziert sich selbst seinen Gott nach den Maßen seiner Vorstellung. Gott wird zum Idol, zu einer Idee des Menschen selbst.

Die eigentliche Grenze seiner Forderung setzt Camus jedoch selbst, wenn er schreibt: „... vor Gott gibt es weniger ein Problem der Freiheit als ein Problem des Bösen. Wir kennen die Alternative: entweder sind wir nicht frei, und der allmächtige Gott ist für das Böse verantwortlich. Oder wir sind frei und verantwortlich, aber Gott ist nicht allmächtig."[31] Dieser Schluß ist falsch. Das tiefste Mysterium ist nicht das Mysterium des Leids, sondern die Freiheit selbst. *Das Leid* und das Böse in der Welt sind *der Preis der Freiheit.* Zum einen entspringt das Leid der Nicht-Vollkommenheit (Kontingenz) des Menschen als der Bedingung geschöpflicher Freiheit. Zum andern ist das Leid, das der Mensch Gott in die Schuhe zu schieben sucht, in Wirklichkeit von ihm selbst verursacht: Ausdruck seiner Sünde als die verweigerte Antwort auf den Anruf der Liebe. Das Leid ist somit ein Existential des Menschen; es gehört unüberholbar zur conditio humana. Die Nicht-Annahme des Leids ist gleichbedeutend mit der Verweigerung der Freiheit als der Grundbedingung menschlicher Existenz, ist Ablehnung der Kreatürlichkeit und Sichversagen gegenüber der Berufung, dem Sein als Liebe Gestalt zu geben.

Gott ist Liebe. Gottes Liebe zum Menschen, die Berufung des Menschen zur Teilhabe am dreieinen Leben Gottes, bedingt die Freiheit des Menschen. Die Kommunion mit Gott fordert die freie Zusage des Menschen. Der Mensch ist derjenige, der zu Gott nein sagen kann. Darin gründet die unendliche Größe, aber auch die absolute Verantwortung menschlicher Freiheit. Mit und durch die

31. *Der Mythos von Sisyphos,* S. 51.

Freiheit des Menschen setzt sich Gott selbst eine „Grenze". Der Mensch wird zu einem Wagnis Gottes. Freiheit sagt in sich also auch Unbestimmtheit, Möglichkeit, sich der Liebe zu entziehen, sagt Möglichkeit zur Wahl des Bösen. Will die Wahrheit Wahrheit bleiben, will Gott Gott sein, muß sich notwendig die Wahl des Bösen als erfahrbares Übel in der Welt offenbaren. Die Sünde bedarf der Aufhebung durch das Leid, weil sonst die Sünde zur Wahrheit werden würde. Das Leid ist weder Strafe noch Rache Gottes, sondern Folge der Freiheit des Menschen. Will Gott die Freiheit des Menschen wahren, verpflichtet ihn die Wahrheit zur Freiheit und zur Liebe, das Leid zu dulden. Würde Gott das Leid aufheben, würde er den Menschen zerstören. Und nur dann wäre Gott nicht mehr der Gott der unendlichen Liebe. Die Perversion liegt nicht in Gott, sondern in der Verkehrung menschlicher Freiheit.

4. Die Frage, die bleibt: Wie erklärt sich das Leid, das im *Unschuldigen* aufbricht — zumal im Kind? Eine annähernd rationale Rechtfertigung findet sich nur im Hinweis auf das Ganze der Wirklichkeit, zu der hin die Wirklichkeit der Welt nur ein Moment des Aufblitzens ist, in der Dialektik von Tod und Freiheit, und in der totalen *Solidarität* der Menschheit, an die als ganze das Heilsangebot gerichtet ist. Das Leid ist ein Moment an dem Tod. Der Tod ruft die endgültige und erlöste Freiheit: die erfüllte und unüberbietbare Liebe in der Auferstehung. Die Freiheit ruft aber auch den Tod, weil Freiheit ohne Tod sinnlos bleibt. Freiheit ist nur möglich, wo der Mensch bereit ist, zu sterben, sich selbst aufzugeben; das geschieht gerade auch dort, wo der „Unschuldige" das über ihn gekommene Leid in Liebe annimmt. Der Mensch ist Geist in Leib. Seine sündige Freiheit prägt sich daher auch leibhaft aus. Im einzelnen begegnet dem Menschen aber nun die ganze Menschheit. Geist und Leib sind kosmisch verankert. Die Menschheit hat so in sich nicht nur die Freude, sondern auch das Leid gemeinsam auszutragen, ohne daß dieser Austrag voll verrechenbar wäre. Wäre es anders, könnte Liebe nicht sein. Das Leid als das Sichtbarwerden des Zerfalls der Freiheit wandelt sich durch

die sich schenkende Freiheit in das Ereignis des Ausleidens und der Überwindung von Schuld in das Gute.

Von hier aus offenbart sich noch ein weiteres, positives Element des Leidens, das der Mensch, der das Leid annimmt, auch erfährt. Kreatürliche Freiheit ist nur dort, wo sie sich erobert durch das Dunkel und die Schwere des Lebens hindurch. Echte Freude als Gelassenheit ist keine zu erwerbende Tugend, sondern die Frucht der angenommenen Herausforderung zur *Wandlung durch das Leid*. Wer hat nicht schon das Trügerische einer nicht erlittenen Freude erfahren! Das Leid vermag so als Teilmoment im Ganzen der Wirklichkeit zu einer aufbauenden Kraft zu werden.

Darüber hinaus vergessen diejenigen, die in Gott den Ursprung allen Übels sehen, auch durchwegs, ihm all das Gute und Schöne anzulasten, das sich auf Erden ereignet. Zudem führt die Verwechslung von „Schuld" und „Leid" zu den mannigfachen „Schicksalslehren" und damit zum Aberglauben und zur Unfreiheit des Menschen.

Verfehlt ist auch Camus' Interpretation der *christlichen Erlösungslehre*. Gott als Liebe hat sich in seinem Sohn Jesus Christus immer schon verschenkt. Die geschichtliche Geburt Jesu in Raum und Zeit ist in einem die ewige Geburt als das schenkende Sichübergeben Gottes in das Andere seiner selbst. Jesus Christus hebt das Leid nicht auf, weil er den Menschen nicht aufhebt. Aber sein Tod und sein Leiden als Ort der absoluten Leere der Selbsthingabe öffneten der Liebe Gottes den Raum für ihre Ankunft in der Welt, den der sündige Mensch ihr verweigerte. Die Auflösung des Seins in das Nichts durch die Sünde des Menschen ist so durch Jesus Christus über das Ja Marias für alle Ewigkeit durchbrochen. Die *Ohnmacht der Entäußerung* des Gottmenschen Jesus Christus bis in die untersten Abgründe menschlicher Existenz ist so der konkrete und tiefste *Ausdruck der Liebe Gottes*. Trost darf und muß uns daher die Wahrheit bleiben: am unschuldigen Sterben, am unschuldigen Leiden eines Kindes, am Leid an sich leidet Gott unendlich mit. Das Mysterium der Freiheit und des Leidens geht so ein in das Mysterium der unendlichen Liebe.

5. Über das geschichtliche Versagen des Christentums hat Camus harte Worte gebraucht. Wir können ihm hier nicht widersprechen. Aber die Notwendigkeit der Revolte impliziert sicher nicht die Negation der christlichen Religion. Hier ist Camus einem großen *Mißverständnis des Christentums* erlegen. Es ist zuvor zuzugeben: Das traditionelle Christentum hat der Weltverachtung durch ein falsches Ewigkeitspathos starken Vorschub geleistet. Durch das Kommen Gottes in die Welt kann es jedoch an sich keinen Menschen geben, der die Welt so ernst zu nehmen hat wie der Christ. Die reale Welt ist die endgültig in das Heil kommende Welt. Kein Mensch ist radikaler zur Revolte gegen das Leid und das Böse in all seinen Erscheinungsformen — in sich und außer sich — aufgerufen als der Christ. Der Vorwurf Camus' an den Christen, auf die konkrete Wirklichkeit zugunsten einer passiven Erwartung des endgültigen Heils zu verzichten, entspringt einem falschen Verständnis von christlicher Hoffnung. In der erhofften Gewißheit der Auferstehung befreit sich der Christ von der Alltäglichkeit der Angst, von der Unruhe und der Unsicherheit der Zukunft (der Grundsorge des Menschen), verzettelt seine Kräfte nicht mehr, sondern wird in diesem gelassenen Vertrauen erst frei, sich der Umwandlung der konkreten Wirklichkeit dieser Welt in eine Welt der Freude und des Friedens zu widmen.

Camus' Atheismus findet seine Begründung in dem Dienst am Menschen. Darin liegt seine Größe, aber auch seine Grenze. Dieser Primat des Ethischen bildet eine Basis für den von Camus geforderten und praktizierten Dialog zwischen Gläubigen und Ungläubigen. Denn der Atheist weiß, wie es auch der Gläubige weiß, daß er die Welt von morgen nicht ohne die Hilfe des Anderen zu bauen vermag.

III. Zusammenschau: Sartre und Camus

Sartres und Camus' unbestreitbares Verdienst ist es, eine Grunddimension menschlicher Existenz wiederentdeckt zu haben:

die Dimension der Freiheit. Sie weisen dem Menschen nach, daß ein Leben ohne Entscheidung auch eine Entscheidung sei (aber eine des „schlechten Glaubens"), daß der Mensch der Grundentscheidung seines Lebens nicht entrinnen könne, sie vielmehr reflex einzuholen habe, um sein ganzes Leben danach auszurichten. Sartres und Camus' Denken stellt den Menschen in dieser Grundentscheidung in eine endgültige, unentrinnbare Entscheidungssituation: Der Mensch hat sich zu entscheiden zwischen zwei Abgründen: dem Abgrund der Leere und des Nichts und dem Abgrund der Seligkeit und des Lebens. Der Tod als letztes Feldzeichen im Leben des Menschen weist jede „Zwischen-Entscheidung" als eine Ausflucht aus, die auf die Dauer nicht vollziehbar ist.

Dem Gläubigen rufen Camus und Sartre in Erinnerung, daß er mit seinem Glauben durch die Absurdität der Nacht am Ölberg und den absoluten Nullpunkt des Kreuzes hindurch muß, weil er nur dort, wo er den Karfreitag seines Lebens im Leben selbst vorwegnimmt, den Altar seines Lebens von all seinen Idolen reinigt. Der Glaube muß sich verlieren, um sich in seiner wahren Gestalt zu gewinnen.

Das gemeinsame Grundcharakteristikum ihres Atheismus — ihre postulatorische Gottesverneinung — weist uns zuletzt noch in ein Entweder-Oder christlicher Dimension: Atheismus ist nicht mehr eine Frage des Wissens, sondern des Wollens. Die Frage nach der Grund-Suche wird zu einem ureigenen Akt der Freiheit. Postulatorischer Atheismus ist Wille zur Gottlosigkeit. Es erhebt sich damit die Frage der Schuld als Verweigerung des Wagnisses des Sichwegschenkens, des Preisgebens seiner selbst als Bedingung jeder Gotteserkenntnis. Philosophie mündet damit in ein christliches Entweder-Oder: in „schuldige" Philosophie unbedingter Selbstbehauptung oder in „heile" Philosophie unbedingter Selbsthingabe.

Sartres und Camus' Philosophie in ihrem radikalen Entscheidungscharakter löst eine Dialektik der Umkehr aus, ja scheint sie zu bedingen. Die radikale Immanenz ihrer Philosophie vermittelt so im Gegenzug eine religiöse Botschaft. Sartre und Camus sind im eigentlichen Sinne Theologen mit umgekehrten Vorzeichen.

Ausgewählte Literatur zur Gottesfrage

bei J. P. Sartre:

ARNTZ, J., *Atheismus im Namen des Menschen,* in: *Concilium* 2 (1966), S. 422 bis 425.

ECOLE, J., *Das Gottesproblem in der Philosophie Sartres,* in: *Wissenschaft und Weltbild* 10 (1957), S. 265—276.

GABRIEL, L., *Existenzphilosophie,* Wien ²1968.

HARTMANN, K., *Grundzüge der Ontologie Sartres in ihrem Verhältnis zu Hegels Logik,* Berlin 1963.

JEANSON, FR., *Sartre,* Paris 1966.

JOLIVET, R., *Sartre ou la Théologie de l'absurde,* Paris 1965.

LOTZ, J. B., *Sein und Existenz,* Freiburg 1965.

MÖLLER, J., *Absurdes Sein? Eine Auseinandersetzung mit der Ontologie J. P. Sartres,* Stuttgart 1959.

PAISSAC, H., *Le Dieu de Sartre,* Grenoble 1950.

TRESMONTANT, CL., *Comment se pose aujourd'hui le problème de l'existence de Dieu,* Paris 1966.

bei A. Camus:

BLANCHET, A., *Le Pari d'Albert Camus,* in: *Etudes* 304—307, 183—199, 330—344 (1960).

BRÉE, G., *A. Camus. Gestalt und Werk,* Hamburg 1960.

COFFY, R., *Dieu des Athées,* Lyon 1963.

ESPIAU DE LA MAESTRE, A., *Der Sinn und das Absurde,* Salzburg 1961.

KAMPITS, P., *Der Mythos vom Menschen. Zum Atheismus und Humanismus Albert Camus',* Salzburg 1968.

KRINGS, H., *Albert Camus oder die Philosophie der Revolte,* in: *Philos. Jahrbuch* 62 (1953), S. 347—358.

LEBESQUE, M., *Camus,* Hamburg 1967.

La Nouvelle Revue Francaise, Sondernummer März 1960.

SARTRE, J. P., *Réponse à Albert Camus,* in: *Situations* IV, Paris 1964.

Günther Schiwy

Strukturalismus und Atheismus

I. Der Fragepunkt

So wie es bei der Dialektik möglich ist, sie als Erkenntnis-
methode vom atheistischen dialektischen Materialismus zu trennen, so ist es nötig, beim französischen Strukturalismus[1], von dem
hier die Rede sein soll, zwischen der strukturalen Methode und
dem Strukturalismus als Ideologie zu unterscheiden. So wenig die
dialektische Methode notwendig eine atheistische Weltanschauung
voraussetzt noch zur Folge hat, so wenig ist das bei der strukturalen Methode der Fall. Wenn trotzdem viele Dialektiker Atheisten waren und auch jetzt viele Strukturalisten Agnostiker oder
Atheisten sind, dann hat das historische und biographische Gründe,
und zwar so verschiedene, wie es verschiedene Individuen sind.
Daß jedoch ihr Atheismus leicht auf ihre wissenschaftliche Methode abfärbt, daß sie versucht sind, ihre weltanschauliche Position
mittels dieser Methode zu stützen oder gar als Ergebnis dieser

---

1. R. BARTHES, *Mythen des Alltags*, Frankfurt 1964.
DERS., *Kritik und Wahrheit*, Frankfurt 1967.
DERS., *Literatur oder Geschichte*, Frankfurt 1969.
U. JAEGGI, *Ordnung und Chaos*, Frankfurt 1968.
CL. LÉVI-STRAUSS, *Traurige Tropen*, Köln 1960.
DERS., *Strukturale Anthropologie*, Frankfurt 1967.
DERS., *Das wilde Denken*, Frankfurt 1968.
DERS., *Das Ende des Totemismus*, Frankfurt 1965.
G. SCHIWY, *Der französische Strukturalismus* (rde 310/11), Reinbek bei Ham-
burg [4]1970.
DERS., *Strukturalismus und Christentum*, Freiburg 1969.
DERS., *Neue Aspekte des Strukturalismus*, München 1971.
Orte des wilden Denkens. Zur Anthropologie von Claude Lévi-Strauss. Her-
ausgegeben von WOLF LEPENIES und HANNS H. RITTER, Frankfurt 1970.

wissenschaftlichen Methode hinzustellen und daß sie so die Methode bewußt oder unbewußt ideologisieren, ist ein immer wieder festzustellender Vorgang. Er wird uns die Methode, wenn sie sich durch gute Ergebnisse bewährt hat, nicht vergrämen, wird uns jedoch kritisch machen gegen ihren ideologischen Mißbrauch.

II. Die Methodenmomente und ihre Ideologisierung

Im folgenden sei die Methode in einzelnen Schritten erläutert und jeweils angegeben, wieso sie einer atheistischen Ideologisierung offensteht und ob eine solche durch den einen oder anderen Vertreter des Strukturalismus stattgefunden hat. Unsere Kritik am atheistischen Strukturalismus wird so möglichst immanent erfolgen.

1. Phänomen und Besserwisserei

Der erste Schritt in der strukturalen Analyse, wie die Methode genannt wird, besteht wie in der Freudschen Psychoanalyse darin, den Gegenstand der Untersuchung — zum Beispiel eine Dichtung, einen Film, die Heiratsregeln und -gebräuche, die Mode — möglichst ohne Befangenheit durch Alltagsverständnis und durch bewußte Deutung und Theorie zu registrieren, und zwar in allen seinen Details und Aspekten, wobei jedes Detail gleich wichtig ist. Das verlangt vom Forscher eine fast übermenschliche Geduld der Beobachtung sowie eine Offenheit und Toleranz gegenüber dem Phänomen, wie es sich zeigt. In der Regel ist der Mensch gewohnt, die Dinge vorschnell zu klassifizieren, zu deuten und mit ihnen „fertig" zu sein, bevor sie sich recht zur Geltung bringen konnten.

Es liegt nahe, daß ein Strukturalist, der zum Atheismus neigt, weil ihm etwa die Immer-schon-alles-und-besser-Wisserei der Christen, die er kennengelernt hat, im tiefsten zuwider ist, diese seine Haltung leicht mit der von der strukturalen Analyse in ihrem ersten Schritt geforderten Einstellung in Verbindung bringt. So hat zum Beispiel CLAUDE LÉVI-STRAUSS, der Begründer des französischen Strukturalismus, im Zusammenhang seiner Erforschung des Totemismus darauf hingewiesen, wie verhängnisvoll sich die christlich geprägte Zivilisation auf die wissenschaftliche Theoriebildung gegenüber dem heidnischen Phänomen des Totemismus ausgewirkt hat: daß man ihn von der abendländischen Mentalität stärker verschieden dargestellt und interpretiert hat, als er in Wirklichkeit ist, und das, um ihn mit um so besserem Gewissen verteufeln zu können. Daß eine solche Erfahrung den im agnostizistischen Liberalismus aufgewachsenen Lévi-Strauss noch bestätigt und ihm die Unmöglichkeit, Strukturalist und Theist zugleich zu sein, nahelegt, ist begreiflich, wenn auch sachlich nicht gerechtfertigt.

2. Analyse in nichts?

Der zweite Schritt in der Strukturanalyse besteht darin, daß der Strukturalist den Gegenstand seiner Forschung nicht nur vorbehaltlos und möglichst vollständig registriert (Schritt eins), sondern daß er ihn versteht als ein zusammengesetztes Gebilde, als eine Gestalt, eben als Struktur, und zwar als ein dynamisches Strukturgefüge, das nun im zweiten Schritt in seine Elemente zerlegt werden muß, wenn man den Gesetzen, nach denen es funktioniert, auf den Grund kommen will. Dabei stellt sich in der Regel heraus, daß die einzelnen letzten Bauelemente aus sich und für sich fast „nichts" sind und bedeuten, im Wortsinn „bedeutungslos" sind, und daß sie nur dadurch, daß sie mit vielen anderen in Beziehung treten, jenes Bedeutungsgefüge bilden, das uns als Struktur fasziniert. Nehmen wir zum Beispiel ein Gedicht. Lösen wir es auf und betrachten die einzelnen Wörter, die ebenso in Prosa und im Alltagsgerede gebraucht werden, so bleibt vom Gedicht keine Spur mehr. Lösen wir auch die Wörter noch in ihre Bestandteile auf, wie es die Sprachwissenschaft tut — in Konsonanten und Vokale bzw. in Laute und Phoneme —, dann bleibt fast nichts übrig. Und aus diesem Nichts entsteht dennoch das

Gedicht: durch das Wunder nicht der bloßen Summierung der Teile, sondern dadurch, daß das Ganze mehr und anderes ist als seine Teile.

Sosehr diese Erfahrung, die man bei der analytischen Methode machen kann, einen an die „Schöpfung aus dem Nichts" erinnern und den Glauben daran stärken mag, wenn man diese Erfahrung mit christlichem Vorverständnis macht, ebensosehr besteht die Möglichkeit, die erlebte Nähe zum Nichts anders zu deuten, etwa wie es Claude Lévi-Strauss getan hat: „Die Welt hat ohne den Menschen begonnen und wird ohne ihn enden. Die Institutionen, die Sitten und Gebräuche, die ich mein Leben lang gesammelt und zu verstehen versucht habe, sind die vergänglichen Blüten einer Schöpfung, im Verhältnis zu der sie keinen Sinn besitzen; sie erlauben bestenfalls der Menschheit, ihre Rolle im Rahmen dieser Schöpfung zu spielen. Abgesehen davon, daß diese Rolle dem Menschen keinen unabhängigen Platz verschafft und daß sein überdies zum Scheitern verurteiltes Bemühen darin besteht, sich vergeblich gegen den universellen Verfall zu wehren, erscheint der Mensch selbst als Maschine — vollkommener vielleicht als die übrigen —, die an der Auflösung einer ursprünglichen Ordnung arbeitet und damit die organisierte Materie in einen Zustand der Trägheit versetzt, der eines Tages endgültig sein wird. Seitdem der Mensch zu atmen und sich zu erhalten begonnen hat, seit der Entdeckung des Feuers bis zur Erfindung der atomaren Vorrichtungen, hat er — außer wenn er sich fortgepflanzt hat — nichts anderes getan, als Millionen von Strukturen zerstört, die niemals mehr integriert werden können. Ohne Zweifel hat er Städte gebaut und Felder bestellt; doch handelt es sich auch hier nur um Maschinen, die dazu bestimmt sind, Trägheit zu produzieren, und zwar in einem Tempo, das in keinem Verhältnis zur Menge an Organisation steht, welche die gebauten Städte und die bestellten Felder implizieren. Was die Schöpfungen des menschlichen Geistes anbetrifft, so besitzen sie Sinn nur in bezug auf ihn, und sie werden im Chaos untergehen, sobald dieser Geist verschwunden sein wird. So kann die ganze Kultur als ein ungeheuer komplexer Mechanismus beschrieben werden, in dem wir zwar gerne die Möglichkeiten, die Chance des Überlebens sehen möchten, welche unsere Welt besitzt, dessen Aufgabe aber einzig darin besteht, das zu produzieren, was die Physiker Entropie und wir Trägheit nennen. Jedes ausgetauschte Wort, jede gedruckte Linie stellt eine Verbindung zwischen zwei Partnern dar und nivelliert eine Beziehung, die vorher durch unterschiedliches Wissen, also durch größere Organisation gekennzeichnet war. Statt Anthropologie sollte es Entropologie heißen, der Name einer Disziplin, die sich damit beschäftigt, den Prozeß der Desintegration in seinen höchsten Erscheinungsformen zu untersuchen."[2]

3. Struktur ohne Subjekt

Der dritte Schritt in der strukturalen Analyse geht von der Überzeugung aus, daß es eine Leistung des menschlichen Bewußtseins ist, das die chaotischen Einzelelemente, die fast nichts sind, zu Gestalten, zu Strukturen zusammenfügt und zusammen sieht, was bei den menschlichen Schöpfungen durchaus einleuchtet. Nur macht dabei der Strukturalismus eine weitere Voraussetzung (durch vielerlei Hinweise aus der Erfahrung gestützt), daß es nämlich nicht so sehr ein bewußtes Gestaltschaffen ist, dem wir unsere Kulturwelt verdanken, sondern dem menschlichen Unbewußten. Die Gesetze, die den Strukturbildungen zugrunde liegen, sind in der Regel nicht dem bewußten Denken und Sagen der Menschen zu entnehmen, auch wenn sie viel darüber zu sagen haben, sondern sie sind dem Menschen dadurch zu entreißen, daß ich durch intensives Studium der durch die Analyse bereits zerlegten Gebilde ihre Kombinationsgesetze aufspüre und damit ein Stück des menschlichen Unbewußten aufdecke.

Daß diese Voraussetzung und die darauf aufbauende oft erfolgreiche Methode einer Ideologisierung im Sinne der völligen Entmachtung des Subjekst Vorschub leistet, liegt auf der Hand

2. *Traurige Tropen*, Köln 1960, S. 366 f.

(auch wenn dies nicht zwingend folgt). Der Psychoanalytiker JACQUES LACAN hat das Descartesche „Ich denke, also bin ich") auf den seiner Meinung nach neuesten Stand der Wissenschaft (in Wirklichkeit: der Ideologie) gebracht, indem er dem Sinne nach formuliert: Statt „wo ich rede, bin ich" (wie die Sprachphilosophen heute Descartes ummünzen), müßte es heißen: „Wo ich nicht rede, bin ich, und wo ich rede, bin ich nicht." Denn — mein wahres Ich ist das Es, das Unbewußte in mir, das mich bestimmt; will ich mich erkennen, muß ich dieses Es erkennen, muß ich mein redendes Ich zum Schweigen bringen und das Es reden lassen. Dieses Es aber ist — die Sprache.

Wieso eine solche Konzeption mit einem christlichen Menschen- und Gottesbild nichts anfangen kann, weil bei diesem — ohne daß die Rolle des Unbewußten geleugnet wird — der Mensch dennoch als seiner selbst bewußtes und entscheidungsfähiges Subjekt „nach dem Bilde Gottes" gesehen wird, erhellt aus einem Interview mit MICHEL FOUCAULT, dem ausgesprochenen Ideologen des Strukturalismus, der ihn zu einer Weltanschauung machen möchte: „Die Bedeutung Lacans beruht darauf, daß er gezeigt hat, wie sich durch die Worte des Kranken und die Symptome seiner Krankheit hindurch die Struktur, das System der Sprache ausdrückt — und nicht das Subjekt. Vor jeder menschlichen Existenz, vor jedem menschlichen Denken gäbe es demnach schon ein Wissen, ein System, das wir wiederentdecken ... Was ist dieses anonyme System ohne Subjekt, was ist es, das denkt? Das ‚Ich' ist zerstört (denken Sie nur an die moderne Literatur) — nun geht es um die Entdeckung des ‚es gibt'. Es gibt ein ‚man'. In gewisser Weise kehren wir damit zum Standpunkt des 17. Jahrhunderts zurück, mit folgendem Unterschied: nicht den Menschen an die Stelle Gottes zu setzen, sondern ein anonymes Denken, Erkenntnis ohne Subjekt, Theoretisches ohne Identität ..." [3]

3. In: G. SCHIWY, *Der französische Strukturalismus* (rde 310/11), Reinbek 1969, Textanhang, S. 204.

4. Geschlossenes System

Der vierte Schritt in der strukturalen Analyse faßt die aufzudeckende Struktur als einen geschlossenen Systemzusammenhang auf. Geschlossen deshalb, weil sich sonst keine Regeln und Gesetze aufstellen lassen und der Erkenntnisgegenstand ein fließendes, unbestimmtes Etwas bliebe. Ganz gleich, wie es sich „in Wirklichkeit" verhält, der Strukturalist gibt seinem Objekt feste Grenzen, selbst wenn er das künstlich und gewaltsam (nicht willkürlich!) tun muß. Es zahlt sich aus in klaren Strukturgesetzen und beschreibbaren Funktionen. Das schließt nicht aus, daß dieses so erfaßte System einem nächst größeren und höheren integriert werden kann, das in sich wiederum klar abgegrenzt und geschlossen aufgefaßt wird. Dieses Vorgehen ist aus der Naturwissenschaft wie aus der Gestaltpsychologie wohl bekannt. Jeder Physiker weiß zum Beispiel, daß es sich um ein mehr oder weniger offenes, unübersehbares Kräftesystem handelt, wenn er von dem Atom spricht und ein relativ geschlossenes Modell von einem oder gar diesem Atom entwirft. Erst dieses Modell, diese Abgrenzung erlaubt es, das Spiel der Elementarteilchen zu beschreiben.

Wer als Strukturalist in seinem persönlichen Leben oder bei der Betrachtung unserer sozialen und politischen Lage erfahren hat, was eine ausweglose Situation ist, wer davon überzeugt ist, daß wir alle die Gefangenen nicht nur von selbst gewollten und geschaffenen Systemen sind, kommt leicht in die Versuchung, sich durch diesen Schritt seiner strukturalen Methode in seiner Weltanschauung bestätigen zu lassen. Er vergißt dann, daß es sich beim methodologischen Systemzwang um eine bewußt gewollte Abstraktion handelt und nimmt sein geschlossenes Gedankenmodell für ein Abbild der Wirklichkeit selbst. Diese ideologische Vereinnahmung der strukturalen Methode haben in diesem Punkt besonders die Existentialisten und Marxisten — die es auch unter den Strukturalisten gibt — bekämpft, da für sie Menschsein gerade darin besteht, ins Offene hinein zu existieren, trotz aller Systeme, die uns gefangenhalten wollen, aber immer wieder überstiegen werden können. Ein typisches Zitat aus dem oben erwähnten Interview mit MICHEL FOUCAULT: *„Sartre hat uns die Freiheit gelehrt, Sie lehren uns, daß es keine wirkliche Freiheit des Denkens gibt?* — M. F.: Man denkt innerhalb eines anonymen und zwingenden Gedankensystems, nämlich dem einer Epoche und einer Sprache. Dieses Denken und diese Sprache haben ihre eigenen Gesetze der Umwandlung. Die Aufgabe der heutigen Philosophie und aller theoretischen Disziplinen, die ich Ihnen aufgezählt habe, besteht darin, dieses Denken vor dem Denken, dieses System vor jeglichem System wieder zutage zu fördern. Aus ihm taucht unser ‚freies‘ Denken empor und leuchtet für einen Augenblick auf . . . — *Welches wäre unser heutiges System?* — M. F.: Ich habe das — teilweise — in ‚Les mots et les choses‘ darzustellen versucht. — *Befanden Sie sich, als Sie das taten, jenseits des Systems?* — M. F.: Um das System zu denken, wurde ich schon von einem System hinter dem System gezwungen, das ich nicht kenne und das in dem Maße zurückweichen wird, in dem ich es entdecken werde, in dem es sich entdecken wird . . . — *Und was wird bei allem aus dem Menschen? Handelt es sich um eine neue Philosophie vom Menschen, die da entsteht? Hängen nicht dennoch all Ihre Forschungen von den Geisteswissenschaften ab?* — M. F.: Scheinbar ja, die Entdeckungen von Lévi-Strauss, Lacan, Dumézil gehören zu dem, was man allgemein Geisteswissenschaften zu nennen pflegt. All diese Untersuchungen löschen nicht nur das traditionelle Bild, das man sich vom Menschen gemacht hatte, aus, sondern sie laufen meiner Meinung nach alle darauf hinaus, sogar die Idee vom Menschen in der Forschung und im Denken überflüssig zu machen. Das am meisten belastende Erbe, das uns aus dem 19. Jahrhundert zufällt — und es ist höchste Zeit, uns dessen zu entledigen —, ist der Humanismus . . .“ [4]

4. Ebd., S. 205. Zu DUMÉZIL, dem Religionswissenschaftler unter den Strukturalisten, siehe in: SCHIWY, *Neue Aspekte* (Anm. 1), S. 61 ff.

5. Ausschließlich Immergleiches

Eine fünfte Voraussetzung, die mit der strukturalen Analyse verbunden ist, scheint der synchronische Gesichtspunkt zu sein, unter dem man das System studiert, das heißt der Gesichtspunkt der Zeitgleiche, der Unveränderlichkeit, des Statischen. Das Woher und Wohin des Systems, seine möglichen und tatsächlichen Veränderungen werden außer acht gelassen. Bleibt man methodisch korrekt, dann negiert man sie nicht, sondern abstrahiert nur davon, läßt die Frage offen. Diese Abstraktion ist durchaus zulässig, ja notwendig, wenn ich in einem dynamischen System sein Funktionieren in Gesetzen erfassen will. Wer zugleich den Wandel des Systems, den Prozeß ins Auge faßt, wird sich mit aufzustellenden Gesetzlichkeiten schwertun, ohne daß schon ausgemacht wäre, daß sie nicht existieren. Erst in einem zweiten Schritt kann ich auch den diachronischen Gesichtspunkt, den Wandel in der Zeit, wahrnehmen. Das aber will der Strukturalist in der Regel anderen überlassen. Ihn interessieren vor allem die Synchronie und die unveränderlichen, immer gültigen Gesetze auch in Humanprozessen.

Ein Strukturalist nun, der von seiner psychologischen Struktur oder seiner biographischen Erfahrung her dazu neigt, das Statische überzubetonen, konservativ zu sein, im Sinne Nietzsches in allem Werden doch die Wiederkehr des Immergleichen zu sehen, ein so strukturiertes Bewußtsein wird sich schwertun, mit der christlichen Heilsgeschichte, mit einem Prozeß fortschreitender Offenbarung Gottes etwas anzufangen. Das wird ihn im Gegenteil provozieren, daß er noch mehr als bisher Anstrengungen unternimmt, die Frohbotschaft von dem Einbruch Gottes in diese Welt und von der wachsenden Neuen Welt im Schoß der alten zu widerlegen: durch Nachweise, wie es doch „nichts Neues unter der Sonne" gibt, wie sich alles wiederholt, wie die Menschen nicht dazulernen, und er wird sich dabei der strukturalen Analyse bedienen ... „2500 Jahre sind vergangen, seitdem die Menschen diese Wahrheiten entdeckten und sie aussprachen. Seither haben sie, indem sie einen nach dem anderen alle Ausgänge zu benutzen versuchten, nichts anderes gefunden als zusätzliche Bekräftigungen jener Schlußfolgerung, der sie so gerne ausgewichen wären." [5] Die Botschaft, die darin „steckt", daß die Menschen der sinnlosen Wiederkehr aller Dinge „so gerne ausgewichen wären", hat mancher Strukturalist noch nicht vernommen.

6. Abstraktion und Negation

Ein weiterer Gesichtspunkt der strukturalen Methode besteht darin, daß sie die naturwissenschaftlichen und geisteswissenschaftlichen Disziplinen zu verbinden scheint und so die unheilvolle Kluft überbrückt und vielleicht sogar überwindet, die unser Geistesleben spaltet. Indem die Strukturanalyse auch gegenüber organischen, psychischen und selbst geistigen Erkenntnisobjekten eine Stringenz der Methode anwendet, wie sie bisher nur gegenüber der anorganischen Welt Erfolg hatte, werden ihre Ergebnisse in der Biologie, Psychologie und in den Geisteswissenschaften nun auch von Naturwissenschaftlern ernstgenommen und stellt sich über den methodologischen Konsensus auch ein inhaltlicher her: die Absicht nämlich, der manche Strukturalisten huldigen, die gesamte Wirklichkeit, auch das Leben und den Geist, auf die berechenbare Kombination einfachster Elemente, der letzten Bausteine der Wirklichkeit, zurückzuführen. Man hat schon davon gesprochen, diese Absicht bedeute nicht mehr als eine Erneuerung des überwunden geglaubten mechanistischen Materialismus des 19. Jahrhunderts, eine strukturalistische Maschinentheorie auch des höheren Lebens. „Es würde nicht ausreichen", entgegnete Lévi-Strauss [6] auf einen entsprechenden Vorwurf Sartres, „einzelne Menschheiten in einer allgemeinen Menschheit aufgehen zu lassen; dieses erste Unternehmen leitet weitere ein, die Rousseau nicht so gern anerkannt hätte und die den exakten und den Natur-

5. Lévi-Strauss, *Traurige Tropen*, Köln 1960, S. 366.
6. *Das wilde Denken*, Frankfurt 1968, S. 284.

wissenschaften zufallen: die Kultur in die Natur und schließlich das Leben in die Gesamtheit seiner physikochemischen Bedingungen zu reintegrieren. Der Gegensatz von Natur und Kultur, auf dem wir früher insistierten, scheint uns heute einen vor allem methodologischen Wert zu haben."

Doch nährt sich diese utopische Hoffnung, dem Geheimnis des Lebens und Geistes auf diese Weise auf die Spur zu kommen und der „Hilfsvorstellung" Gottes endgültig nicht mehr zu bedürfen, wieder von einer Abstraktion. Man vergißt, daß die Erfolge der strukturalen Analyse auch auf dem Gebiete der Lebens- und Geisteswissenschaften nur dadurch möglich sind, daß bei den Phänomenen von dem abstrahiert wird, was sich der Methode nicht aufschließt: die Spontaneität, das Schöpferische, das Intentionale, das Geschichtliche, die Entwicklung, eben all das Unberechenbare, das bleibt, auch wenn ich gewisse Gesetzmäßigkeiten erforscht und systematisch dargestellt habe. Wovon man abstrahiert, ist jedoch im Bereich des höheren Lebens kein Randphänomen, sondern gerade das Typische, das, was Leben und Geist von dem bloßen Stoff unterscheidet, was sie zu dem macht, was sie sind. Deshalb hat es trotzdem einen guten Sinn, auch diese Bereiche der strukturalen Methode zu unterwerfen, um das zu erfassen, was sich damit erfassen läßt, und um das, was ihr widersteht, als sie übersteigende Wirklichkeit genauer zu bezeichnen. Doch wenn aus der Abstraktion eine Negation wird, gerät der Strukturalist ins Gebiet der Ideologie.

III. Strukturalismus als Ahumanismus

Abschließend sei ausdrücklich darauf hingewiesen, was im Vorhergehenden immer deutlicher wurde: Der strukturalistische Atheismus ist mehr ein Ahumanismus. Er negiert das bisherige abendländische Menschenbild (ohne besondere Stoßrichtung auf das von diesem implizierte Gottesbild) und will es auf eine Dimension zurückentwickeln, die nach Michel Foucault „all die Zwangsvorstellungen, die es in keiner Weise verdienen, theoretische Probleme zu sein", nicht kennt, nämlich „die Beziehungen des Menschen zur Welt, das Problem der Realität, das Problem des künstlerischen Schaffens, des Glücks"[7]. Dieser Ahumanismus ist also auch ein Agnostizismus; er leugnet, daß man über die „menschlichen Probleme" im traditionellen Sinn etwas ausmachen kann und will sie deshalb eliminieren. Er leugnet die Sinn-Frage überhaupt. PAUL RICOEUR hat deshalb Lévi-Strauss vorgeworfen: „Für Sie gibt es keine ‚Botschaft', nicht im Sinne der Kybernetik, sondern im kerygmatischen Sinn; Sie verzweifeln am Sinn; aber Sie retten sich durch den Gedanken, daß, wenn die Leute auch nichts zu sagen haben, sie das wenigstens so gut sagen, daß man ihre Rede dem Strukturalismus unterwerfen kann. Sie retten den Sinn, aber es ist der Sinn des Nicht(Un)-Sinns, das bewundernswerte syntaktische Arragement einer Rede, die nichts sagt. Bei Ihnen verbindet sich der Agnostizismus mit einer Hyperintelligenz der Syntax. Dadurch sind Sie zugleich faszinierend und beunruhigend."[8] Lévi-Strauss hat in anderem Zusammenhang indirekt darauf geantwortet: „Entweder erreicht man, daß dieser Weg in den Wissenschaften vom Menschen eingeschlagen wird, oder es wird keine Wissenschaften vom Menschen geben. Ich will nicht den Beweis einer Anti-Philosophie antreten. Aber gegenwärtig laufen wir Gefahr, von einer Art theologischem Humanismus gefangengenommen zu werden. Überall dort, wo sich in der Vergangenheit Wissenschaft herausgebildet hat, haben die Leute gesagt: Was Sie mit Ihrer Wissenschaft vorschlagen, stellt die Existenz Gottes in Frage. Heute sagt man uns: Das stellt die Existenz des Menschen in Frage. Für Galilei war die Erkenntnis, daß die Erde sich dreht, keine metaphysische Wahrheit, sondern eine aus den Tatsachen gewonnene Feststellung, der jede Prätention fern lag."[9] Wir sind auch überzeugt, daß ein Strukturalismus, der seine Methode nicht ideologisiert, den Menschen

7. In: G. SCHIWY, *Strukturalismus* (siehe Anm. 3), S. 205.
8. Ebd., S. 201.
9. Ebd., S. 148.

nicht abschaffen, sondern ihm dienen wird, ebensowenig wie die bisherige Entwicklung der Wissenschaften Gott abgeschafft hat. Ein strukturalistischer A-Humanismus wird erst recht den Menschen nicht abschaffen, ebensowenig wie die Atheismen Gott abgeschafft haben. Beide scheinen auf je verschiedene Weise wirklicher zu sein als jede Ideologie über oder gegen sie.

René Marlé

Die sogenannte „Gott-ist-tot"-Theologie

Unter den Titel „Gott-ist-tot"-Theologie ordnet man im allgemeinen eine Anzahl zeitgenössischer theologischer Versuche ein, deren Orientierungen keineswegs in allen Punkten übereinstimmen. Bisweilen wird dieser Begriff so umfassend verstanden, daß man der Feststellung P. Jossuas entsprechend auch das Werk eines P. A. Liégé, eines Jean Lacroix oder eines Henri de Lubac, der den Versuch unternommen hat, „die falschen Gesichter Gottes zu entlarven", unter diesen Begriff fassen könnte[1]. Tatsächlich wurden mit diesem Stichwort vom „Tode Gottes" auf bequeme und vor allem publikumswirksame Art einige Tendenzen zusammengefaßt, die vor allem in der amerikanischen Theologie vorherrschen und die faktisch um das Gottesproblem kreisen. Es ist an sich nicht außergewöhnlich, daß sich die Theologie mit dem Gottesproblem befaßt; neueren Datums ist jedoch offensichtlich die Idee einer Theologie — nach der etymologischen Bedeutung des Wortes besagt sie ein Sprechen über Gott —, die die Auffassung vertritt, daß ihr Gegenstand keine Entsprechung in der Wirklichkeit hat und jedes Bedeutungsgehaltes entbehrt. Es ist wahr, was bereits Heine im gleichen Zusammenhang vor mehr als hundert Jahren gesagt hat, daß „man niemals mehr verraten wird als von den Seinen". Die in diesen derzeit vorliegenden Entwürfen enthaltenen Widersprüche sind, wie wir sehen werden, leicht aufzuzeigen; wenn wir uns jedoch nicht selbst einer Voreingenommen-

---

1. Vgl. *Informations Catholiques Internationales* vom 15. Januar 1968 zu einem in der vorhergehenden Nummer der *Revue* erschienenen Artikel, der von J. BISHOPS Buch *Les Théologiens de ‚la mort de Dieu'* (deutsch: *Die Gott-ist-tot-Theologie*, Düsseldorf 1969) inspiriert war.

heit schuldig machen wollen, dürfen wir uns von diesen Widersprüchen nicht abhalten lassen, die Fragen, die hier auf uns zukommen, zu vernehmen und zu versuchen, auf die Besorgtheit, die sich in den Voraussetzungen und in den sehr gewagten und überspannten Konstruktionen ausspricht, eine Antwort zu finden.

Es ist eine Tatsache, daß die „Gott-ist-tot"-Theologie ein weltweites Echo gefunden hat, noch ehe die Öffentlichkeit eigentlich genau wußte, worum es sich hierbei handelt. Zweifellos ist das Gottesproblem in der einen oder anderen Form, ob mehr oder weniger positiv oder mehr oder weniger negativ, im zeitgenössischen Bewußtsein präsent. Wenn die Existenz Gottes wesensmäßig für jede Wirklichkeit wirksam ist, wenn sie, ernsthaft betrachtet, diese Wirksamkeit haben *muß*, kann man dann der Meinung sein, daß die Gesamtheit der Veränderungen, die wir miterleben, nicht erneut das Gottesproblem aufwerfen würde? Ist es erstaunlich, daß der Mensch in dieser Zeit der „Kontestation", der Bestreitungen, nicht vor jener Wirklichkeit Halt machen will, die unser gesamtes Verständnis von Welt und Mensch bedingt, bedingen will oder muß?

Wenn die sogenannten „Gott-ist-tot"-Theologien tatsächlich etwas gemeinsam haben, so ihre *„Radikalität"*. Indem sie sogar die Wirklichkeit Gottes in Frage stellen, greifen sie etwas an, was immer Fundament des Glaubens und der Schlußstein des gesamten religiösen „Systems" zu sein schien. Damit konvergieren sie, wie zugegeben werden muß, in einem Verdacht, der im Bewußtsein unserer Zeitgenossen, einschließlich einer nicht geringen Zahl von Christen, weit verbreitet ist.

I. Gründe für die Bestreitung der Gottesidee

Dieser Verdacht, der in unserer Zeit mehr oder weniger ausdrücklich auf der Wirklichkeit Gottes lastet und diese zum Gegenstand einer, wenn auch noch nicht allgemeinen, so doch häufigen

Bestreitung werden läßt, kann mit drei Grundideen in Zusammenhang gebracht werden.

1. Zunächst die Vorstellung ihrer *Unmöglichkeit*. Das metaphysische Gebäude, das heißt jenes System von Wirklichkeiten, verschieden von der Wirklichkeit der tatsächlichen oder möglichen menschlichen Erfahrung, ist — so sagt man — endgültig zusammengebrochen. Die von Kant ausgearbeiteten Positionen im Blick auf das Gottesproblem werden heute in gewisser Weise spontan übernommen. Ein bestimmter Positivismus ist zur eigentlichen Denkform des 20. Jahrhunderts geworden: ein Positivismus, der auf einer naturwissenschaftlichen Bildung gründet, die sich auf die Kenntnis und Beherrschung der Naturphänomene hin orientiert; ein Positivismus, der von einer Sprachkritik ausgeht und unter der Bezeichnung „logischer Positivismus" allen Aussagen, die nicht die Erfahrung betreffen, jede Bedeutung abspricht; ein Neopositivismus, wie ihn die strukturalistische Strömung darstellt, die dazu neigt, die verschiedenen Äußerungen der menschlichen Wirklichkeit allein aus der Sicht ihrer durch die Grundelemente dieser Wirklichkeit geschaffenen Beziehungen untereinander zu sehen (in diesem letzten Fall tritt zur Ausklammerung jeder Idee der Transzendenz häufig auch die Behauptung der Diskontinuität im Ablauf der Geschichte). Die Gottesidee wird hier als der Schlußstein eines heute überholten kulturellen Systems angesehen.

2. In ihrer Unmöglichkeit erscheint die Gottesidee auch *überflüssig*. Diese Aussage scheint zunächst einer elementaren Erfahrung zu entsprechen: „Jener, der an den Himmel glaubte, und jener, der nicht daran glaubte", konnten tatsächlich dieselben konkreten Entscheidungen treffen. Anders ausgedrückt, die Bezugnahme auf den „Himmel" an sich hat sich als unwirksam erwiesen. Heiligen die religiösen Ideen — so fragt man sich — nicht immer Entscheidungen, die schon vorgängig zu ihnen gefaßt waren? Sind sie nicht wie Etiketten, die im Laufe der Geschichte die verschiedensten Waren bezeichnet haben? Die Armeen haben bekanntlich oft im Namen desselben Gottes radikal verschiedene Interessen und sogar Werte verteidigt. Diese Feststellungen, die

jedermann machen kann, scheinen heute durch Geschichte, Soziologie und — ganz allgemein — durch die Geisteswissenschaften immer mehr bestätigt zu werden.

3. Dennoch — auch wenn dies zunächst widersprüchlich erscheinen mag — wird die Gottesidee ebenso leicht für *schädlich* erklärt, in genau dem Maße, als sie die etablierte Ordnung durch eine transzendente Rechtfertigung „sanktionieren" will. Sie wäre in dieser Sicht wesentlich konservativ und würde die menschliche Freiheit und Kreativität verneinen. Sie liefe auf eine hierarchische, das heißt vorgegebene paternalistische, Ordnung hinaus, die als solche zu akzeptieren ist. Sie zwänge den Menschen in eine „sanktionierte" Struktur, die unantastbar und also hinzunehmen ist. Die Gottesidee ist nach dieser Auffassung ein Verfremdungsprinzip. Durch den Verweis auf eine andere Welt, auf ein „Jenseits" oder eine „zweite Welt", eine „Hinter-Welt", lädt sie den Menschen ein oder zwingt ihn dazu, sich auf einen anderen als sich selbst und sein Geschick zu beziehen und auf seine Selbstverwirklichung durch eine Humanisierung der Welt zu verzichten.

Solche Ideen, die vom Marxismus in der Nachfolge Feuerbachs, wie auch von Nietzsche und gewissen Formen des Existentialismus systematisch entwickelt wurden, sind heute schon fast Gemeinplätze und werden von vielen Menschen als unmittelbar einsichtig aufgenommen.

II. Wer nicht dazugehört

Vor diesem Hintergrund sind die sogenannten „Gott-ist-tot"-Theologien zu sehen. Sie sind zunächst abzugrenzen gegenüber Theologen, auf die man sich oftmals zu Unrecht beruft.

1. In einigen der letzten Briefe von DIETRICH BONHOEFFER aus dem Gefängnis[2] ist tatsächlich ein Anknüpfungspunkt für einige

2. *Widerstand und Ergebung. Briefe und Aufzeichnungen aus der Haft,* hg. von E. BETHGE (Siebenstern-Taschenbuch 1), München–Hamburg [5]1968, S. 132

Auffassungen zu finden, die diese neuen Theologien weiterentwickelt haben. Dies gilt für seine Aussagen über die „Mündigkeit" einer Welt, die in ihrem Denken, Fühlen und in ihrer Arbeit immer weniger Gebrauch macht von der Arbeitshypothese „Gott", wie auch für die Auffassung der Notwendigkeit einer „nicht religiösen Interpretation der biblischen Aussagen". Eine isolierende Herauslösung dieser Positionen, die oft in Frageform dargeboten werden und deren unvollendeten und einseitigen Charakter der Autor selbst hervorhebt, vom Gesamt seiner Theologie und von seinem Zeugnis, das er uns hinterlassen hat, ist zweifellos nicht nur nicht gerechtfertigt, sondern ein Mißbrauch[3].

2. Es ist ebenfalls ungerechtfertigt — wie man das häufig gemacht hat —, HARVEY COX unter die Theologen der „Gott-ist-tot"-Bewegung einzureihen. Die von Cox vorgelegten Reflexionen über Gott sind tatsächlich so kurz, daß man sie nicht nur als ungenügend, sondern sogar als enttäuschend empfinden kann. Seiner Überzeugung nach soll man sich nicht über einen Begriff, noch weniger über ein Wort streiten, solange man sich nicht über deren eigentlichen Gehalt Rechenschaft gegeben hat. Für Cox zählt vor allem die praktische Treue gegenüber den Geboten des lebendigen Gottes der Schrift; nach seiner Auffassung wird die Art, ihn richtig zu benennen und adäquat von ihm zu sprechen, sich dann von selbst einstellen. Einen geschlossenen Humanismus lehnt er jedoch eindeutig ab. Nachdem er der Verantwortlichkeit des Menschen in der Welt höchstmögliche Bedeutung zugemessen hat, erklärt er dennoch: „Gott ist nicht Mensch, und dieser kann nur antwortend verantwortlich sein." In seinem bekannten Buch *Stadt ohne Gott?* nimmt er, ohne sie zu nennen, gegen seine Theologenkollegen der „Gott-ist-tot"-Richtung Stellung: „Gott kann nicht mit irgendeiner Qualität des Menschen oder der Gegen-

bis 135 (vom 30. 4. 1944), S. 158 ff. (vom 8. 6. 1944), S. 176 ff. (vom 16. 7. 1944).
3. In seinem Buch *Investigation into God* betont J. A. T. ROBINSON, daß BONHOEFFER „sicherlich kein Theologe der ‚Gott-ist-tot'-Bewegung war" (S. 54).

seitigkeit der menschlichen Beziehung identifiziert werden, er läßt
sich nicht auf eine unbestimmte Weise, von zwischenmenschlichen
Beziehungen zu sprechen, reduzieren." Cox unterstreicht die Notwendigkeit, die Grenzen zwischen Glaube und Unglaube nicht zu
verwischen: „Es hat keinen Sinn und verrät eine paternalistische
Einstellung, den Nicht-Theisten zu suggerieren, sie seien in Wirklichkeit Christen, . . . das Problem sei nur semantischer oder
begrifflicher Natur." Anläßlich der Diskussionen um sein Buch
räumte er übrigens selbst ein, die metaphysische Problematik der
praktischen Entscheidungen des Menschen zu wenig berücksichtigt
zu haben. Wenn er also momentan glaubt, seinen theologischen
Entwurf auf die Vertiefung der ethischen Implikationen des Glaubens einschränken zu müssen, so schließt er dennoch eine stärker
spekulative Reflexion über die Wirklichkeit Gottes nicht aus. Zumindest hütet er sich davor, mit Resignation oder Enthusiasmus
zu behaupten, Gott sei tot[4].

3. Noch weniger ist es angebracht, J. A. T. Robinson unter die
„Gott-ist-tot"-Theologen einzureihen, vor allem seit er sich in
seinem letzten kleinen Buch *Investigation into God*[5] direkt über
dieses Thema geäußert und darin sogar die Formel „Gott-ist-tot"
als einen „bedauerlichen Slogan" bezeichnet hat. Er hält es nur
für nicht leicht, in der rechten Weise von Gott zu sprechen; damit
erinnert er uns an das erste Axiom der Theologie überhaupt. Er
weiß um die Fesseln der Sprache; er weiß auch, daß gewisse ge-
läufige Vorstellungen viele unserer Zeitgenossen zu der Auffassung geführt haben, Gott sei jenes Wesen, das nur dort seinen
Ort habe, wo die Wirklichkeit endet, die sie kennen und die ihr
ganzes Interesse beansprucht. Sein Vorschlag, dessen Gelingen
hier nicht beurteilt werden soll, will Gott wieder in den Mittelpunkt der Wirklichkeit einsetzen als jenen, der alle Wirklichkeit
begründet und der nicht aufhört, uns in ihr anzusprechen.

4. *Stadt ohne Gott?*, Stuttgart 1967, S. 278 f.
5. London 1967.

III. Die wichtigsten Vertreter der „Gott-ist-tot"-Theologie

Wer sind nun die tatsächlichen Vertreter der „Gott-ist tot"-Theologie? Es sind dies vor allem einige junge amerikanische Theologen, als deren bedeutendste Gabriel Vahanian, Thomas J. J. Altizer, William Hamilton und Paul van Buren zu nennen sind.

1. GABRIEL VAHANIAN, armenischer Herkunft, der jedoch eine französische Ausbildung genoß und Professor an der amerikanischen Universität von Syracus ist, hat als erster das Thema des „Todes Gottes" zum Gegenstand einer Veröffentlichung gemacht, die damals jedoch wenig Beachtung fand[6]. Die von ihm vertretenen Thesen sind im übrigen nicht sehr klar formuliert. Die primäre Intuition, die ihn bei der Niederschrift seines Buches leitete, scheint die Heuchelei in der amerikanischen Religion zu sein, in einem Christentum, auf das man sich offiziell beruft, das jedoch eine im Grunde materialistische und gottlose Zivilisation heiligt. In einer mehr positiven Weise sucht Vahanian die Bedeutung eines ganz anderen Gottesbegriffes darzulegen, der frei ist von allen ideologischen Rückbindungen und allen allzu menschlichen Interessen. Der „Tod Gottes" ist bei ihm also mehr Gegenstand einer *soziologischen Feststellung* als ein theologischer Entwurf. Der von ihm vertretene Glaube hat jedoch keine andere als eine ikonoklastische Funktion: sie besteht in der Weigerung, eine genaue Bestimmung der Transzendenz vorzunehmen. Dies führt ihn dazu, seine theologische Reflexion von jeder einengenden Bindung an eine Kirche freizumachen und sie praktisch auf eine bloße Bestandsaufnahme der verschiedenen Manifestationen der menschlichen Zivilisation zu gründen.

2. Eine ganz andere Tongebung bestimmt die Theologie von WILLIAM HAMILTON. Sie ist eine Theologie eines schwierigen, unbeständigen und dunklen Glaubens, der von ständigem Abgleiten

---

6. *La mort de Dieu. La culture de notre ère post-chrétienne*, Buchet Chastel 1962.

bedroht ist. Eine Theologie auch des Sich-Bescheidens, des progressiven Tastens, die vor allem um Aufrichtigkeit bemüht ist. So glaubt Hamilton sein Denken nur „in Fragmenten" entwickeln zu können und zu dürfen. Er versucht, jene Bereiche miteinander zu verbinden, in denen noch eine gewisse Erfahrung des Heiligen möglich scheint (vor allem den Bereich der Sexualität und den des Todes), um hier eine Ausbruchsmöglichkeit aus dem Bereich der reinen Nützlichkeit und jener eindimensionalen Wirklichkeit, in der der Mensch sonst meist eingeschlossen bleibt, zu entdecken. In Wiederaufnahme einiger Einsichten Bonhoeffers glaubt er, der Mensch von heute könne einem Gott, dessen Rolle sich darauf beschränke, *unsere Mängel* zu decken, unseren Bedürfnissen zu entsprechen oder unseren Problemen eine Lösung zu geben, keinerlei Interesse mehr entgegenbringen. Eben dieser Gott ist tot. Ihn wieder auferstehen zu lassen, würde nur zur Revolte führen. Hamilton fragt sich dann, ob innerhalb einer Ordnung der Ungeschuldetheit, der Gnade die Suche nach dem Sinn eines Gottes fortgeführt werden müßte, der Freude erweckt und zur Entfaltung bringt. Er versucht — da er nur vorsichtig vorangeht und niemals seine „fragmentarischen" Einsichten überschreitet — vor allem *die Bedeutung Jesu Christi nach dem Tod des Gottes der Metaphysik* zu beleuchten. Er will nun in Jesus nicht so sehr den Gegenstand oder die Grundlage des Glaubens sehen, sondern einen „Ort, der gehalten werden muß". Der christliche Glaube drückt sich in dem Vorhaben aus, jenen Platz einzunehmen, den Jesus nach den Aussagen des Evangeliums zugunsten seines Nächsten einnimmt. Der Christ ist eigentlich der „Platzhalter" Jesu[7]. Die Aufgabe des Gläubigen besteht nach seiner Auffassung also darin, den in der Welt verborgenen Jesus zu „demaskieren" und Jesus zu werden in der Welt und für die Welt. Diese Aufgabe realisiert sich innerhalb der konkreten Existenz, zum Beispiel im Kampf für die Bürgerrechte, gegen die Armut, die Ungerechtigkeit usw. Was die

7. Das ist das Thema von DOROTHEE SÖLLES Buch *Stellvertretung. Ein Kapitel Theologie nach dem ‚Tode Gottes'*, Stuttgart 1965.

Kirche angeht, so verzweifelt Hamilton zwar nicht an ihr, aber er erhofft kaum etwas für sie; faktisch interessiert er sich kaum für sie.

3. Bei PAUL VAN BUREN begegnen wir einem ganz anderen Stil der Untersuchung und Reflexion. Wenn Aufrichtigkeit die Schriften Hamiltons charakterisierte, so bezeugen jene van Burens mehr ein Bemühen um Klarheit. Sein Denken entwickelt sich in Anlehnung an die angelsächsische Philosophie, die auf die „Sprachanalyse" und die Untersuchung des *„Sinnes" (meaning)* einer Aussage zentriert ist. Wittgenstein, der Meister dieser Schule, führte diese Untersuchungen vor allem durch, indem er von dem Gebrauch der Begriffe in der Sprache ausgeht. Van Buren macht sich jedoch in seiner Kritik der Gottesidee auch die Voraussetzungen des „logischen Positivismus" und dessen „Prinzip der Verifizierung" zu eigen, nach dem nur jene Aussage sinnvoll sein kann, die durch die Erfahrung verifiziert werden kann (es sei denn, es handle sich um einen rein formalen und operativen Satz wie zum Beispiel die mathematischen Lehrsätze). Diesem Grundprinzip glaubt van Buren nur noch eine Unterscheidung zwischen kognitiven und nicht-kognitiven Sätzen hinzufügen zu müssen. Erstere handeln von einer wirklichen Gegebenheit und haben ihr Kriterium an der Erfahrung. Letztere bieten einen subjektiven Gesichtspunkt und definieren eine praktische Bedeutung, die durch das effektive, ihr entsprechende Verhalten verifiziert werden muß. Das Wort „Gott" kann nach unserem Autor tatsächlich nur dem zweiten Typ angehören. Dann ist es jedoch irreführend, da es eine objektive Wirklichkeit zu meinen scheint. Also muß es unmittelbar in Begriffe des menschlichen Verhaltens übersetzt werden. Dies geschieht bei van Buren, indem er — dem Titel seines Werkes entsprechend — versucht, „die weltliche Bedeutung des Evangeliums" zu bestimmen[8]. Nach dieser These ist der wesentliche Gegenstand des Christentums nicht Gott, sondern der Mensch oder, wenn man

8. *The Secular Meaning of the Gospel,* New York 1963 (deutsch: *Reden von Gott in der Sprache der Welt. Zur säkularen Bedeutung des Evangeliums,* Zürich–Stuttgart 1965).

so will, eine bestimmte Weise, in der der Mensch seine Menschlichkeit lebt. Dennoch und obwohl van Buren glaubt, bei der Bestimmung der Bedeutung des Evangeliums nur den praktischen und nicht den kognitiven Gesichtspunkt beibehalten zu können, muß er auf die Daten zurückgreifen, die uns die historische Forschung über Jesus vermittelt. Für ihn ist *Jesus* vor allem *ein vollkommen freier Mensch*, von einer Freiheit, die sich als „ansteckend" erweist. Der Christ macht die Erfahrung eines „Ergriffen- und Besessenseins" von der Freiheit Jesu, die ihm so als machtvolle Gnade erscheint. Diese Gnade jedoch stellt ihn unmittelbar in die Wirklichkeiten der Welt. Van Buren selbst scheint — wie Vahanian — seine theologische Arbeit immer mehr als einfaches Element der Universitätsbildung zu verstehen und nicht so sehr als Bezugnahme auf irgendeine christliche und schon gar nicht kirchliche Tradition. Zweifellos ist es verständlich, daß die Theologie nach dem „Tod Gottes" ihre spezifische Eigentümlichkeit nur schwerlich noch lange beibehalten kann.

4. Dennoch ist der letzte hier zu behandelnde Theologe davon überzeugt, daß der „Tod Gottes" das bevorzugte Thema der Theologie und besonders der christlichen Theologie sein muß. Für THOMAS J. J. ALTIZER ist, wie für seine Kollegen, die gegenwärtige kulturelle Situation mit dem Zusammenbruch der Metaphysik und dem immer deutlicher zutage tretenden Verschwinden jeglicher Bezugnahme auf eine Transzendenz der Horizont ihres theologischen Ansatzes. Altizer will dieser Situation jedoch als Theologe begegnen. Wenn wir Christus begegnen wollen, so kann diese Begegnung nicht außerhalb der Wirklichkeit stattfinden: weder jener des „Todes Gottes" noch auch irgendeiner anderen. Altizer weiß jedoch, daß die Anvisierung einer immanenten säkularen Form der Gegenwart Christi in der Welt de facto einen Bruch darstellt mit allen früheren Glaubensformen, mit der Anerkennung der Einzigartigkeit der Bibel, der Autorität der Kirche, kurz mit allem, was bisher als Grundlage des christlichen Glaubens erschien. Es handelt sich hier um ein völlig neues Abenteuer, dessen Wagnischarakter er nicht verschweigen will. Möglicherweise führt

ihn dieser sein Weg endgültig zum Nihilismus. Aber — so stellt er fest — der Glaube ist Wagnis, und das Wagnis zurückweisen bedeutet den Glauben zurückweisen. Der christliche Glaube insbesondere ist Engagement. Altizer betont dies, indem er seinen radikalen Gegensatz zur östlichen Mystik hervorhebt. Zwar zielen beide Seiten auf die „coincidentia oppositorum", das Ineins der Gegensätze des Heiligen und des Profanen. Aber während in der östlichen Mystik diese Koinzidenz durch die Aufsaugung des Profanen durch das Heilige erreicht wird, verwirklicht es sich im Christentum durch den Eintritt des Heiligen in die Profanität der Welt und sogar durch sein Aufgehen in dieser Profanität. Wenn das Wort Fleisch wird, so ist seine — ursprünglich heilige — präinkarnatorische Form verneint und zerstört. Ausgehend von dieser Idee, glaubt Altizer den Tod Gottes nur noch als eine kulturelle Tatsache verzeichnen zu müssen. Er glaubt sich durch „das Evangelium eines christlichen Atheismus"[9] in der Lage, ihn theologisch zu interpretieren. Der „Tod Gottes", der in unserer Zeit zum unbestreitbaren Phänomen wird, zeigt nur in aller Offenheit, was im Prinzip, wenn auch auf verborgene Weise, in der Menschwerdung und im Tod Jesu schon gegeben war. *Der Tod Gottes hat seinen Ort in Jesus Christus.* In der Menschwerdung entäußert sich Gott seiner Transzendenz und des abstrakten Charakters seiner präinkarnatorischen Gestalt. Er ist „tot", als „anderer" radikal überholt, sinnlos und fremd, in die Isolierung des Himmels zurückgedrängt, unfähig, vom Aufgang des Menschen berührt oder bewegt zu werden. Die *Transzendenz* hat sich ihrem Wesen entsprechend verwirklicht, indem sie sich *in Immanenz verwandelt.* Gleichwohl spielt der Gottesbegriff in Altizers System auch weiterhin eine bedeutende Rolle, da er sich allein als Christ in der Lage glaubt, diesem „Tod Gottes", den Nietzsche verkündet hatte, gerecht zu werden. Nur die Christen können die ganz positive Bedeutung des Todes Gottes erfassen, der nur deshalb von den

---

9. *The Gospel of Christian Atheism,* Philadelphia 1966 (deutsch: ... *daß Gott tot sei. Versuch eines christlichen Atheismus,* Zürich 1968).

Menschen getötet werden kann, weil er sich zuerst durch die Verneinung seiner selbst als Äußerlichkeit zugunsten des Fortschritts seiner Schöpfung selbst zerstört hat. In diesem Zusammenhang, den er besonders betonen will, greift Altizer die Formel William Blakes wieder auf: „Gott *ist* Jesus". Von hier aus glaubt er, die neue Weise der Präsenz Gottes — oder wenn man so will, Christi — in unserer profan gewordenen Welt darstellen zu können. Diese Präsenz verwirklicht sich wesensmäßig im Augenblick, der in sich selbst Ewigkeit ist. Der Augenblick muß also von uns in seiner gegebenen Konkretheit absolut gewollt sein. Das Wort Gottes hört nicht auf, Fleisch in *unserer* Gegenwart, in *unserer* Zeit, in *unserer* Existenz zu werden. Die Tatsache, daß wir leben, wird in dieser Sicht wirklich eine „Epiphanie des Leibes Christi". Indem Altizer sich über seinen Gedankengang Rechenschaft gibt, verschweigt er nicht, daß dieser ihn sehr weit entfernt hat von der etablierten christlichen Theologie und wohl auch von der Kirche, wie sie sich auch weiterhin versteht. Aber in seiner Sicht stoßen uns die von ihm vorgeschlagenen Perspektiven vorbehaltlos in den Glauben, in einen Glauben, der unsere Zeit zu erhellen vermag.

IV. Ein Anruf, der durch diese irrigen Entwürfe hindurch hörbar wird

Ohne bei jeder dieser theologischen Problemstellungen verweilen zu wollen, deren Gewicht und Originalität zweifellos in keinem Verhältnis zu ihrer Berühmtheit stehen, wollen wir ihnen doch einige kurze Bemerkungen anfügen.

1. Ein Zug kann zunächst verblüffen: Während die sogenannte liberale Theologie des 19. Jahrhunderts auf eine Aufsaugung der Christologie durch die Theologie hin tendierte, da Jesus Christus schwerer zu fassen schien als Gott, und das Christentum seine Bedeutung nur innerhalb der „religiösen Erfahrung" offenbaren konnte, wollen die „radikalen" Entwürfe, die uns heute vorgelegt werden, ausgehend von der Überzeugung, daß das Problem in der

Wirklichkeit Gottes und der Idee der Religion selbst liege, *die Theologie in die Christologie hinein aufheben.*

Die wichtigste Frage ist nun zu wissen, ob eine solche Christologie, selbst in diesen vereinfachten Zügen, bis zum Ende denkbar ist, *ohne Bezugnahme auf eine Transzendenz,* auf ein Absolutum, kurz auf das, worauf die Idee Gottes zurückverweist, auch wenn sie immer kritisiert, geläutert und in diesem Sinne überschritten werden muß. Warum sonst soll Jesus Christus eine zentrale, entscheidende oder auch nur privilegierte Stellung erhalten? Woher käme ihm die von Hamilton empfundene „ansteckende" Macht, diese Kraft, die van Buren „ergreift", was verleiht dem Augenblick dieses Gewicht der Ewigkeit, das Altizer ihm zuerkennt, wenn Jesus nicht oder nicht mehr das Wort eines *Gottes* ist, der sich in der Zeit engagiert, sie absolut beherrscht und dennoch nicht in ihr aufgeht, sondern „ewig bleibt", eines Gottes, der sich gerade in der Zeit als ewiger und als transzendenter offenbart? Und darüber hinaus: Was ermöglicht es uns, uns nicht nur — einem uns immanenten Gesetz entsprechend — dem Gesetz der Zeit zu unterwerfen, uns nicht damit zu bescheiden, die Fülle des Augenblicks auszuhalten, sondern in ihm kritische Präsenz zu sein, fähig, ihm eine Richtung zu geben und ihm einen Sinn zuzuordnen, wenn nicht die Erkenntnis, daß sein Anfang und Ende jenseits seiner selbst, in dem, der ihn begründet und wieder einholt, zu suchen sind? Es ist wahr, daß Gott sich in seiner Menschwerdung in der Konkretheit unserer geschichtlichen Existenz antreffen läßt. Aber diese Behauptung verlöre jede Grundlage, wenn Jesus nur ein Mensch unter anderen, ein bloßes, wenn auch leuchtendes Glied der Geschichte wäre. Wenn er für den Christen der absolute Bezugspunkt ist, so deshalb, weil er als er selbst der Absolute ist. Wenn sein Wort nicht nur mit Interesse und Bewunderung aufgenommen wird, sondern der Gläubige dazu geführt wird, seine ganze Existenz darauf zu gründen, so deshalb, weil „noch niemals ein Mensch so gesprochen hat wie dieser Mensch" (Jo 7, 46). Wenn dieses Wort mit Sicherheit leitet, frei macht und zum Leben führt, so deshalb, weil es von jemandem kommt, der, wie schon die Zeitgenossen Jesu erkannten, „Macht hat" (Mt 7, 29). Wenn Christus verdient, daß wir ihm unseren Glauben schenken, so deshalb, weil wir wissen, daß „in ihm die ganze Fülle der Gottheit leibhaftig wohnt" (Kol 2, 9)[10].

2. Nachdem wir die Inkonsequenzen dieser entstellten und äußerst einseitigen Theologien erkannt haben, stellt sich uns jedoch die Frage, ob sie uns nicht trotzdem dazu anregen, unsere *Christologie neu zu überdenken,* um sie immer mehr zu vertiefen. Müßten wir nicht versuchen, sie immer weiter zu durchdenken, sowohl im Sinn der Immanenz, das heißt der Menschwerdung und der Mitteilung des Hl. Geistes, als auch im Sinne der Transzendenz, das heißt des Geheimnisses der Dreifaltigkeit? Im Innenraum dieses Geheimnisses, das sich gerade durch die Menschwerdung des Gottessohnes und die Mitteilung des Hl. Geistes enthüllt, treffen wir nicht auf einen untätigen, sondern im Gegenteil auf einen *von Leben durchdrungenen Gott,* einen Gott der ewigen Bewegung, des ewigen Übergangs, einen Gott, der sich als solcher vor uns nicht in einer entfremdenden Äußerlichkeit darbietet, sondern im inneren Leben, in das einzutreten wir aufgerufen sind. Der Gott, den wir einer Generation zu verkünden haben, die mit ihm kämpft, in einem Augenblick, da sie glaubt, nichts mit ihm gemein zu haben, ist nicht der ätherische und blasse Gott des Deismus, sondern der lebendige Gott der Offenbarung, um dessen Erkenntnis die Kirche der ersten Konzilien (deren Lehre vielfach mit unglaublicher Leichtigkeit für überholt erklärt wird) mit all ihren Quellen des Glaubens und Denkens sich unendlich bemüht hat. Ohne uns von diesen Theologien, deren Primitivität wir feststellen konnten, verführen zu lassen, ohne uns jedoch auch damit zu begnügen, die Augen zu verschließen vor den Abirrungen, die sie in unserer Sicht enthalten, können wir durch sie hindurch den Anruf einer Zeit vernehmen, die vielleicht wie keine andere nach dem wahren Gott dürstet, aber eben deshalb ent-

10. Ähnliche Reflexionen finden sich in Th. W. Ogletree, *The Death of God Controversy,* New York 1966.

schieden ist, sich nicht mit Worten oder Ersatzlösungen zufrieden zu geben. Aber diesen in der Nacht erwarteten Gott müssen wir alle auch weiterhin zu entdecken suchen. „So wollen wir suchen: als solche, die finden; und so wollen wir finden: als solche, die suchen." [11]

---

11. Augustinus, *De Trinitate*, 9,1.

Walter Kern

A-theistisches Christentum?

„Wenn Christus heute wiederkäme, wäre er Atheist"[1]: Schärfer als durch dieses Wort kann die Atheismusproblematik von heute nicht angerissen werden. Daß es in einem theologischen Aufsatz steht, wirkt um so schockierender. Und daß es sich selbst so erläutert: „das heißt, er könnte sich auf nichts anderes als auf seine weltverändernde Liebe verlassen"[2] — das kann die Verwirrung wohl kaum mindern, so bedenkenswert diese Erläuterung auch sein mag. Vor diesem zupackenden Zitat nimmt sich die Frage, ob und inwiefern etwa der Atheismus eine christliche Möglichkeit sei, akademisch blaß und zahm aus. Zahm oder nicht: Wir fragen nach der Sache, um die es geht.

Die Sache des Verhältnisses Christentum—Atheismus hat für uns heute wohl vor allem diese beiden Bedeutungsrichtungen angenommen (andere Verstehensmöglichkeiten werden beiläufig, als Beschluß unserer Überlegungen, angesprochen werden): Einmal kann Atheismus insofern als eine christliche Möglichkeit gelten, als er in seinen wichtigsten modernen Gestalten geschichtlich ermöglicht und bedingt ist durch die Offenbarung des Alten und des Neuen Testaments, zumal durch den Schöpfungsglauben. Der

---

1. D. Sölle, *Gibt es ein atheistisches Christentum?*, in: *Merkur* 23 (1969) S. 33–44; Zitat: S. 41. – Auch schon J. Cardonnel OP (*Gott in Zukunft*, München 1969; franzöz.: *Dieu est mort en Jésus-Christ*, 1968) prädiziert von Jesus: *„Er erschien als der radikale A-theist"* — denn er „bricht mit allen unseren Vorstellungen von Gott" (S. 31)! *Dieser* A-theismus ist Gegenstand der vorliegenden Seiten. C. weiter: „Ich glaube nicht an Gott: Gott? kenne ich nicht. Ich kenne nur den Vater unseres Herrn . . ." (S. 136). „Auch ich bin Atheist [!]: der Gottesbegriff nützt [!] mir gar nichts" (S. 161).
2. Ebd., S. 41.

moderne Atheismus scheint irgendwie, wenn auch noch so indirekt und illegitim, eine *Folge*erscheinung der christlichen Glaubensbotschaft zu sein. Das ist schon vor zwei oder drei Jahrzehnten vereinzelt erörtert worden und hat in der näheren Vergangenheit ein breites Echo gefunden[3]. In jüngster Zeit erhebt sich jedoch eine zweite, paradox und unerhört klingende Frage: Stellt der Atheismus nicht eine mögliche oder gar die einzig mögliche Weise des Christseins in der Welt von heute dar? Kann, ja muß nicht das Christentum selber auf dem Boden des modernen Welt- und Lebensverständnisses eine eigene atheistische Erscheinungs*form* entwickeln? Nicht nur ein „Evangelium für Atheisten" (J. L. Hromadka[4]), sondern das „Evangelium eines christlichen Atheismus" (Th. J. J. Altizer[5])? Nicht nur „der Glaube des Atheisten" (A. Gibson[6]) steht zur Debatte: „Atheistisch an Gott glauben" (D. Sölle[7]) heißt die Parole. Kritische Auseinandersetzung hiermit setzt die Klärung voraus, was denn mit diesem von evangelischen Theologen anvisierten *„atheistischen Christentum"* gemeint ist. Ein Nein zu Gott (theos)? Oder vielmehr das Nein zum

---

3. Vgl. hierüber: W. Kern, *Atheismus — Christentum — emanzipierte Gesellschaft,* in: *Zeitschrift f. kath. Theologie* 91 (1969) S. 289–321; als erweiterte Buchausgabe: Düsseldorf 1972 (Patmos-Verlag). Oder: *Christliche Genealogie des modernen Atheismus?,* in: *Stimmen der Zeit* 185 (1970) S. 89–99.

4. Deutsche Ausgabe: Berlin 1958.

5. Deutsch unter dem Titel: *„... daß Gott tot sei. Versuch eines christlichen Atheismus",* Zürich 1968; amerikanische Ausgabe 1966.

6. New York 1968. — Schon der Barockdichter B. H. Brokes weiß um „die gläubigen Atheisten" (*Irdisches Vergnügen in Gott,* ed. Zürich 1746, Bd. III, S. 271); L. Feuerbach, um 1843: „Auch wir Ungläubigen glauben" (*WW,* II [²1959], S. 386); Max Stirner 1845: „Unsere Atheisten sind fromme Leute" (*Der Einzige und sein Eigentum,* Leipzig 1928, S. 164); und K. Joel schrieb eine ganze versöhnliche Studie: „Der Glaube des Atheisten" (in: *Antibarbarus. Vorträge und Aufsätze,* Jena 1914, S. 174–191). Wie sehr der Marxismus sich religiös-christliches Erbgut (messianisches Bewußtsein, Erlösung, Endzeit und Vollendung, Schriftkanon, Kult...) einverleibte, das z. B. bei E. Bloch fröhliche Urständ feiert, wurde oft erörtert. Auch mancher andere Atheismus ist mehr oder weniger offenkundig Religion oder Religionsersatz. Aber uns geht es hier nicht um den *„Glauben"* des Atheisten, sondern um den *„Atheismus"* des (Christlich-)Gläubigen.

7. Olten 1968.

Theismus, der Gottesauffassung der Metaphysik? Was besagt der traditionelle Theismus? Was der „neuchristliche" A-theismus?

I. Zur Geschichte von Theismus und A-theismus

1. *Theismus* bezeichnet geistesgeschichtlich eine Rückzugsbastion. Das Begriffswort wurde im 17. Jahrhundert von einem Vertreter des Cambridger Platonismus eingeführt. RALPH CUDWORTH[8] fixierte damit in der Auseinandersetzung zwischen der traditionell christlichen und der neuzeitlichen, mechanistischempiristischen Weltanschauung die Gegenposition zum Atheismus. Darüber hinaus war es überhaupt die gegen die christliche Offenbarungsreligion gerichtete Kritik der englischen Deisten und der ganzen westeuropäischen Aufklärung, die zur Besinnung auf das den großen Religionen (vor allem dem Christentum, Judentum und Islam) Gemeinsame veranlaßte. Man sah dieses in der Überzeugung von der Existenz eines absoluten, weltüberlegenen, personalen Gottes, der die Welt aus nichts schuf und sie dauernd erhält und dem all jene Eigenschaften der Unendlichkeit, Allmacht, Vollkommenheitsfülle usw. zukommen, die das von den genannten Religionen inspirierte metaphysische Denken seit dem frühen Mittelalter aufs gründlichste erörtert hatte. Insgesamt ging es darum, was von den göttlichen Dingen erkennbar ist „mit dem natürlichen Licht der Vernunft", wie man im 13. Jahrhundert sagte: um die Fundamente der „natürlichen Religion", auf die man sich jetzt zurückzog. Theismus, in etwa bedeutungsgleich mit Monotheismus[9], hob sich damit einerseits vom Deismus ab, für den Gott dem Weltlauf nur einen ersten „Nasenstüber" (PASCAL)

8. In der Vorrede zu *The True Intellectuel System of the Universe*, London 1678. Vgl. zum Theismus: J. KLEIN, in: *Religion in Geschichte und Gegenwart*, Bd. [3]VI, Sp. 733–738.
9. Vom Sprachgebrauch her und auch für unseren Kontext ist (gegen W. HOLSTEN in *RGG*, Bd. [3]VI, Sp. 733) dieser engere Theismus-Begriff einem weiteren vorzuziehen, wonach Theismus der Oberbegriff wäre für Mono-, Poly- und Pantheismus.

gab, um ihn danach ganz sich selber zu überlassen, und anderseits vom Pantheismus, für den Gott ganz oder teilweise unter Einbuße seiner Personalität und Freiheit identisch ist mit der Welt. Aber das weitere Bezugsfeld und der entscheidende Kontrahent des Theismus war und blieb der Atheismus.

Die Disqualifizierung des Theismus durch heutige Theologen wird verständlicher von dessen weiteren neuzeitlichen Geschicken her. Zunächst entwickelte die christliche Apologetik der Aufklärungszeit eine abenteuerliche, superbarocke „Physikotheologie", die aus allen möglichen und unmöglichen Natur„wundern", der Anatomie von Fischen, Insekten usw., die bunteste Fülle von Gottesbeweisen sprossen ließ; sogar die alpine Milch- und Käseproduktion mußte dafür herhalten (bei ABRAHAM KYBURTZ, 1735)[10]. KANT, der die seiner Ansicht nach nicht durchtragenden kosmologischen Gottesbeweise den Deisten überlassen wollte, versuchte den Theismus als „Ethikotheologie" auf das sittliche Bewußtsein des Menschen zu gründen[11]; er selbst entwarf, nun aber doch mit deistischer Schlagseite, „die Religion innerhalb der Grenzen der bloßen Vernunft" (1793). Gegen die denkerischen Systeme des deutschen Idealismus, die sie für pantheistisch hielten, reagierten Mitte des 19. Jahrhunderts I. H. FICHTE, CH. WEISSE u. a.; sie vertraten seinen „spekulativen Theismus", der den „theistischen Begriff des absoluten Ursubjekts"[12] philosophisch zu beweisen suchte. Dabei ging es nicht ohne Übertreibung ab, etwa wenn der jüngere Fichte den Theismus rühmt als „das letzte lösende Wort aller Welträtsel, das unausweichliche Ziel allen Forschens"[13]. Trotz dieser und anderer theistischer Neubegründungsversuche lief die fortschreitende Bewußtseinstendenz auf die Bankrotterklärung und Ignorierung des metaphysischen Denkens

10. Vgl. dazu K. BARTH, *Die kirchliche Dogmatik*, III/1, Zürich 1945, S. 446 bis 476. Oder ausführlicher: W. PHILIPP, *Das Werden der Aufklärung in theologiegeschichtlicher Sicht*, Göttingen 1957.
11. *Kritik der reinen Vernunft* B (1787), S. 659–662.
12. I. H. FICHTE, *Über den gegenwärtigen Standpunkt der Philosophie*, Tübingen 1843, S. 28.
13. *Die theistische Weltansicht und ihre Berechtigung*, Leipzig 1873, S. IX.

hinaus. Seit etwa 1850 verschärften und verbreiterten Materialismus und Positivismus, was Deismus und Aufklärung angebahnt hatten. Die Mentalität der durch die Empirie geprägten Epoche deklarierte Metaphysik und Spekulation von vornherein als veraltet, überständig, sinnlos. Daran änderte nichts, daß die Positionen des Theismus katholischerseits in den neuscholastischen Lehrbüchern der „natürlichen Theologie" weiter überliefert und auch entfaltet wurden; das hatte keinen — es sei denn einen abschreckenden — Einfluß auf die a-theistischen Theologumena, die wir verstehen wollen (was sich übrigens auch, es muß gesagt sein, in nicht wenigen Mißverständnissen der Tradition durch dieselben bekundete). Auch das Vatikanum I gab zumeist nur die Folie ab für den Protest evangelischer Theologen gegen die Dogmatisierung des Theismus, die Verquickung christlichen Glaubens mit natürlicher Religion.

2. Schon im 19. Jahrhundert haben Theologen wie der Linkshegelianer D. F. STRAUSS und A. E. BIEDERMANN die Idee eines persönlichen Gottes abgelehnt; denn der Personbegriff könne „nicht vom endlichen Geist so abgenommen werden, daß dabei zugleich vom Moment der Endlichkeit abstrahiert wird". „Die Behauptung der Persönlichkeit Gottes ist daher nur das Schibboleth des noch vorstellungsmäßigen Theismus."[14] Man sieht: Das Nein zum Theismus war hier selber noch spekulativ-philosophisch begründet. Anders die Dialektische Theologie, vor allem in der Anfangszeit um 1920—1930! KARL BARTH proklamierte den entschiedensten Bruch mit allem natürlichen Religionswesen und seinem Allerweltstheismus; das alles unterminiere die Souveränität des Offenbarungsgottes. R. BULTMANN kennt nur die Alternative zwischen existentialer Deutung der christlichen Verkündigung und

14. A. E. BIEDERMANN, *Christliche Dogmatik*, Bd. II, Berlin 1885, S. 538. Ebenso D. F. STRAUSS, *Die christliche Glaubenslehre*, Bd. I, Tübingen—Stuttgart 1840, S. 504 f. Strauss meint dann aber doch (S. 524), Gott sei als „Allpersönlichkeit" zu denken, im Unterschied zur menschlichen „Einzelpersönlichkeit"; und Biedermann läßt wenigstens die Person*vorstellung* für Gott zu (ebd. Bd. I; [8]1869, S. 645 f.).

dem empirisch-wissenschaftlichen, objektivierenden Weltverständnis; ihr fallen Ansichsein und Transzendenz Gottes zum Opfer: In der „theistischen oder christlichen ‚Weltanschauung'" ist Gott, als „metaphysische Wesenheit" und „schöpferischer Urquell", „ebenso von außen gesehen als Objekt wie der Mensch". „Von Gott können wir nur sagen, was er an uns tut."[15] D. BONHOEFFER forderte 1944 die „nicht-religiöse Interpretation biblischer Begriffe"[16].

Ausdrücklich hat in der Gegenwart zuerst PAUL TILLICH[17] für die „Überwindung des Theismus" plädiert: Der „absolute Glaube", das heißt das die Sinnlosigkeit in sich hineinnehmende mutige Bekenntnis zur Seinstiefe der menschlichen Existenz, soll alle theistische Gottesidee transzendieren, welcher Art diese auch immer sei — die landläufig emotional oder politisch verfremdete, die biblische existentielle oder personalistische[18] und die zu objektivierenden „Gottesbeweisen" ausgebaute; die letztere, von Tillich als theologische Gottesidee bezeichnet, führe zur Auffassung von Gott und Mensch als Konkurrenten. Den verschiedenen Formen des Theismus entsprechen verschiedene Atheismen. Aber beides, Theismus wie Atheismus, läßt der Glaube an den „Gott über Gott", nämlich über dem Gott des Theismus und der Religion, hinter sich. „Der Mut zum Sein wurzelt in dem Gott, der erscheint, wenn Gott in der Angst des Zweifels verschwunden ist."[19] Aber wird dabei Gott, nach dessen Existenz zu fragen sinnlos sei, nicht verflüchtigt zu einem bloßen Symbol des unbedingten An-

---

15. *Welchen Sinn hat es, von Gott zu reden?* (1925), in: *Glauben und Verstehen* I, Tübingen [6]1966, S. 26—37; die Zitate: S. 29, 32, (mit W. HERRMANN:) 36. Sehr kritisch zu Bultmann, Tillich u. a.: K. BOCKMÜHL, *Atheismus in der Christenheit*, Wuppertal 1969.

16. *Widerstand und Ergebung*, München [12]1964, 233, vgl. 239. Vgl. darüber G. EBELING, *Wort und Glaube*, Tübingen [3]1967, S. 90—160.

17. *Der Mut zum Sein*, Stuttgart 1953, S. 131—137; englisch 1952.

18. Daß es sich in der Bibel um mehr als nur eben „personalistische Stellen" (ebd., S. 132) handelt, auf die sich der Theismus beruft, kommt in der etwas späteren Schrift *Biblische Religion und die Frage nach dem Sein*, Stuttgart 1956, besser zum Ausdruck.

19. *Der Mut zum Sein*, S. 137.

gegangenseins des Menschen, seines „Bejahtseins ohne jemand oder etwas, das bejaht" [20]?

Den letzten Anstoß für die Diskussion um „christlichen A-theismus" gab in Deutschland 1961 ein Vortrag von HERBERT BRAUN [21]: Was für den Juden und den Griechen zur Zeit Jesu eine Selbstverständlichkeit war — die Annahme eines an und für sich existierenden höchsten Wesens —, ist für den autonomen Menschen von heute ein unzumutbares Glaubenshindernis. Diese „weltanschauliche religiöse Vorgabe" ist antiquiert. Gott ist nicht zu verstehen als „eine heilige Gegebenheit", eine „an sich vorhandene Gottheit"; diese „Statik des Gottesgedankens", den Objektivismus der traditionellen Metaphysik muß man fahren lassen. Gott ist vielmehr ein Geschehen in der Spannung des „Ich darf" und des „Ich soll", das — „transpsychologische" — „Woher meines Umgetriebenseins", des Geborgen- und Gefordertseins im Raum der Mitmenschlichkeit, denn der Mensch „impliziert Gott"; ja, „Gott wäre dann eine bestimmte Art Mitmenschlichkeit" [22]. Wird der Metaphysik des höchsten Wesens, nebst Vorsehung und Weltregierung, der Abschied gegeben, so stößt die Kritik der Aufklärung, die sich vor allem am Theodizeeproblem entzündete, ins Leere. Das Evangelium ist Lebensbotschaft, nicht Weltanschauung oder Lehrsystem überweltlicher Sachverhalte.

3. DOROTHEE SÖLLE (geb. 1929), Germanistin dem ausgeübten Beruf nach und theologische Journalistin von Rang, hat — auch terminologisch — aus Brauns neutestamentlicher Basistheorie die Konsequenzen gezogen. Ihr Buch *Stellvertretung. Ein Kapitel Theologie nach dem „Tod Gottes"* [23] sieht den Sinn der Inkarnation, sich berufend auf die Deutung als kenosis, Selbstentäußerung

20. Ebd., S. 134.
21. *Die Problematik einer Theologie des Neuen Testaments*, in: 2. *Beiheft* zur *Zeitschrift f. Theol. u. Kirche*, Sept. 1961, S. 3–18; auch in: *Gesammelte Studien zum NT und seiner Umwelt*, Tübingen ²1967, S. 324–341. Die Zitate hierfür S. 338 ff. und S. 322.
22. Ebd., S. 341. Dieser Satz wird oft aus dem Kontext gerissen und gepreßt im Sinne eines bloßen feuerbachschen Humanismus.
23. Stuttgart–Berlin 1965, ⁵1968.

Gottes (Phil 2, 7), darin, daß Gott sein transzendentes, weltjen-seitig fernes Ansichsein abgelegt habe, um als der Mensch Jesus den Menschen leibhaft gegenwärtig zu werden. „Gott selbst ist in Christus aus der Unmittelbarkeit des Himmels fortgegangen, er hat die Sicherheit der Heimat verlassen, für immer" (ebd., S. 190). Christus vertritt vorläufig — bis zur eschatologischen Vollendung der Welt — den abwesenden Gott. „Das ist das Ge-schäft Christi bis heute: Vorläufer Gottes zu sein" (S. 181). „Aus der Präexistenz ist Koexistenz geworden."[24] Die Erfahrung des Todes Gottes ist nur die negative Kehrseite des Glaubens an die Auferstehung Christi, die nichts anderes ist als eben seine wirk-same Gegenwart. Und das Wozu dieses Umschlags Gottestod — Auferstehung Christi, vielmehr ihrer dialektischen Vermittlung: „um über das, was wirklich ist, zu streiten" (S. 180). Nur dadurch werde Nietzsches tödlicher Vorwurf aufgefangen, der auf die Un-wirksamkeit, nicht auf die Unwirklichkeit Gottes zielte; nur so sei herauszukommen aus dem stumpfsinnigen Hin und Her von affirmativen und negativen Behauptungen in Sachen Gottes (S. 180). „Es gibt Menschen genug, die beiden Erfahrungen, der vom Tod Gottes und der vom Leben Christi, standzuhalten ver-suchen" (S. 181). — Der Aufsatz „Atheistisch an Gott glauben?" von 1966[25] faßt sich selbst so zusammen: „Der paradoxe Ausdruck will sagen, daß Glauben hier als eine Art Leben verstanden wird, das ohne die supranaturale, überweltliche Vorstellung eines himm-lischen Wesens auskommt, ohne die Beruhigung und den Trost, den eine solche Vorstellung schenken kann: um eine Art Leben also ohne metaphysischen Vorteil vor den Nicht-Christen, in dem trotzdem an der Sache Jesu in der Welt festgehalten wird" (S. 79). Ein „theistisch unübersetztes Reden von Gott" ist nicht mehr mög-lich. Denn das Wort Gott, das schon „in der jüdisch-christlichen Tradition ein Movens, nicht ein Quietiv war", kann nicht durch philosophische Definition, sondern nur durch „weltliche Konkre-

24. Atheistisch . . . (s. Anm. 25) S. 13.
25. Titelaufsatz in *Atheistisch* . . . (ohne Fragezeichen!), Olten–Freiburg 1968, ²1969, S. 77–96.

tion" genau ausgelegt werden; durch das, was es „über Menschen und ihre Verhältnisse aussagt", in „konkreter gesellschaftlicher Praxis" (S. 78 f.). Andernfalls würde christliches Glauben mit theistischer Weltanschauung verwechselt, mit einem „ideologischen Sondervorrat" an „weltbildlichen Vorstellungen, religiösen Gefühlen, bestimmten Moralismen" (S. 82 f.); und „jedes theologische Denken, das Gott substantiiert, [ist] eine religiöse Erschleichung, die mit vorchristlich-theistischem Kapital spekuliert"[26]. Die neue Theologie versucht, „den Glauben im Verzicht auf Metaphysik und überweltliche Meinungen zu begreifen" (S. 85). Für sie ist „das Gesicht Gottes für uns nur erkennbar als das Gesicht des Anderen neben mir" (S. 87). Der neuere Aufsatz Sölles „Gibt es ein atheistisches Christentum?"[27] bringt ihre Auffassung auf den kürzesten Nenner: Der Entwurf Christi setzt die theistische Weltanschauung (Gott als Lückenbüßer und Bedürfniserfüller!) nicht voraus; die Berufung auf Gott fügt ihm nichts hinzu. Praktischer Theismus ist Rechtfertigung der bestehenden Verhältnisse; christliches Handeln heißt heute praktisch atheistisch handeln. Der Sinn des christlichen Atheismus ist — „Gott und das Göttliche zu leben"!

Eine ähnliche Position hat 1966 THOMAS J. J. ALTIZER, mit gröberem Kaliber theologisierend, bezogen[28]; sie wurde an anderer Stelle dieses Buches gekennzeichnet (S. 137 ff.). Die Kritik am

26. *Atheistisch ...*, S. 72, aus dem Aufsatz *Theologie nach dem Tod Gottes* (1964) S. 52—76. Hier programmiert Sölle „die Versöhnung der religiösen theistischen Position ‚Gott ist' (die nach der Aufklärung nicht mehr möglich ist) und der religiös-atheistischen Position ‚Gott ist tot' in der spekulativ-geschichtlichen: Gott *wird*" (S. 57). Dabei wird der Einfluß Hegels besonders deutlich.
27. In: *Merkur 23* (1969) S. 33—44; dazu: H. MYNAREK, in: *Wort und Wahrheit* 24 (1969) S. 456—470. Dieser neue Aufsatz Sölles scheint nun allerdings leider den theologischen A-Theismus, wie wir ihn bisher verstanden, zu einem bloß humanistischen Atheismus feuerbachscher und blochscher Art zu radikalisieren, wenn für S. Gott nurmehr das ist, was durch unsere Liebe und in ihr sich ereignet, von ihr geschaffen wird.
28. S. Anm. 5. Über die „Gott-ist-tot"-Theologie allgemein: J. BISHOP, Die ..., Düsseldorf 1968; S. M. DAECKE, *Der Mythos vom Tod Gottes*, Hamburg 1969.

Theismus kehrt bei allen Vertretern der amerikanischen „Gott-ist-tot-Theologie" wieder: Der Gott, der ihr zufolge tot ist, ist durchweg der theistisch gedachte Gott. — Die anti-theistische Kritik hat ein Echo gefunden in einer Reihe von Aufsätzen evangelischer [29] und auch katholischer [30] Theologen. Zur Gegenkritik, vor allem an Braun und Sölle, ist H. GOLLWITZER [31] zu hören. Diese Veröffentlichungen werden in dem folgenden „systematischen" Klärungsversuch nach Möglichkeit berücksichtigt.

Die Auseinandersetzung mit den skizzierten Theorien eines a-theistischen Christentums soll zunächst die gemeinsame gültige *Grundintention* der vielfältigen und sich übersteigernden theologischen Absagen an den „Theismus" thematisieren; es ist dann *im einzelnen* abzugrenzen, welche Funktionen im Verhältnis zum christlichen Glauben einem recht verstandenen Theismus *nicht* zukommen können; aus dieser kritisch-scheidenden Differen-

29. Vgl. besonders: P. HOLMER, *Theismus und Atheismus — Gedanken zu einem akademischen Vorurteil*, in: *Lutherische Rundschau* 16 (1966) S. 21—37; M. HONECKER, *Gibt es eine nach-theistische Theologie?*, in: *Pastoraltheologie* 57 (1968) S. 152—169; W. DANTINE, *Atheismus und christliche Theologie*, in: E. KELLNER, *Christentum und Marxismus — heute*, Wien usw. 1966, S. 68—74; DERS., *Der Tod Gottes und das Bekenntnis zum Schöpfer*, in: B. BOSNIAK u. a., *Marxistisches und christliches Weltverständnis*, Freiburg usw. 1966, S. 65—136.
30. W. KASPER, *Unsere Gottesbeziehung angesichts der sich wandelnden Gottesvorstellung*, in: *Catholica* 20 (1966) S. 245—263; F. P. FIORENZA, *Die Abwesenheit Gottes als ein theologisches Problem*, in: CH. HÖRGL — F. RAUH, *Grenzfragen des Glaubens*, Einsiedeln 1967, S. 423—451; R. PANIKKAR, *Metatheologie oder metakritische Theologie als Fundamentaltheologie*, in: *Concilium* 5 (1969) S. 435—441. In etwa auch G. GIRARDI, *L'ateismo, processo al teismo?*, in: *Il problema dell'ateismo*, Brescia 1962, S. 160—170; J. MÖLLER, *Gibt es eine atheistische Theologie?*, in: L. KLEIN, *Der moderne Atheismus*, München 1970, S. 73—84.
31. *Die Existenz Gottes im Bekenntnis des Glaubens*, München 1963, ⁵1968; *Von der Stellvertretung Gottes*, München 1967, ²1968, zu SÖLLE. — H. SYMANOWSKI, bzw. H. W. BARTSCH (Hsg.), *Post Bultmann locutum*, 2 Hefte, Hamburg 1965—66: Diskussion Gollwitzer—Braun! H. BRAUN, *Gottes Existenz und meine Geschichtlichkeit im NT. Eine Antwort an H. Gollwitzer*, in: *Zeit und Geschichte. Dankesgabe an R. Bultmann*, Tübingen 1964, S. 399—421. — Vgl. zu Sölle auch: O. REIDINGER, *Gottes Tod und Hegels Auferstehung*, Berlin—Hamburg 1969; E. KUNZ, *„Gott" im nachtheistischen Zeitalter*, in: *Theol. u. Philos.* 44 (1969) S. 531—553; jetzt auch in: *Christentum ohne Gott?*, Frankfurt a. M. 1971, 101—151.

zierung wird sich schließlich die mögliche und wohl auch nötige *positive* Bedeutung theistischer Metaphysik für das Glaubensgeschehen und die Theologie des Christentums herausheben.

II. Die Verschiedenheit der biblischen und der metaphysischen Gottesauffassung

1. Der Ausgangspunkt der heutigen Theismus-Kritik ist die wohl unbestreitbare Feststellung: Der Gott der Bibel ist nicht schlechthin identisch mit dem Gott der Metaphysik. Am Anfang des biblischen Glaubensbewußtseins steht nicht die Schöpfung der Welt, sondern der Bund Jahwes mit dem Volk Israel. Nicht der Urgrund der Natur, sondern die Treueverheißung des geschichtsmächtigen Gottes: „Ich werde dasein, als der ich dasein werde" (Ex 3, 14). Nicht Seinsmetaphysik, sondern Erfahrung von Geschichte und sozialem Dasein. Das sei etwas näher entfaltet. Das Volk Israel lernte seinen Gott kennen aus den Erfahrungen seiner Geschichte. Jahwe verhieß ihm Heil, er erwies sich als der Retter aus der Not. Er hat sein Volk mit starker Hand aus Ägypten, dem Land der Knechtschaft, herausgeführt, er hat es durch die Gefahren der Wüste geleitet nach Palästina, das er Israel zum Erbbesitz gab. Jahwe ist der Gott der Treue und Verläßlichkeit. Er ist gerecht zu dem einen, barmherzig für den andern. Die Wahl seiner Liebe ist frei, seine Huld beständig. Das bezeugen schon die alten Geschichten vom Umgang Gottes mit den „Vätern", mit Abraham, Isaak und Jakob. Die Propheten wissen: Jahwe geht der Volksgemeinde nach mit unbegreiflicher, mit töricht scheinender Herablassung, besorgt in unendlicher Geduld wie eine Mutter um ihr Kind. Er ist großzügig und überschwenglich wie ein Liebender. Er antwortet auf menschliche Schuld aber- und abermal mit einem Verzeihen, das ihm kein Rechtstitel abfordert. Auch die härteste Strafe will zur Umkehr führen, zu neuer Gemeinschaft. Aus seinen Zusammenstößen mit den anderen Völkern lernt Israel, daß Jahwe Macht hat auch über diese und ihre Götter, die vor ihm zunichte

werden; daß er der Herr aller Geschichte und der ganzen Natur ist. *Deshalb* muß Jahwe am Ursprung der Welt insgesamt stehen, als Schöpfer Himmels und der Erde von unumschränkter Macht. Der Gott Jesu Christi streift endgültig ab, was dem Gott des AT doch noch an partikularistischer Bindung anhaften mochte. Er wird der Gott *des* Menschen, aller Menschen — indem *er Mensch wird.* Er überwindet das Herz des Menschen durch die unerhörte Erniedrigung des Kreuzes: Seine Torheit ist weiser als alle Menschenweisheit und seine Schwäche stärker als Menschenkraft. Der Gott des Gekreuzigten und Auferweckten ist der aus Schuld Erlösende, Freiheit Schenkende, unüberbietbare Gottgemeinschaft Stiftende, ewiges Heil Wirkende. Und das dadurch, daß er sich mit den Menschen gemein macht, verbrüdert. Auch wenn Jesus sich und die Seinen dem allheiligen Gott überantwortet, so in einem Vertrauen, das um seine Untrüglichkeit weiß. Den Zugang zu diesem Gott Abrahams, der der Gott Jesu Christi ist, erschließt allein gläubiges Hören des von ihm her uns treffenden Wortes der Offenbarung; des Menschen Wort ist *Ant*wort. Die Gemeinschaft mit Gott ist ein Leben neuer Liebe, die einzig von dem uns zuerst liebenden Gott aus ihren Gang geht. Bei Gott, und bei ihm allein, ist die Initiative. Nur sein Geist, der allein die Tiefen Gottes erforscht, setzt uns instand, zu sagen: „Vater". Gott ist für das im Geiste Jesu Christi geeinte neue Volk „unser Vater".

2. Anders der Gott der theistischen Metaphysik! Das Philosophieren setzt aus eigener vernünftiger Vollmacht, die sich nur vor sich selbst auszuweisen hat, „unten" an: Es reflektiert auf die Grundstrukturen von Welt und Mensch. Sich positiv (via affirmationis) stützend auf die Erfahrungsmomente von Sein und Wirken, Sinn und Wert, sie abhebend (via negationis) von ihren endlichen, zeitlich veränderlichen, defizienten Verwirklichungsweisen in unserer empirischen Welt, schließt es (via eminentiae) auf die notwendige Existenz eines mit den einzigartigen Prädikaten der Unendlichkeit, Unveränderlichkeit, Vollkommenheitsfülle usw. auszuzeichnenden letzten absoluten Urgrundes, der „Erstursache" von Welt und Mensch, des schöpferischen Urhebers

von allem „außer" ihm. Die Welt unendlich-unbedingt übersteigend, bei unüberbietbarer Immanenz in allem Weltsein und menschlichen Wirken, als Sinn- und Zielgrund des menschlichen Geistes auch selber irgendwie personal zu denken, erhält dieses Absolutum den Namen Gott. Der Gott der Philosophie ist der schlechthin sich selbst Genügende, der durch niemand und nichts einen Zuwachs an Herrlichkeit und Seligkeit zu erhalten vermag, ewig in sich schwingend in durch nichts zu trübendem, unberührbarem Je-schon-Ganzsein seiner selbst ... Wie es „außer" dem unendlichen Sein Gottes noch endliche Welt geben kann, ist dem philosophischen Denken nicht aus inneren Gründen erhellbar. Daß es so ist, ist einfach hinzunehmen. Und weil es so ist, kann (das mag der theistischen Metaphysik eben noch erschwinglich sein) es ja wohl nur der aus bedürfnisloser Freiheit mitteilende gute Wille Gottes sein, der die Welt erschuf und Menschen auf ihr sein ließ. Wie diese Welt jedoch ganz konkreterweise aussieht, mit ihren Naturkatastrophen und dem zumal, was der Mensch Furchtbares an seinesgleichen verübt: das war von jeher das große arge Gegenargument gegen den an Macht, Weisheit und Güte unendlichen Schöpfergott, auf das keine Philosophie eine auch nur halbwegs gemäße Antwort gibt. Sie kann im Grunde nur sagen: Gott ist so, und die Welt ist so, und es muß — punktum — beides vereinbar sein. Schließlich bleibt der Gott der Philosophen stumm — nicht in tiefem Verschweigen, sondern in bloßem Nichts-sagen-können — vor dem schuldig gewordenen Menschen. Wird er, will er der gerecht Rächende oder der erbarmungsvoll Vergebende sein? Wie Gott es letzten Endes mit mir und meinem etwa anstehenden ewigen Schicksal meint und wie es mit der Zukunft der Welt im ganzen bestellt ist: diese alle Fragen des Menschen in sich einbefassende letztentscheidende Fraglichkeit läßt der Theismus als Metaphysik offen. — Daß auch schon der Ansatz solchen Philosophierens, so weit oder so wenig weit es tragen mag, unter dem Anruf des einen Gottes der Gnade steht — insofern es nämlich existentielles Tun des Menschen mit Heilsbedeutung ist —: das sei gerne eingeräumt; aber das ist hier nicht die Frage.

3. Gewiß: die Aussagen, die die Bibel einerseits, theistische Metaphysik anderseits von „Gott" machen, decken sich nicht. Wenn sie *denselben* Gott meinen, so sind sie sich doch *nicht gleich* nach Ursprung und Inhalt; ihre Tragweite und Bedeutsamkeit sind vielmehr höchst verschieden. Aber daß die eine Aussagenreihe die andere ausschlösse, ist ebenfalls nicht ersichtlich. „Während der philosophische Theismus die Denkmöglichkeit und Denknotwendigkeit Gottes erweisen will, hat die theologische Rede von Gott von der Einmaligkeit der geschichtlichen Kundgabe Gottes auszugehen"[32]: ja — und warum nicht das eine und das andre? Wenn dennoch oft aus der weitgehenden Verschiedenheit biblischer und philosophischer Gotteserkenntnis ein sich ausschließender Gegensatz konstruiert wird, so liegt dies bei den theologischen Kritikern des Theismus zumeist daran, daß der Theismus in einer von der hier zugrunde gelegten klassischen Gestalt abfallenden, defizienten Weise aufgefaßt wird oder/und exzessive Forderungen an seine christliche Funktion gestellt werden. Einige Möglichkeiten solcher Unterbietung und Überforderung sind nun zu diskutieren.

III. Mißdeutungen des Theismus und seiner christlichen Funktion

1. Der theistischen Metaphysik können nicht die Defizienzen der vor- oder nachchristlichen, etwa der *griechischen* Gottesauffassungen angelastet werden. Der „unbewegte Beweger" des Aristoteles ist weder Schöpfer noch überhaupt Wirkursache der Welt, sondern nur „wie das Geliebt-Ersehnte" Ziel ihres Werdens; er selbst hat kein Wissen um die Welt, noch ist er ihr gar in freier Liebe und Vorsehung zugeneigt: ein weniger als deistischer Gott. Für die Stoa ist das Göttliche die der Welt als ihr ewiges Gesetz eingestiftete, alles ordnende und lenkende Vernunft, deren Immanenz nicht Freiheit und Personalität zuläßt. Der Neuplatonismus schaltet zwischen das einfachhin „Eine", um es durch nichts zu

32. HONECKER (s. Anm. 29) S. 164.

mindern und zu trüben, eine Skala von Mittelwesen absteigender Vollkommenheit, denen schließlich das Werden der Welt zu verdanken ist; andererseits läßt er alle so entstehenden Wirklichkeitsbereiche aus dem höchsten Einen emanieren, ausfließen. Müßte der Gott der Philosophie derart gedacht werden, so wäre er nicht nur anders gesehen als der biblische Gott, sondern schlechthin etwas Anderes. Aber eben diese skizzierten Züge sind nicht theistisch, sondern deistisch oder pan(en)theistisch. Davon aber, wie auch von polytheistischem Religionswesen, haben wir den Theismus schon begrifflich abgesetzt[33]. Es handelt sich heute um jenen Theismus, wie er im christlichen Raum, in der europäischen Geistesgeschichte auftrat. Daß der „reine" Theismus tatsächlich — wie gerade seine Abhebung vom griechischen Denken erweist — unter dem Einfluß der jüdisch-christlichen Offenbarung entwickelt wurde, das spricht zumindest nicht gegen seine christliche Brauchbarkeit.

Ebensowenig wie die vorchristliche Antike können „nachchristliche" Denkentwicklungen für den Theismus maßgeblich sein, etwa der auf das empirisch-endliche Individuum zugeschnittene *moderne* Personbegriff, von dem aus, wie einst Strauss und Biedermann (siehe oben S. 147), so heute K. Jaspers und E. Bloch im Gedanken vom personalen Gott eine Verdinglichung und Verendlichung des Absoluten sehen — so daß, statt dem Theismus, „dem gegenwärtigen Atheismus letztlich ... die Absolutheit des Absoluten selbst" zu wahren anvertraut wäre[34]! Auch die auf den neuzeitlichen (Vulgär-) Rationalismus[35] zurückgehende Verdinglichung Gottes ist kein genügender Grund zu der abschätzigen Ver-

---

33. Deshalb kann man nicht wie Dantine (*Der Tod Gottes* ... [Anm. 29] S. 120) sagen, daß alle Religionen außer der jüdisch christlichen „auf einem polytheistisch-pantheistischen Untergrund ruhen und *daher* die theistische Wurzel überall wirksam wurde". Und Fiorenza (Anm. 30), von dem die Herausgeber (S. 11) sagen, er habe „die Legalität eines christlichen ‚A-Theismus' nachgewiesen", versteht unter diesem nichts anderes als die anti-pantheistische „Ablehnung, daß die Welt Gott ist" (S. 445).
34. Kasper (Anm. 30), S. 253.
35. Vgl. z. B. Ch. Wolff, *Vernünftige Gedanken von Gott* ..., Bd. I, Halle 1725, §§ 928 f.: „das notwendige Ding".

allgemeinerung, der Begriff „Causa sui", übersetzt als „die ur-
sprünglichste Sache", sei schlechthin „der metaphysische Begriff
von Gott", „der sachgerechte Name für den Gott in der Philosophie"[36].

2. Ist der Gott des Theismus nicht eben nur theoretisch, für die
Erklärung der Natur ein *Lückenbüßer* und praktisch, fürs menschliche Dasein ein *Bedürfniserfüller*[37]? Deus ex machina und — tiefen-
psychologisch, für viele nur noch nicht demaskiert — deus ex
desiderio? Postulat und Desiderat? Kurzum: Asylum ignorantiae.
Und, viel schlimmer: „Alibi der verweigerten Liebe"? Denn ein
solcher Gott, der zudem Welt und Mensch ein für allemal in fixe
Gesetze eingezwängt hätte, würde zu „einer naiven Erwartungs-
haltung" auffordern: „weil die Natur des Menschen sich gleich-
bleibt — oder die da oben alles machen —, erträgt man und
schweigt"[38]. Der theistische Gott wäre *der* Feind aller technischen
Weltveränderung. Diese Auffassung setzt einen griechisch-
platonischen Dualismus von Gott als Welt-Demiurgen und gleich-
ewiger, von ihm zu formender Materie voraus. Nur dann trifft es
zu, daß Gott vor und auch neben dem Menschen an der Welt tätig
würde und daß, was er schon gestaltet hätte, dem Gestaltungs-
witz und der Gestaltungskraft des Menschen für immer entzogen
wäre. Nur dann wäre Gott, in einem „partiellen Kompetenzen-
proporz"[39], der Konkurrent des Menschen, den er zum Geschehen-
lassen und Zuwarten verdammt. Solcher Dualismus, mit der Kon-

---

36. M. Heidegger, *Identität und Differenz*, Pfullingen 1957, S. 57 und 70.
Vgl. dazu: B. Casper, *Der Gottesbegriff „ens causa sui"*, in: *Philos. Jahrb.* 70
(1969) S. 315—331.
37. Sölle (Anm. 1), S. 36—39.
38. Sölle, ebd., S. 39 ff. Ähnlich Dantine (Der Tod Gottes… [Anm. 29]):
„Der Tod des theistischen Gottes erlöst von dem Zwang, an irgendeiner Stelle
der Kosmogenese eine Lücke für ‚Gott' zu lassen" (S. 131); „Die unbedingte
Selbstverantwortlichkeit des Menschen in bezug auf seine Weltgestaltung unter
Einschluß seines Handelns in und an der Gesellschaft ist durch die Verneinung
jedes Theismus voll in Kraft gesetzt" (S. 135), u. ö. — Daß nach Aufweis der
abendländisch-christlichen Geschichte diese Vorwürfe nicht schlechthin von der
Hand zu weisen sind, ist durchaus einzuräumen.
39. Dantine, ebd., S. 133[96].

sequenz des Quietismus, widerspricht schlankweg der theistischen Schöpfungsmetaphysik. Ihre psychologische Bedürfniserfüllungsversion sieht Gott nur als das Für-mich, gerade nicht als den Absolut-Transzendenten in seinem souverän freien Ansichsein, auf das hin sich das Fürmichsein Gottes, der andernfalls nicht Gott wäre, öffnet. Daß er sich um den ansichseienden Gott kümmere, wurde dem Theismus nun allerdings vielfach (siehe oben S. 148 ff.) vorgeworfen. Treibt man dem Theismus das aus, womit man ihn selber austreibt, dann, gerade dann verfällt Gott zum Lückenbüßer-Götzen. Man baut einen Götzen — und haut ihn fest.

3. Der Vorwurf des *Rationalismus*: Danach hat die theistische Gottesauffassung nur Begriffsschemata von bloßer Denkbarkeit zu bieten, „und ihr einziger Kontext", der ihnen etwelchen Sinn gibt, „ist die philosophische Prosa, in der sie geschaffen sind" [40]. Daraus wird gefolgert, die christliche Existenz bedürfe überhaupt keines intellektuellen Schemas, sondern nur der Spontaneität des Glaubens, Betens und der Nächstenliebe, wie ein Mechaniker, um ein Auto gut zu reparieren, auch nicht die Atomgewichte, Molekularstrukturen usw. zu kennen braucht [41]. Aus dem Beispiel selbst geht schon hervor, daß der Theologie mehr an geistiger Durchdringung der Wirklichkeit aufgetragen sein muß: wie denn auch der Mechaniker ohne die voraufgehende Arbeit des Physikers und Chemikers überhaupt nie ein Auto unter die Hand bekommen würde. Wie aber, wenn philosophisches Denken über Gott zur Meinung führt, Gott voll und ganz begreifen, durchschauen, über ihn als, wenn auch höchsten, Vernunftgegenstand verfügen zu können? Würde es dann nicht mit ihm fertig sein, ihn hinter sich gebracht haben? Jedenfalls bliebe kein Raum für einen Gott der Offenbarung. Das typisch einlinig-rationalistische Scheinargument, daß es nur *eine* Wahrheit der einen Vernunft geben könne, würde abmauern gegen den Gott, der bleibendes Geheimnis, Macht freier

---

40. HOLMER (Anm. 29), S. 30. Holmers „These" (S. 31) lautet: „daß es weder darauf ankommt, den Theismus zu bejahen, noch darauf, ihn zu verneinen. Philosophisch ist das ein müßiges Geschäft, religiös ist es ganz einfach trivial."
41. HOLMER, ebd., S. 33.

Selbstmitteilung, die Liebe unbegreiflicher und unerhörter Herablassung zum Menschen ist. Ein solches Gott-Be*greifen* wäre tatsächlich ein im Grunde selber nihilistisches „Sich-Anklammern an eine Scheingröße" [42]. Das Nein zu „positiver", nicht von vornherein ableitbarer und durchschaubarer Religion ist ja charakteristisch für die Aufklärung, und auch wohlmeinenden Rationalisten wie Leibniz fiel es schwer, gegenüber den „vérités de raison" auch die „vérités de faits" zur Geltung, gar zu fundamentaler Geltung zu bringen. Rationalismus ist eine bleibende Versuchung des philosophischen Ausgriffs nach dem letzten Grund. Eine Gefahr, wie sie alle großen Möglichkeiten des Menschen, zur Wahrung der immanenten Grenzen mahnend, begleitet. Aber das heißt nicht, daß „die Metaphysik... als solche der eigentliche Nihilismus ist" [43], weil nach einem mehr als zweitausendjährigen Geschick des metaphysischen Denkens das moderne autonome Subjekt Mensch die Wirklichkeit nicht mehr empfangend, bewahrend, dankend hinnehmen *kann*, sondern sich ihrer und schließlich auch des Gottes als Ob-jekts und Materials bemächtigen *muß*, womit — in Nietzsches *Wille zur Macht* — das „Ende der Metaphysik" heraufgekommen sei.

Dennoch scheint die Denkgeschichte die traditionelle scholastische Metaphysik des *Objektivismus*, der „Vergegenständlichung Gottes" [44] zu überführen. Aber: gerade die klassische Ausprägung theistischer Metaphysik bei Thomas von Aquin weiß: daß „wir von Gott nicht wissen können, was er ist, sondern nur, was er nicht ist" [45]; daß Gottes eigenste Wirklichkeit sich dem Erkenntniszugriff des Menschen entzieht, auf die hin wir nur unter der verhüllenden Gebrochenheit doppelter, von der Welt unter-

42. DANTINE (Der Tod Gottes . . . [Anm. 29]) S. 104.
43. M. HEIDEGGER, *Nietzsche*, Bd. 2, Pfullingen 1961, S. 350; auch z. B. *Identität und Differenz*, Pfullingen ²1957, S. 70. Vgl. KASPER (Anm. 30), S. 253. — Zur Auseinandersetzung hiermit: M. MÜLLER, *Existenzphilosophie im geistigen Leben der Gegenwart*, Heidelberg ³1964, S. 184–259 („Ende der Metaphysik?").
44. DANTINE (Atheismus . . . [Anm. 29]) S. 70.
45. *Summa theologica*, I q. 3, Einleitung.

scheidender Negation (Gott = nicht-endlich, nicht-zeitlich usw.) zu denken vermögen. Statt dem Begreifen — ein Berühren. Zwar ist dieses programmatisch ausgesprochene wissende Nichtwissen (Sokrates, Nikolaus von Kues) bei Thomas verschränkt mit einer jugendlichen Lust des Begreifens, einer Begriffsfreudigkeit, die bei seinen Schülern seither oftmals die Oberhand gewann[46]: es ist doch ein Zeugnis negativer Theologie[47] oder negativer Philosophie, die in den mystischen Strömungen der christlichen Überlieferung, etwa bei Meister Eckhart, und nun ebenfalls wohl nicht ohne Einseitigkeiten, zu vollem Leben aufbricht[48]. Vor allem jedoch: Bei der vorwiegend kosmologisch, an den Welt-Objekten orientierten Grundeinstellung des Mittelalters stehen zu bleiben, würde heute mit Recht als dinghaft objektivistische, dem modernen Bewußtsein nicht mehr entsprechende Geisteshaltung disqualifiziert. Das philosophische Denken im christlichen Raum hat sich seit Jahrzehnten mit den Methoden der Philosophie der Neuzeit und Gegenwart auseinandergesetzt und sie sich anzueignen wenigstens begonnen in einem phänomenologisch fundierten, transzendental

46. Da ist dann u. U. das Trotzdem-Gelten des Mottos einer „Theologia naturalis" (von W. BRUGGER, Freiburg ²1964) „Ecce Deus magnus *vincens scientiam nostram*" (Job 36, 26 Vulgata) nur zu erfassen bei wirklichem *Durch*dringen durch die folgenden gut 400 Seiten, die sehr vieles von Gott wissen.

47. Von ihr meint denn auch L. FEUERBACH, sie sei „ein subtiler, verschlagener Atheismus" (*WW*, Bd. VI [²1960], S. 18 f.); und K. BARTH versetzt umgekehrt den Atheismus in die Nähe der Mystik (*Die kirchliche Dogmatik*, Bd. VI/2 [²1939] S. 350–356). Die Annäherung des Atheismus an negative Theologie oder Mystik bleibt oft ziemlich vordergründig-schief: Man vergleicht Wortresultate; die zu ihnen führenden Denkprozesse jedoch sind toto coelo verschieden — oder bleiben doch auf verschiedenen Stufen ihres Weges stehen. Die Kleine Theresia allerdings hat gegen Ende ihres Lebens bekannt, sie verstehe nun, daß es Atheisten gebe. Die Erfahrung der nichtigen, sündigen Geschöpflichkeit vor dem Schweigen Gottes ist nur durch einen sehr schmalen (und — unendlich tiefen) Abgrund getrennt von der Verzweiflung des Nihilismus.

48. Hierzu: B. WELTE, *Antworten der Hochscholastik*, in: H. J. SCHULTZ, *Wer ist das eigentlich — Gott?*, München 1969, S. 145–152. Vgl. auch J. PIEPER, *Unaustrinkbares Licht. Das negative Element in der Weltansicht des Thomas von Aquin*, München ²1963; 1. Aufl. unter Titel *Philosophia negativa*, München 1953.

argumentierenden, personaldialogisch (intersubjektiv) orientierten Denken, das sich in den Erfahrungsraum von Geschichte und Gesellschaft einläßt. Die verschiedenen neuen Wege führen von den existentiellen Grunderfahrungen, der „Lebenswirklichkeit" des Menschen zu, sagen wir es ruhig, dem selben alten Ziel: einer Erkenntnis des transzendent-immanenten Sinn-Ziel-Grundes „Gott" von Welt und Mensch, die „kein bloßes Wort- und Begriffsgefüge" ist[49].

Nur zu registrieren sind in diesem Zusammenhang noch Verwechslungen der Erkenntnis- und Seinsordnung bzw. von Wissenschaft und Leben, wonach durch den Theismus „die unbegreifliche Vollmacht des göttlichen Handelns von einer Einsicht in das Wesen des Seienden abhängig gemacht wird" oder die „reflektierende Hinterfragung" im theistischen System die Spontaneität des von Wort und Tat des Schöpfers erfüllten Augenblicks vernichtet[50].

4. Ein Parallelphänomen zur rationalistischen Fehlform ist das Mißverständnis des Theismus als *Ideologie*, als „*der* christlichen Weltanschauung". Ein Christentumsrelikt, das in unverbindlich allgemeine, westlich-bürgerliche, eigentlich schon nachchristliche Weltanschauung aufgelöst ist. Gehalte des christlichen Glaubens existieren darin noch eine Zeitlang weiter, aber in einer verhängnisvollen, vielleicht nicht auf den ersten Blick bemerkbaren Entfremdung. Gott ist „zur letzten Norm einer gesellschaftlich verfestigten Wirklichkeitsschau", „zum höchsten ‚Funktionär' derer geworden, die ihn zu glauben wähnen, während sie sich nur in überlieferten Formen zu sichern trachten"[51]: ein ideologischer Sanktionsbegriff. (Man denke an die Funktion von „Gottgläubigkeit" und „Vorsehung" im Nationalsozialismus.) Gegen die weltanschauliche Nivellierung des Christentums als „Platonismus fürs Volk" richtete sich Nietzsches „Destruktion des christlichen Be-

---

49. Honecker (Anm. 29), S. 168. Ein durchgeführter Entwurf solcher Gotteserkenntnis: K. Riesenhuber, *Existenzerfahrung und Religion*, Mainz 1968.
50. Dantine (*Der Tod Gottes* ... [Anm. 29]) S. 126, bzw. S. 90.
51. Dantine, ebd., S. 107.

wußtseins" [52]. Auch der marxistische Atheismus dürfte weithin als Anti-Ideologie gegen die bürgerlich-christliche Ideologie des 19. Jahrhunderts zu verstehen sein. Ob allerdings die an den Abbau des Theismus geknüpfte Hoffnung sich erfüllt, daß die marxistische Seite die schroffe Propagierung des Atheismus als nicht mehr angebracht erachtet [53]? Unsere eigene Bestimmung der positiven christlichen Funktion des Theismus wird den Abstand von allem ideologischen soziopolitischen Mißbrauch deutlich machen.

5. Auch *Heilswissen* und damit Religionsersatz kann der Theismus nicht zu sein beanspruchen. Über die Erlösung des Menschen und das endgültige Schicksal der Welt, in Sachen Soteriologie und Eschatologie also, vermag er nichts auszumachen. Deshalb aber ist er auch nicht „das theistische Gefängnis" und nicht eine „gefährliche Konstruktion", „die den Satz ‚Ich glaube, daß mich Gott geschaffen hat samt allen Kreaturen' heimlich untergräbt" [54]. Gewiß, der Theismus als Philosophie kann nur etwas sagen über die Existenz und in etwa über das Wesen und schöpferische Grundwirken Gottes, nicht aber darüber, wie er sich konkret verhält gegenüber dem konkret handelnden Menschen. Darüber vermag allein Gott selber Auskunft zu geben, und er tut dies durch sein Wort, das Jesus Christus ist. Jedoch nur mit allzu subtiler Unterscheidung läßt sich daraus folgern: „Nicht die Persönlichkeit Gottes wird durch die biblische Botschaft bezeugt, wohl aber der personal begegnende Gott"; und daß der Begriff der Personalität, weil er das wichtigste, nämlich das Handeln Gottes, nicht im Blick habe, für die christliche Verkündigung entbehrlich sei [55]. Das freie, liebende Handeln*können*, das in seinem wirklichen Handeln ein-

---

52. Vgl. E. BISER, „Gott ist tot". Nietzsches Destruktion . . ., München 1962.
53. DANTINE, ebd., S. 109.
54. DANTINE, ebd., S. 123 und S. 126. Auch von einer „untheistischen Struktur des Schöpferglaubens", plus „antitheistischer Spitze" (ebd., S. 121), kann nur bei Ausweitung des Theismus-Begriffs auf Poly-, Pan- usw. Theismen die Rede sein; vgl. hier Anm. 9.
55. HONECKER (Anm. 29), S. 161. Vgl. GOLLWITZER (Die Existenz Gottes . . . [Anm. 31]), 130 f. mit 146–162.

beschlossen ist, macht Gottes Personalität aus! Funktionale Analogie zwischen menschlichem und göttlichem Handeln setzt strukturelle Analogie voraus. Nicht zwar der philosophische Theismus für sich, aber durchaus „der metaphysisch strukturierte, theistisch fundierte Gottes*glaube*" stellt den Menschen vor „ein wirklich an-sprechendes, zur Umkehr forderndes, ein beglaubigtes, vollmächtiges Gegenüber" [56]!

6. Damit ist die Funktion des Theismus innerhalb des christlichen Glaubens berührt, und hierzu ist eine letzte negative Differenzierung angesichts einer landläufigen Überforderung der theistischen Metaphysik notwendig. Oft ist die Rede von Glaubens*begründung* durch Glaubwürdigkeitsgründe (die „praeambula fidei") für die christliche Offenbarung: das mag recht zu verstehen sein, aber es klingt schon sehr mißverständlich. Denn ein *inneres Fundament* des Glaubens im eigentlichen Sinn können durch „natürlichen" Vernunftgebrauch und empirische Beobachtung erlangte philosophische und historische Erkenntnisse unseres Erachtens *nicht* sein. Dies würde den übernatürlichen Charakter, das Von-Gott-Sein des Glaubens an den Gott Jesu Christi aufheben. Damit ist die theistische Gotteserkenntnis nun auch nicht mehr als vom Menschen zu erschwingende Vorleistung für die Begegnung mit dem einzig Heil schaffenden Gott der Offenbarung zu verstehen und — abzulehnen; und sie ist wohl auch nicht eine Disposition, die unbedingt und in jedem Fall in einem zeitlichen Voraus zum Gläubigwerden vorhanden sein muß. Was — ist sie dann?

IV. Der Theismus im christlichen Glaubensbewußtsein

Was kann noch und muß etwa gar, nach all den vorgenommenen abwehrenden Differenzierungen zugunsten des rechten Verständnisses von Theismus, dessen *positive* Funktion in Glaubens-

56. Dantine, ebd., S. 100.

geschehen und Theologie des Christentums sein? Immerhin haben unsere negativen Abgrenzungen doch auch schon ein positives Bedeutungsfeld umkreist. Es geht, nach einer Formel von H. GOLLWITZER[57], um „die theistische Außenform des christlichen Glaubens".

1. Inbezug auf Sprachform wie Sachgehalt der Offenbarung müßte man die theistische Gotteserkenntnis zunächst wohl eher als Grundstock oder Grundgerüst bezeichnen, die aber noch ungefüllt, leer und insofern äußerlich sind. Die Bibel ist, jedenfalls in den späteren alttestamentlichen Schriften und im ganzen Neuen Testament, „theistisch, wenn Worte noch irgendeinen Sinn haben, sie ist es sogar in einem unerhört gesteigerten Maße". „Deshalb ist die theistische Redeweise als Ausdrucksweise des christlichen Glaubens nicht überholbar durch eine andere, sondern auch in der Interpretation nur wiederholbar — und darum gibt es nicht eine christliche Position jenseits von Theismus und Atheismus, obwohl der christliche Glaube seine Einordnung unter die theistischen Weltanschauungen als unangemessen bezeichnen muß."[58] (Daß die Klassifizierung des christlichen Glaubens als ein Sonderfall von Theismus unangemessen[59] ist, steht außer Frage; das ist jedoch nicht unser Problem.) Die Bindung des christlichen Denkens an den Theismus als Ausdrucksform ist deshalb unlösbar, weil wie die Sprache der Bibel, so die in ihr sich ausdrückende „Sache" die vom Theismus entworfene und beinhaltete Erkenntnis zwar steigert und übersteigt, aber zugleich in deren Grundzügen aufnimmt und einbehält. Der Theismus mag in der Offenbarungsbotschaft oftmals mehr vorausgesetzt als ausgesprochen sein: er durchzieht doch deutlich genug das Bekenntnis des einen und einzigen Gottes, der keine fremden Götter neben sich hat, des allmächtigen und allwissenden Herrn, der alles geschaffen hat und der die Herzen der Menschen durchschaut, der im unzugänglichen

57. GOLLWITZER (Die Existenz Gottes ... [Anm. 31]), S. 30—34.
58. GOLLWITZER, ebd., S. 32 bzw. S. 33 f.
59. GOLLWITZER allerdings hält sie ebd. S. 32 (im Gegensatz zu S. 130) zugleich auch für „unentrinnbar".

Licht seiner weltüberlegenen Transzendenz thront und zugleich die Vorsehungsmacht über allem Weltgeschehen ist, der allein gut und vollkommen genannt werden kann und der allein dem Menschen ein Schicksal ewiger Vollendung zu bereiten vermag ... Der in all dem investierte Theismus ist kein Privileg der Bibel. Die Bibel assimiliert und interpretiert ihn, indem sie ihn in das existentielle Bezugsfeld von Sünde und Gericht, Gnade und Heil stellt und ihm so die gefüllte Dichte, die Sinnspitze und Stoßkraft letzter Bedeutung und Entscheidung gibt. Aber eben: sie interpretiert den *Theismus*, nicht den A-Theismus. Und das sagt mehr als eine bloße *„Ähnlichkeit* zwischen dem philosophischen Theismus und dem theologischen Bekenntnis zu Gott"[60]. Die theistischen Strukturen sind nicht „ein unaufgebbares *Ferment* des christlichen Credo"[61] (das ist allein das Evangelium vom Gott der gekreuzigten Liebe), nicht treibende Hefe — aber doch ein Stück Rohmasse (oder, streckenweise, auch nur Hohlform). Sie gehören dazu, mit ursprünglichem Heimatrecht; sie sind nicht nur von außen, wie Pontius Pilatus, ins Credo hineingekommen. Deshalb ist das Wissen um den Gott, der aus seiner absoluten Transzendenz und somit unendlich freien Souveränität sich zum Menschen verhält, nicht nur ein regional-epochal bedingtes monotheistisches Sprachspiel, dem, je für sich gleich berechtigt und gültig, eine polytheistische Vorstellungsweise voraufging und etwa eine nach-(mono)theistische folgen wird[62].

2. Dient der Theismus der *Verantwortung des Glaubens?* Soeben standen Vokabular und Begriffsinstrumentarium sowie — und zwar vor allem — die inhaltlichen Ergebnisse der theistischen Metaphysik in ihren wesentlichsten Grundzügen zur Debatte. Die weitere Frage ist: ob auch und gerade der Prozeß durchgängiger vernünftiger Begründung, der dem Theismus erst philosophischen

---

60. HONECKER (Anm. 29), S. 166.
61. DANTINE (Atheismus ... [Anm. 29]), S. 69.
62. Dies kritisch zu N. LOHFINK, *Gott und die Götter im Alten Testament*, in: K. RAHNER — O. SEMMELROTH, *Theologische Akademie* VI, Frankfurt a. M. 1969, S. 50–71.

Rang verleiht, ob der methodische „Weg von unten" (welche Route er immer einschlagen mag), auf dem die theistischen Erkenntnisse erreicht und eingesehen werden, eine unaufgebbare Funktion für das christliche Glauben hat. Die Frage zielt auf das Grundproblem des Verhältnisses von Glauben und Wissen. Setzt der Glaube an die Offenbarung ein Wissen um ihre Glaubwürdigkeit voraus? Die Meinungen hierüber gehen auch innerhalb der katholischen Theologie erstaunlich weit auseinander. Sie hier auszudiskutieren ist unmöglich; möglich ist nur, anzusagen, was uns gemäßer scheint. Wir meinen, der Glaube setzt Wissen voraus — wie, nach alter Lehre, die Gnade die Natur voraussetzt. Und zwar vor allem im ursprünglichen Wortsinn von „voraussetzen". Wie die Gnade oder, biblischer gesprochen, der Bund Gottes mit dem Menschen die Natur, die geschöpfliche Welt voraussetzt, indem sie diese sich voraus-setzt, so der Glaube das Wissen (und auf der wissenschaftlichen Reflexionsebene die Theologie die Philosophie). Gnade und Glauben schaffen sich selber die notwendigen Bedingungen ihrer freien Annahme durch den Menschen. Sie können als souverän-freies Angebot Gottes nur erfaßt und ergriffen werden, wenn sie das Andere ihrer selbst, den Menschen und seine freie Vernunft, sein und wirken lassen, wie es diesem und ihnen selber einzig gemäß ist: auf vernünftig-freie Weise. Das freie Wort Gottes will die freie Antwort des Menschen — muß sie wollen. Glauben braucht Wissen, und deshalb ermöglicht und ermächtigt Glauben, um seiner selbst willen, den freien Vernunftgebrauch des Menschen in kritisch prüfendem und schlüssig begründendem Wissen (dabei wird es sich zumeist um Konvergenzschlüsse handeln). Das Wissen, wir sagten es schon, fungiert im menschlichen Gesamtgeschehen, das christliches Glauben heißt, nicht als eigentliches Fundament, auf dem der Glaube in innerer Abhängigkeit davon aufruht; sondern als Außenbastion, absicherndes Stützwerk, Vorfeld und Ausstrahlung der glaubenden Herzmitte des Menschen, die wie alle weiteren Bereiche des Menschseins so zumal die ratio des Menschen angeht. Deren Natur aber ist es, kritisch zu prüfen und nur auf zureichende Gründe hin ihre Zustimmung zu geben.

Sie muß ihre Gründe suchen und soll sie finden. Weil der *eine* Mensch *ganz* glauben soll, muß auch alles und jedes, was zu ihm gehört, sein Teil dabei abbekommen. Und für den Verstand heißt sein Teil nun einmal: Einsicht, kritisch ausgewiesen, ins Einsehbare. Bedeutet das nun, jeder Glaubende müsse ein zünftiger Philosoph sein? Es gibt auch ein Wissen vorwissenschaftlicher Art um die „praeambula fidei", das in nicht oder kaum reflektierten Grundüberzeugungen besteht, die aus der Erfahrung des Lebens erwuchsen, und das kann durchaus genügen; es dürfte bei den allermeisten Menschen der, soweit es auf Wissen ankommt, entscheidende Glaubens„grund" sein[63]. Für den Theologen allerdings ist auch die Anstrengung des wissenschaftlichen Begriffs, in einer anständigen und brauchbaren Philosophie, unerläßlich. Und ein gewisses Maß rationaler Reflexion wird vermutlich für den mündigen Christen überhaupt mehr und mehr notwendig. Es mag so sein: „Erst im Vollzug der Antwort des Glaubens geht der Atheismus unter"[64] — aber mit dem Glauben, als notwendiges Außenmoment seiner vernünftig-freien Annahme, geht der Theismus auf. Das schließt nicht aus, daß theistisches Denken im Noch-nicht-Glaubenden auch ein Weg zur Annahme des Glaubens sein kann. Wie oft oder wie selten das zutrifft: wer weiß es?

Schon das Neue Testament wie auch die Weisheitsliteratur des Alten haben manches aus der Philosophie der Umwelt aufgenommen[65]. Das christliche Denken wurde in den ersten Jahrhunderten stark hellenisiert. Das hat *auch* Fehlentwicklungen veranlaßt. Aber war das Eingehen in die Geistigkeit der Zeit nicht dennoch Werk der Welt-Inkarnation der Kirche, Phase ihres geistigen Lebens und Werdens, das getrieben wird vom Heiligen Geiste? Auch heute darf und muß sich christliches Denken auf die Philosophien unserer Zeit einlassen. Wenn das neue Wissen aus

---

63. Hierzu der Beitrag von J. B. Lotz in diesem Band, S. 227 ff.
64. Dantine (Atheismus . . . [Anm. 29]), S. 72.
65. Honecker (Anm. 29, S. 165) meint, daß NT-Stellen wie 1 Kor 12, 6, Röm 11, 36 und Apg 17, 28 sogar „unbekümmert pantheistisch klingende Formulierungen" seien.

der Freiheit der Glaubensbotschaft erwachsen und die Offenbarung der Liebe Gottes im gekreuzigt-auferstandenen Herrn Jesus Christus bezeugen soll, dann muß es ja wohl ein Wissen sein von absoluter Transzendenz über allem Weltsein und innerlich heimlichster Immanenz in Welt und allem, was zu ihr gehört, von Unendlichkeit und Unbegreiflichkeit der personalen Freiheit des Schöpfers und Herrn, von Licht, das den Menschen blenden und verblenden kann, als ob es die Nacht des Nichts wäre, und von abgründigem Geheimnis, in das hinein alles aussteht.

3. Vielleicht müßte mehr darüber gesagt werden, wie etwa für den Atheisten guten Willens das Nichts „Schleier des Seins", unentzifferte Chiffre Gottes zu werden vermag. Hinter dem Bekenntnis des Mundes und Kopfes zu Nihilismus und Atheismus könnte — in aller Anonymität — kraft des ewigen Heilswillens Gottes für alle Menschen ein Ja des Herzens und des gelebten Lebens zu dem Gott des Heiles stehen, der der Gott Jesu Christi ist. Auch unter den von den verschiedenen humanistischen Atheismen verabsolutierten Ersatzformen des Absoluten kann der eine allein absolute Gott den Menschen anrühren[66]. Insofern kann Atheismus eine, wenn auch in ihrer Unnennbarkeit kaum zu fassende, „christliche Möglichkeit" sein. Auch vom Glauben des Christen her, gleichsam in umgekehrter Richtung, kann gefragt werden: Steht er nicht in einer Ungesichertheit, Angefochtenheit, Dunkelheit, die wir nicht aus eigenem Wollen einfach beseitigen können? Ist er nicht dem über ihn verfügenden Zugriff des Menschen entzogen in die Freiheit Gottes hinein, der allein das Näher oder Ferner seines Nahekommens bemißt, so daß es leichter oder schwerer und unter Umständen sehr schwer sein kann für den Einzelnen in seiner konkreten Situation, zum Glauben zu kommen oder an ihm festzuhalten? So daß der Rückfall in Unglauben eine Möglichkeit des christlichen Glaubens selber ist[67]? Gerade die Botschaft von

66. Vgl. K. RAHNER, *Atheismus und implizites Christentum*, in: *Schriften zur Theologie* VIII, Einsiedeln usw. 1967, S. 187—212.
67. J. B. METZ, *Der Unglaube als theologisches Problem*, in: *Concilium* 1 (1965) S. 484—492.

dem *so* zu glaubenden Gott hat alle anderen, leichteren Wege, die der Mensch suchen und gehen könnte, abgeschafft: sie führen aus sich nicht mehr zum Ziele. Philosophischer Theismus ist kein Heilsweg. Der Weg des Evangeliums aber ist „schmal" (Mt 7, 14). Auch insofern ist Atheismus eine „christliche Möglichkeit". Die Radikalität seiner modernen Erscheinungsformen ist die Kehrseite der Unerbittlichkeit und Ausschließlichkeit der christlichen Glaubensforderung. Die beiden skizzierten Möglichkeiten des Umschlags von Glauben und Unglauben (oder, auf deren theoretische Strukturen hin gesehen: von Theismus und Atheismus) lassen sich in etwa auf die Formel bringen: Da — oder richtiger: insofern — der Atheismus „die Verneinung eines falsch verstandenen Gottes ist, ist er in concreto nicht ein Irrtum, sondern eine Wahrheit; und da [bzw. insofern] anderseits der Theismus die Bejahung eines falsch verstandenen Gottes ist, ist er in concreto nicht Wahrheit, sondern Irrtum" [68]. Der Atheismus hat schließlich eine kritische, therapeutische Funktion gegenüber Verflachungen, Verkürzungen, Verfälschungen des christlichen Glaubensverständnisses; der theistischen „Physiologie" des menschlichen Gottbezugs entspricht der Atheismus als „Pathologie". Die oben vorgenommenen Differenzierungen im Verständnis von Theismus waren insgesamt Beispiele dafür. Aber eine Funktion des *Anstoßes* zur Rückbesinnung nur, so scheint uns gegen Übertreibungen dieser positiven Möglichkeit der atheistischen Negation zu sagen — wie eben Irrtum eine Herausforderung zur reineren und volleren Wahrheit sein kann. Das Christentum seinerseits — das ist eine Konsequenz dieses Beitrags — erfüllt seine Aufgabe gegenüber dem Atheismus nicht durch Kapitulation, auch und gerade dann nicht, wenn diese, als Atheismus-in-Gänsefüßchen [69], nur verbal ist.

4. Sehen wir ab von den zuletzt anvisierten Varianten und Perspektiven eines „christlichen" Atheismus, so lassen sich unsere

68. Girardi (Anm. 30), S. 161.
69. Z. B. J. Moltmann, *Theologie der Hoffnung*, München [6]1966: „ein ‚atheistischer' Gott" (S. 155), „‚Atheismus' um Gottes willen" (S. 317).

Erörterungen des zunächst von seinen geistesgeschichtlichen Hintergründen her verdeutlichten Hauptproblems des heutigen „a-theistischen" Christentums etwa so *zusammenfassen*: Die modische theologische Proklamation vom Tode Gottes versteht sich zumeist als — insofern a-theistische — Absage an den Gott des metaphysischen Theismus im Namen des Gottes der christlichen Offenbarung. Die metaphysisch-theistische und die biblische Gotteserkenntnis sind tatsächlich tief verschieden nach Erkenntniszugang und Sichtweise, Gottes „bild" und Heilsbedeutsamkeit; sie meinen zwar *denselben* Gott, besagen aber keineswegs *das Gleiche*. Diese Verschiedenheit wird dadurch zu Widersprüchlichkeit verschärft und verfälscht, daß der „Theismus" vielfach umgedeutet wird: im Sinne griechischer oder moderner Philosopheme, als antitechnische Lückenbüßer-Theorie, als rationalistische Bemächtigung Gottes, weltanschauliche Ideologie oder Heilswissen (und beidesmal als Glaubensersatz), schließlich als eigentliches Glaubensfundament. Dem Theismus der großen christlichen Überlieferung jedoch kommt eine im wesentlichen unablösbare Funktion als theologisches wie auch schon vorwissenschaftlich-religiöses Ausdrucksfeld des christlichen Glaubens zu; darüber hinaus scheint durch den Theismus jener Außenraum des Wissens eröffnet, den sich im kritisch reflektierenden Menschen der Glaube selbst unabdingbar voraussetzt. — Nur der gelassene Wider-Stand gegen übers Ziel hinausschießende anti-theistische Aggressionen läßt deren berechtigte Intention ins Ziel gelangen.

Otto Muck

Naturwissenschaftliches Denken und Atheismus

Noch heute findet man allenthalben Auswirkungen einer Auffassung, nach der die Erfolge der naturwissenschaftlichen Forschung einer religiösen Weltsicht den Boden entzogen hätten. Diese vor allem im 18. und 19. Jahrhundert vertretene Haltung hat durch die Entwicklungen der Naturwissenschaft im 20. Jahrhundert viele ihrer Argumente eingebüßt. Allerdings war die in den letzten fünfzig Jahren erfolgte Neuformulierung des Erkenntnisideals der Naturwissenschaft Anlaß dafür, daß neue Schwierigkeiten gegen den religiösen Glauben erhoben wurden. Vor allem aber findet man immer wieder die Ansicht, daß jene Einstellung zur Wirklichkeit, die der naturwissenschaftlichen Forschung zugrunde liegt, einer Einstellung widerstreite, die Welt und Leben des Menschen auf Gott zurückführt. Ein kurzer Rückblick auf die Geschichte der Spannungen zwischen Naturwissenschaft und Religion in der Neuzeit und Gegenwart mag darum zu klären helfen, ob und in welchem Sinne dem naturwissenschaftlichen Denken atheistische Tendenzen zuzuschreiben sind.

I. Ergebnisse der Naturwissenschaft sprengen das religiöse Weltbild

1. Eine erste große Erschütterung des religiösen Weltbildes stellte die mit dem Namen GALILEI verbundene Erhärtung des *kopernikanischen Weltbildes* dar. Bisher betrachtete man mit Selbstverständlichkeit die Erde als den Mittelpunkt des Weltsystems. Es war kein Anlaß, alles, was man aus der Offenbarung

zu wissen meinte und in der Heiligen Schrift lesen konnte, anders als unter dieser Voraussetzung zu deuten. Somit war jenes religiöse Weltverständnis, das sich auf die christliche Offenbarung stützte, tatsächlich eng verwoben mit einer astronomischen Auffassung, für die die Erde den Mittelpunkt der Welt bildet.

KOPERNIKUS drückte sich zunächst noch vorsichtig aus. Man konnte seine Annahme, daß sich die Erde mit anderen Planeten um die Sonne als Mittelpunkt bewege, noch als einen rechnerischen Kunstgriff deuten, der ein eleganteres und einfacheres Berechnen der scheinbaren Sternbewegungen erlaubt. GALILEI standen jedoch bereits genauere Beobachtungen zur Verfügung. Als er 1610 mit dem neu erfundenen Fernrohr die Erhebungen auf dem Mond beobachtete, und als er dann vor allem auf die Jupitermonde hinweisen konnte, war es nicht mehr gut möglich, die Erde als den Mittelpunkt zu betrachten.

Es ist bekannt, zu welchen Schwierigkeiten diese Entdeckung geführt hat. Man fand zunächst keinen Weg, das mit Hilfe von geozentrischen Vorstellungsformen entfaltete Glaubensverständnis mit dem neuen astronomischen Weltbild in Einklang zu bringen. Man darf dabei auch nicht die gefühlsmäßige Bewertung dieses Vorstellungsschemas außer acht lassen. Wird die Erde als Mittelpunkt aufgegeben, dann scheint auch die Einmaligkeit des Menschen, der auf dieser Erde wohnt, gefährdet. Spekulationen über menschenähnliche Wesen auf anderen Planeten liegen nahe. Die Bedeutung der Menschwerdung Christi zur Erlösung aller Menschen scheint in Frage gestellt. Der Mensch wird seiner Geborgenheit beraubt und zu einem verlorenen Wesen auf irgendeinem Gestirn im Weltall gemacht. Wir haben uns bereits sosehr an diesen Gedanken gewöhnt und sind mit ihm fertiggeworden, daß wir uns kaum vorstellen können, welche Schwierigkeiten dies für die Menschen in jener Zeit bedeutet hat.

2. Mit dem Fortschritt der Physik — vor allem der Mechanik — von GALILEI bis NEWTON wurden neue Schwierigkeiten geschaffen. Fasziniert von den Erfolgen dieser neuen Weise, wie das Geschehen um uns herum erklärt wurde, meinte man vielfach den

Schlüssel zur Erklärung aller Wirklichkeit zu besitzen. Der *mecha-nistische Materialismus* des 18. und 19. Jahrhunderts ist ein Zeug-nis dafür. Die Beschreibung und Erklärung des menschlichen Leibes in seinen verschiedenen Funktionen nach mechanischen Modellen erwies sich als weiterführend, gab aber auch bei vielen Anlaß zu dem neuen Glauben, daß alle Wirklichkeit, einschließlich des Men-schen, in einer mechanischen Erklärung ihre letzte Deutung finde.

Werden Welt und Mensch derart als Maschinen betrachtet, deren Wirken eindeutig durch die mechanischen Gesetze und die Struktur des Systems bestimmt sind, und beruft man sich dabei auf die Naturwissenschaft, so scheint nur mehr in einem vor-wissenschaftlichen und damit überholten Denken Platz zu sein für eine verantwortliche Freiheit des Menschen und eine von Gott ge-schaffene Seele. So schien, von der klassischen Mechanik her be-gründet, die Annahme vieler Gehalte, die zum religiösen Glauben gehörten, in Frage gestellt.

3. Eine neue Zuspitzung des Verhältnisses zwischen Natur-wissenschaft und Religion ergab sich, als im 19. Jahrhundert die *Entwicklungslehre* ihren Siegeszug antrat. Hatte man bisher ge-meint, daß wenigstens für die Entstehung der einzelnen Arten von Lebewesen und vor allem für die Entstehung des Menschen ein schöpferischer Eingriff Gottes erforderlich sei, so meinte man nun eine Erklärung vorschlagen zu können, die einen solchen Ein-griff nicht mehr erforderlich mache, ja sogar ausschließe. Wie viele neue Entdeckungen, so wurde auch der evolutionistische Gedanke auf viele Bereiche übertragen und zur Lösung vieler bisher un-gelöster Fragen angeboten.

Es wäre verfehlt zu meinen, daß alle in der Naturwissenschaft Forschenden hier einen unüberbrückbaren Gegensatz gesehen hätten. Dennoch entstand in weiten Kreisen der Eindruck, daß mit dem Fortschritt der Naturwissenschaft die Religion sich auf dem Rückzug befinde. Diese Meinung wurde sehr stark verbreitet, zum Beispiel durch E. Haeckels *Welträtsel*. Dennoch führte die weitere Entwicklung der Naturwissenschaft zu einer eher rückläufigen Bewegung.

II. Gegenseitige Bescheidung in die Grenzen der Zuständigkeit

Zum Abbau des Gegensatzes zwischen Naturwissenschaft und Gottesglauben, der mit der klassischen Physik entstanden war, trug die weitere Entwicklung der Physik vor allem durch neue Ergebnisse und durch ein neues Bewußtsein von der Eigenart der Naturwissenschaft bei. Von seiten der Theologie wurde der Abbau der Spannungen gefördert durch ein klareres Besinnen auf den wesentlichen Gehalt des Glaubens und ein besseres Verständnis für geschichtlich bedingte Vorstellungsweisen, in denen sich der Glaube ausgedrückt hat.

1. Durch die *Entwicklung der Physik* wurden viele, für selbstverständlich gehaltene Annahmen hinfällig. Bereits die von Maxwell entwickelte Elektrodynamik ließ für den Begriff des Feldes keine vernünftige mechanische Interpretation mehr zu. Der in der Wärmelehre grundlegende Begriff der Entropie zeigt eine Gerichtetheit der Vorgänge, die der Mechanik fremd ist. Die spezielle Relativitätstheorie von Einstein (1905) erlaubt es nicht mehr, Eigenschaften der Materie, wie Trägheit und Ausdehnung in Raum und Zeit, dem Raum oder der Zeit an sich zuzuschreiben, sondern zwingt, diese als Beziehung zwischen Vorgängen und Koordinatensystemen aufzufassen. Die mit der allgemeinen Relativitätstheorie gegebene Raumzeit und deren Krümmung führte zu Vorstellungen der Welt, wonach diese nicht einfach stabil ist, sondern sich in einem Prozeß befindet, der die Frage nach dem Alter aufwirft. Vor allem aber stellte sich heraus, daß die Elemente der Materie nicht so einfach sind, wie man sich das vorgestellt hatte. Immer mehr Elementarteilchen wurden gefunden, aus denen sich die Materie zusammensetzt. Dazu kommt die Entdeckung der Diskontinuität der Energieausstrahlung und die Dualität von Licht und Materie. Einige Erscheinungen der Energieübertragung, zum Beispiel des Lichtes, lassen sich unter der Annahme erklären, daß sich das Licht als Wellenbewegung ausbreitet. Andere Erscheinungen jedoch erfordern die Annahme, daß es sich bei dieser Ausbreitung gleichsam um Teilchen handelt, ohne daß man diese Zwei-

175

gleisigkeit überwinden konnte. Im Zusammenhang mit den diesbezüglichen Untersuchungen mußte man auch von jener der klassischen Mechanik selbstverständlichen Voraussetzung abrücken, daß man grundsätzlich den Zustand eines Systems bis ins letzte charakterisieren kann und dadurch alle weiteren Zustände des Systems bestimmt sind.

Die so gewandelte Situation gab aufgrund der neuen Ergebnisse vielfach Anlaß zu Spekulationen. So meinte man etwa, den durch HEISENBERGS Unbestimmtheitsrelation zum Ausdruck gebrachten Indeterminismus — also die Unmöglichkeit einer derartigen Bestimmung des gegenwärtigen Zustands eines Systems, die eine eindeutige Voraussage für alle kommenden Zustände ermöglicht — als einen Beweis für die Möglichkeit der Freiheit des Menschen und für das Einwirken einer Seele auf den Leib deuten zu können. Derartige Überlegungen zeigen jedoch nur, daß die Voraussetzungen für das Weltbild des mechanistischen Materialismus nicht zutreffen und daß man daher nicht berechtigt ist, derart weittragende weltanschauliche Folgerungen aus der Physik zu ziehen.

2. Daß man nicht berechtigt ist, aus den Ergebnissen der Naturwissenschaft weltanschauliche Folgerungen zu ziehen, ergibt sich deutlicher aus *wissenschaftstheoretischen Überlegungen*, zu denen die neueren Entwicklungen in der Physik Anlaß geboten haben. Bereits KANT hatte, von seinem Standpunkt aus, die Antinomien, die zwischen klassischer Physik einerseits und der Anerkennung der Schöpfung der Welt durch Gott, der Freiheit des Menschen und der Existenz der Seele andererseits bestehen, dadurch zu lösen versucht, daß er das theoretische Wissen, für das ihm die Mechanik NEWTONS ein Vorbild war, in seiner Tragweite eingeschränkt hat und für weltanschaulich bedeutsame Fragen als nicht kompetent aufzuzeigen versuchte. In diesem Sinne hat er das Wissen aufgehoben, das heißt eingeschränkt, um für den Glauben Platz zu bekommen. Die neuere Wissenschaftstheorie geht zwar anders vor, kommt aber zu einem ähnlichen Ergebnis. Relativitätstheorie und Quantenmechanik zwangen dazu, Gedanken, die bereits im 19. Jahrhundert, etwa von MACH und von der französischen Wis-

senschaftstheorie (POINCARÉ) entwickelt wurden, weiterzuführen. Es wurde immer deutlicher, daß eine Theorie nicht beansprucht, die Natur selbst darzustellen. So betont etwa MORITZ SCHLICK, daß „der Sinn der Naturgesetze nur darin liegen kann, regelmäßige Verknüpfungen zwischen Beobachtungsdaten zum Zweck von Voraussagen zu formulieren". Das erfordert aber, daß die physikalisch bedeutsamen Begriffe und Bestimmungen nur in einem solchen Sinne verstanden werden dürfen, daß ihre Anwendung durch Beobachtung und Meßoperationen überprüfbar ist. Wird ihnen eine darüber hinausgehende Deutung verliehen, so kann man nicht mehr sagen, daß Aussagen, die sie in einem solchen erweiterten Sinne verwenden, Ergebnisse der Naturwissenschaften zum Ausdruck bringen. Damit ist es aber nicht mehr möglich, aus den Ergebnissen der Naturwissenschaft einfachhin Folgerungen über die Wirklichkeit abzuleiten, wie sie dem Menschen nicht bloß als Naturwissenschaftler begegnet, sondern als einem, der die Vielheit dessen, womit er sich in seinem Leben auseinanderzusetzen hat, im Gesamtzusammenhang zu deuten versucht.

Von derartigen Ergebnissen wurde in verschiedener Weise Gebrauch gemacht. Einige sahen in diesem naturwissenschaftlichen Vorgehen die höchste Form menschlicher Erkenntnis und neigten dazu, sie zum Maßstab für alles verläßliche Wissen zu machen. Diese Verabsolutierung der erfahrungswissenschaftlichen Erkenntnisweise hat, wie wir noch sehen werden, zu neuen Spannungen zwischen Naturwissenschaft und Glaube geführt. Andere hingegen ziehen daraus die Folgerung, daß Naturwissenschaft überhaupt nichts mit weltanschaulichen Fragen zu tun habe. Das scheint zwar zu einer bequemen Bereinigung der Spannungen zwischen Naturwissenschaft und Gottesglaube zu führen, verursachte aber tatsächlich ein großes Unbehagen, da die Zweigeleisigkeit zwischen Naturwissenschaft einerseits und Glauben andererseits nicht die Frage beantwortet, wie eine vom Glauben an Gott getragene Lebensgestaltung in einer durch das naturwissenschaftliche Denken geprägten Welt möglich ist.

3. Bevor wir jedoch dieser Frage weiter nachgehen, müssen wir auch die *Auswirkungen* dieses Gegensatzes *auf die Kirche* oder den Glauben der Kirche und die Theologie betrachten. Was bereits viele gläubige Naturforscher teils geahnt, teils auch formuliert haben, das wurde aus Anlaß der Spannungen zwischen den weitgehenden weltanschaulichen Folgerungen, die manche aus den Ergebnissen der Naturwissenschaften gezogen haben, weiter geklärt. So wurde beispielsweise deutlich, daß Schöpfung und Entwicklung keinen Gegensatz darstellen, wenn man einerseits berücksichtigt, daß die Entwicklungslehre, soweit sie erfahrungswissenschaftlich begründet ist, nicht beanspruchen kann, eine allumfassende Erklärung zu geben, sondern nur die der erfahrungswissenschaftlichen Forschung grundsätzlich zugänglichen Faktoren der Entwicklung betreffen kann. Andererseits muß man sich darauf besinnen, daß die Gründe für eine Abhängigkeit der gesamten Wirklichkeit von Gott als schöpferischem Urgrund diesen nicht als einen Lückenbüßer erweisen, der immer wieder eingreifen muß, um sein Werk zu korrigieren, sondern ihn gerade darin als Schöpfer erweisen, daß er die sich in einem Entfaltungsprozeß befindliche Welt als solche geschaffen hat und, ohne in ihr aufzugehen oder gar in pantheistischer Weise mit ihr identisch zu sein, in ihr, diesen Prozeß ermöglichend, gegenwärtig ist.

Die Spannung zwischen Entwicklungslehre und Schöpfungsbericht diente als Anlaß zu einer genaueren Analyse des Sinnes des biblischen Schöpfungsberichts. Wenn dies dazu führte, klarzustellen, daß dieser Bericht nicht ein naturwissenschaftliches Lehrbuch ersetzen soll, sondern unter Verwendung der Vorstellungsformen der Zeit seiner Abfassung das grundsätzliche Verhältnis des Menschen zu Gott zum Ausdruck bringen will, so darf man das nicht als einen bloßen Rückzug auf erfahrungswissenschaftlich unangreifbare Bastionen mißdeuten. Ein solcher Vorwurf eines Opportunismus übersieht, daß die Argumente, die für diese Deutung des biblischen Schöpfungsberichts gebracht werden, nicht einer billigen Harmonisierungstendenz mit der Naturwissenschaft entstammen, sondern nur die durch die naturwissenschaftliche Forschung akut gewordenen Fragen nach dem genauen Sinn dieses Schöpfungsberichts mit den Mitteln der für die Auslegung biblischer Texte angemessenen Methoden zu beantworten suchte. Berücksichtigt man das, dann kann man wohl zugestehen, daß der Fortschritt im naturwissenschaftlichen Wissen zumindest als Anlaß dazu beigetragen hat, daß unser Verständnis von Gott als Schöpfer und von den biblischen Quellen selbst weiter geklärt wurde.

III. Neue Versuche einer wissenschaftlich begründeten Weltanschauung

Eine Weltanschauung direkt aus der Naturwissenschaft abzuleiten scheint fragwürdig. Unbefriedigend ist vielen aber auch eine bloße Nebenordnung von Naturwissenschaft und Weltdeutung. Der lebendige Mensch sieht sich vor die Frage gestellt, wie diese beiden Bereiche zueinander stehen. Außerdem ist es, gerade durch die Dringlichkeit einer Lösung dieser Frage bedingt, nicht bei einem bloßen Nebeneinander geblieben. Meist kam es dazu, daß der eine Bereich akzeptiert und der andere als unwesentlich abgetan wurde: Die einen widmen sich der Naturwissenschaft, betrachten aber Religion und Ähnliches als etwas, worüber man nicht vernünftig sprechen kann. Andere wiederum stellen sich auf die Seite der Religion und betrachten die Naturwissenschaft als etwas Nebensächliches.

Betrachtet man die *Religion* in ihrer Funktion als *Grundlage für eine Sinndeutung* des menschlichen Lebens, so darf man aus der Sicht der Religion nicht übersehen, daß sich dieses Leben *in der technisierten Welt von heute* abspielt. Die Fragen, die sich uns heute stellen, setzen diese Welt voraus. Wenn keine Beziehung der Religion dazu sichtbar wird, bleibt die Religion irrelevant für das Leben, und damit wird das, wovon sie spricht, als unwirklich empfunden. Die gegenseitige Bescheidung von Religion und Naturwissenschaft in ihre Grenzen erfüllte die Funktion, zu sehr verallgemeinernde Deutungen der Aussagen dieser beiden Bereiche als solche zu durchschauen und abzubauen. Dadurch wurden die früheren Spannungen gelöst. Auch weiterhin wird die Untersuchung von auftretenden Gegensätzen zwischen beiden die Funktion erfüllen müssen, auf unberechtigte Verallgemeinerungen aufmerksam zu werden. Dennoch wird dadurch nicht die dringliche Aufgabe bewältigt, den Zusammenhang beider herauszustellen.

Das ist wohl eine Erklärung für den Erfolg der Synthese, die TEILHARD DE CHARDIN vorgetragen hat. Indem er versucht hat, wesentliche Gehalte des christlichen Glaubens in der Vorstellungsweise einer evolutiven Weltsicht allgemeinverständlich darzustellen, ist er diesem Bedürfnis nach einer einheitlichen Deutung des Zusammenhanges entgegengekommen.

Das Werk Teilhard de Chardins macht in einer anschaulicheren Weise zunächst deutlich, was das Ergebnis einer durch die wissenschaftstheoretischen Untersuchungen bedingten Selbstbescheidung der Naturwissenschaft war, daß sich nämlich aus ihren Ergebnissen nicht schon eine bestimmte weltanschauliche Auffassung ableiten läßt. Den Versuchen einer materialistischen Deutung der Ergebnisse der Naturwissenschaft setzt er als Alternative eine christliche Deutung dieser Ergebnisse entgegen. Die Annahme des Entwicklungsgedankens muß nicht notwendig atheistisch oder unchristlich aufgefaßt werden. Darüber hinaus entwirft er eine einheitliche Deutung alles dessen, was wir aus der Naturwissenschaft und was wir als Christen aus der Offenbarung wissen. Freilich ist dies nicht als eine bloße Folgerung aus den Ergebnissen der Naturwissenschaft aufzufassen, sondern eher als das Bekenntnis eines Christen, der durch naturwissenschaftliches Denken geprägt ist. Der Umstand, daß sein System nicht eine bloße Folgerung der Naturwissenschaft ist, dürfte einer der Gründe sein, weshalb gerade Naturwissenschaftler sich häufig sehr kritisch ihm gegenüber verhalten.

Auch von theologischer Seite her fehlt es nicht an Kritik. Philosophen und Theologen würden in vielen Punkten eine genauere und unmißverständlichere Formulierung wünschen. Zur Verteidigung Teilhard de Chardins kann man jedoch darauf hinweisen, daß er nicht als Fachtheologe sprechen wollte und daß diese Einwände deshalb nicht die Sache treffen, weil manche seiner grundlegenden Gedanken in theologisch genauerer Weise von Fachtheologen, wie zum Beispiel von KARL RAHNER, untersucht und präziser dargestellt worden sind. So schmälern diese Einwände nicht die Bedeutung dieses kühnen Versuches.

IV. Die Gottesfrage vor dem Anspruch des exakten Denkens

1. Es wäre unzutreffend, würde man behaupten, daß mit einer vorsichtigeren Interpretation der Ergebnisse der Naturwissenschaften atheistische Tendenzen aus der Naturwissenschaft verbannt wären. Geändert hat sich höchstens, daß der Ort dieser Tendenz nicht mehr in den Ergebnissen der Naturwissenschaft, soweit sie wissenschaftlich begründet sind, zu suchen ist, sondern in der Denkweise, die sich im naturwissenschaftlichen Forschen ausdrückt und bewährt. Hier ist zunächst an die Forderungen zu denken, die zu stellen man sich in der Wissenschaft gezwungen sah.

Die strengen *Forderungen wissenschaftlichen Denkens* sind nicht willkürliche Setzungen, sondern erscheinen als Konsequenz des Fortschritts unseres Wissens. Es wurde notwendig zu fordern, daß alle Begriffe, die nicht an einem Objekt scharf überprüfbar sind, vor allem durch Messung, in der Naturwissenschaft als inhaltsleer zu betrachten und daher nicht zu verwenden sind. Ferner hat eine Theorie nur insofern Wert, als sich aus ihr durch Beobachtung überprüfbare Folgerungen ableiten lassen. Derartige Folgerungen schließen natürlich das Risiko ein, daß die Theorie widerlegt oder falsifiziert wird, wenn die Beobachtung anders als erwartet ausfällt. Theorien jedoch, die in dem Sinn sicher sind, daß sie grundsätzlich nicht falsifizierbar sind, weil man aus ihnen keine durch Beobachtung überprüfbaren Folgerungen ableiten kann, erkaufen ihre Sicherheit dadurch, daß sie praktisch wertlos, weil inhaltsleer sind. Dieser starke Erfahrungsbezug der naturwissenschaftlichen Begriffe und Theorien ermöglicht eine genaue Formulierung sowie die Zusammenarbeit und gegenseitige Überprüfbarkeit von Behauptungen der einzelnen Wissenschaftler.

Gewöhnung an ein solches Vorgehen legt es nahe, sich Aussagen gegenüber, die nicht derartigen Forderungen entsprechen, skeptisch zu verhalten. Deutlich wurde diese Einstellung in der wissenschaftstheoretischen Richtung des *logischen Empirismus*, manchmal auch *Neupositivismus* genannt, zum Ausdruck gebracht. Sätze, die keinen empirisch überprüfbaren Sinn haben, geben uns keine Information über die Wirklichkeit. Solche Sätze geben uns entweder lediglich Auskunft über die Sprache, die wir verwenden, oder sie sind Ausdruck gefühlsmäßiger Einstellungen oder wollen solche hervorrufen; sie können aber nicht beanspruchen, eine Mitteilung über die Wirklichkeit zu machen.

2. Aus einer solchen Einstellung müssen die Sätze der *Religion* und ihre Aussagen über Gott *als sinnleeres Gerede* erscheinen. Bestenfalls kann man sie als Ausdruck einer stimmungsmäßigen Haltung eines Menschen betrachten, nicht aber als Darstellung eines Sachverhalts. Da jedoch solche Stimmungen eine ganz persönliche Angelegenheit sind, kann man auch nicht erwarten, daß man andere Menschen durch Angabe von Gründen zur Annahme dieser Sätze bestimmen kann. Von hier aus meint man dann auch verständlich machen zu können, weshalb Religionsgemeinschaften sich durch andere Mittel, etwa gesellschaftlichen Druck, durchzusetzen versuchten, die Begründungen aber, die sie dafür vorzubringen haben, als pseudorationaler Überbau zu entlarven seien. Daraus wird verständlich, warum man in weltanschaulichen und religiösen Fragen so wenig fruchtbar argumentieren kann. Bei einem solchen Sachverhalt sei für einen nüchternen und rational denkenden Menschen bereits klar, was er von Religion und damit von der Frage nach Gott zu halten habe.

Diese Ansicht, wenn auch nicht immer so scharf formuliert, darf nicht bagatellisiert werden. Auch hier gilt es das, was zunächst als Gegensatz erscheint, genauer zu untersuchen und auf seine Gründe hin zu prüfen. Vor allem in den letzten zwanzig

Jahren wurde dieser Frage viel Beachtung geschenkt. Freilich ist unsere Rede von Gott nicht im erfahrungswissenschaftlichen Sinn experimentell überprüfbar. Doch daraus kann nicht gefolgert werden, sie sei sinnleer, sondern *nur, daß sie keine naturwissenschaftliche Aussage* ist. Das Formulieren von naturwissenschaftlichen Theorien und von Beobachtungsaussagen ist aber nicht die einzige Sprachform, die wir als Menschen mit Recht verwenden. Die Berechtigung dieser Feststellung enthebt jedoch nicht von der Aufgabe, an der vor allem ein vom naturwissenschaftlichen Denken geprägter Mensch interessiert ist, genauer anzugeben, wie in Abhebung von den für sinnvolle erfahrungswissenschaftliche Rede erhobenen Forderungen Funktion und Sinn religiöser Rede zu bestimmen sind.

Ohne auf Einzelheiten einzugehen, sollen einige wichtige Gesichtspunkte genannt werden, die in der Diskussion um diese Frage herausgestellt worden sind. Dies ist zugleich ein neues Beispiel dafür, daß die Situation falsch eingeschätzt wird, wenn man die Gegensätze zwischen naturwissenschaftlichem und religiösem Denken entweder so versteht, daß sie zu einer endgültigen Widerlegung der Religion und des Gottesglaubens führen, oder aber, wenn man meint, daß man die gegen die Religion geführten Angriffe lediglich als unkritische Verallgemeinerungen aufzuweisen brauche und damit abtun könne, ohne sich darum zu bemühen, aus dieser Auseinandersetzung eine weitere Klärung und Vertiefung der religiösen Überzeugung zu gewinnen, die zugleich das, was Anlaß für das Mißverständnis und den scheinbaren Gegensatz war, ausscheidet.

3. Religiöse Aussagen sind nicht erfahrungswissenschaftliche Aussagen. Dennoch sind sie nicht unabhängig von der Erfahrung. Werden die religiösen Sätze im Glauben angenommen, dann ist damit zugleich eine Deutung der Erfahrung gegeben. Diese Deutung ist jedoch nicht von der Eigenart naturwissenschaftlicher Theorien, die Voraussagen von meßbaren Ereignissen gestatten. Vielmehr geht es hier um eine Deutung, die uns ein Verständnis der verschiedenen Erfahrungsbereiche menschlichen Lebens gibt

und uns vor allem auch nahelegt, wie wir das Leben des Menschen und unsere Stellung zu kritischen Situationen im Leben auffassen können. Damit ist die Erfahrung, auf die sich die religiöse Deutung bezieht, nicht eine abgegrenzte Erfahrung einzelner beobachtbarer oder gar meßbarer Tatbestände, sondern das, was man als die Gesamterfahrung des Menschen oder als die Lebenserfahrung bezeichnen kann. Darum ist hier auch nicht eine Falsifizierung in dem strengen Sinn der exakten Wissenschaften durch eine Reihe von Messungen möglich, sondern eher durch jenes Phänomen, das Jaspers als Scheitern bezeichnet. Daß auf diese Weise auch weltanschauliche Deutungssysteme einer *Falsifizierung durch die Lebenserfahrung* des Menschen zugänglich sind, wird dadurch nahegelegt, daß immer wieder Menschen unter Berufung auf den Druck der Erfahrung ihres Lebens sich gezwungen sehen, ihre weltanschaulich-religiöse Haltung zu ändern. Dabei schließt diese Erfahrung auch das ein, was man Werterfahrung nennen kann. Auch Vertreter einer atheistischen Weltanschauung berufen sich auf derartige Erfahrung. So meinen sie, daß eine Deutung des menschlichen Lebens von einer Anerkennung Gottes aus, zumindest wie sie Gott verstehen, nicht vereinbar sei mit dem Wert und der Würde der menschlichen Person und ihrer Freiheit. Auch hier liegt also der Versuch vor, ein weltanschaulich-religiöses Deutungssystem durch Berufung auf Erfahrung — wenn auch Werterfahrung — zu falsifizieren. Das aber wäre nicht möglich, wenn solche Deutungssysteme überhaupt keinen Bezug zur Erfahrung hätten.

4. Ein weiterer Unterschied gegenüber naturwissenschaftlichen Theorien besteht darin, daß ein den weltanschaulichen Aussagen zugrunde liegendes Deutungssystem erst dann seine deutende Kraft für einen Menschen ausübt, wenn diese Deutung akzeptiert ist. Es entsteht dadurch eine Einstellung zu allen Gegebenheiten des menschlichen Lebens, durch welche diese einheitlich gedeutet und zugleich in ihrer Bedeutung für das menschliche Leben und seinen Sinn bewertet werden. Anlaß dafür, daß ein solcher Sinnzusammenhang und ein solches Deutungsgefüge einsichtig wird,

sind verschiedene Erfahrungen im menschlichen Leben, die Begegnung mit Personen, die diesen Sinn erschließen, für einen Christen vor allem die Begegnung mit Christus oder mit Menschen, die an ihn glauben und davon lebendiges Zeugnis ablegen. Solche Erfahrungen haben aber nicht eine absolut zwingende Kraft, sondern den Charakter einer Aufforderung, eines Anspruchs, demgegenüber man sich persönlich verschließen oder erschließen kann. Dabei muß man aber bedenken, daß viele weltanschauliche Haltungen, auch eine atheistische Weltdeutung, in diesem Sinne *Sache der Entscheidung* sind.

Eine weltanschaulich bedeutsame Entscheidung ist aber damit *nicht unvernünftig* oder irrational. Es läßt sich eine Reihe von Kriterien anführen, die erfüllt sein müssen, wenn ein weltanschauliches Deutungssystem überhaupt seine Funktion ausüben soll. So muß es nicht nur in sich widerspruchslos sein, sondern es muß auch tatsächlich eine einheitliche Deutungsbasis geben. Weiter muß es offen sein für die Erfahrung, insofern sie diese eben zu deuten hat, und zwar grundsätzlich für alle Erfahrung. Es darf nicht von vornherein ein bestimmter Bereich menschlicher Erfahrung ausgeschlossen werden. Von hier aus lassen sich Überlegungen, die etwa im Rahmen der christlichen Philosophie zum Erweis des Daseins Gottes angestellt werden, als Nachweis deuten, warum und in welchem Sinn eine Annahme Gottes als letzter Grund und Ziel des Menschen und seiner Welt erforderlich ist, um diese Kriterien zu erfüllen.

5. Es ist hier nicht unsere Aufgabe, im einzelnen diese Überlegungen anzuführen. Wir wollten lediglich darauf hinweisen, daß man die Denkweise, in der die Frage nach Gott erörtert wird, von der naturwissenschaftlichen Denkweise abheben kann und muß. Dabei zeigt es sich, daß viele Elemente, die in der theologischen Analyse des Glaubens herausgestellt worden sind, in einem neuen Gewand wieder auftreten. Man denke etwa an die Freiheit und damit Unerzwingbarkeit, aber zugleich an die Vernünftigkeit des Glaubens. Was hier Formulierung in einem neuen Gewand genannt wurde, stellt dabei nicht nur eine *Übersetzung in eine*

Denk- und Ausdrucksweise dar, die einem Menschen, der von der naturwissenschaftlichen Denkweise geprägt ist, vertraut ist, sondern muß auch gesehen werden als *echter Fortschritt im Verständnis* dessen, was die Eigenart des Glaubens ausmacht. Es wird zugleich auch deutlich, daß eine vorgeblich kritische Haltung, die die strengen Forderungen, die an naturwissenschaftliche Erkenntnisse zu stellen sind, unbesehen auch auf alle anderen Erkenntnisweisen des Menschen ausweitet, tatsächlich unkritisch ist. Das hätte zur Folge, daß man die weltanschaulichen Auffassungen, seien sie atheistisch oder religiös, einer rationalen Besinnung grundsätzlich entziehen müßte. Damit wäre aber ein Atheismus, der sich auf eine Verabsolutierung der naturwissenschaftlichen Denkweise stützt, selbst das Ergebnis einer Flucht vor jener rationalen Kritik, wie sie weltanschaulichen Fragen angemessen ist, und damit äußerst unkritisch.

V. Gottesglaube und neues Weltgefühl

1. Außer durch erkenntnistheoretische Erwägungen kann auch durch *die Einstellung zur Welt*, die dem *naturwissenschaftlichen* Forschen und dem *technischen* Verwerten seiner Ergebnisse zugrunde liegt, eine atheistische Tendenz nahegelegt werden.

Für viele Menschen wird heute die Weise, wie sie sich selbst erfahren und verstehen und wie sie von da her auch alles andere deuten, bestimmt durch den immer stärkeren Einfluß, den Menschen mit den Mitteln der Technik, der Psychologie und politischer Aktivität ausüben. So erleben wir uns in einem Prozeß schöpferischer Wechselwirkung mit der Welt. Im Vordergrund des Bewußtseins steht nicht mehr eine vorgegebene Ordnung, die der Mensch als Struktur der geschaffenen Welt auf den Schöpfer zurückführt und die er, als soziale Ordnung, vom Schöpfer des Menschen als eines gemeinschaftsgebundenen Wesens sanktioniert sieht. Im Vordergrund des Bewußtseins steht der Mensch, insofern er sich in der seinem gestaltenden Einfluß offenen Welt vorfindet.

Zwar schwindet dadurch das Interesse an der Interpretation vorgegebener Ordnungen, aber Naturwissenschaft, Psychologie und Gesellschaftswissenschaften üben dafür eine neue Faszination aus. Von diesen Wissenschaften erwartet man nämlich und erhält auch zu einem guten Teil Aufschluß über die variablen Bedingungen, die die Situation des Menschen bestimmen und durch die er eine Veränderung der Situation herbeiführen kann.

Diese Akzentverschiebung in der Selbsterfahrung des Menschen ist mit einem geänderten Verständnis der Verantwortlichkeit der Person, der menschlichen Freiheit, verbunden. So scheint es nicht mehr in erster Linie darum zu gehen, daß man sich durch seine Entscheidung in eine vorgegebene Ordnung einfügt. Die Verantwortlichkeit des Menschen sieht man vielmehr darin, die Einflußmöglichkeiten zu nützen und den Prozeß der Wechselwirkung von Mensch und Welt so zu steuern, daß er zu einer immer größeren Steigerung und Bereicherung des menschlichen Lebens führt, worin Erfüllung gesehen und erlebt wird.

2. Wird nun aber der *Glaube an Gott* dahingehend *mißverstanden* und als ein weltanschauliches Deutungssystem aufgefaßt, aus dem sich ein solches Verständnis der Gegegebenheiten des menschlichen Lebens ergibt, das einen vollen Einsatz für die Erforschung dieser Welt und die Verwertung des so erlangten Wissens für die Entfaltung des Menschen sowie die Behebung von Mißständen im menschlichen Leben, die wir deutlich empfinden, hindert, dann beinhaltet dieses neue Weltgefühl tatsächlich eine atheistische Tendenz. Prüft man aber die Gründe, auf die sich die Überzeugung von Gottes Dasein stützt, dann ergibt sich, daß man auch von diesen Gründen aus eine derartige Deutung Gottes ablehnen muß.

3. Man kann auch die Frage stellen, ob nicht alles, was bei der Charakterisierung des neuen Lebensgefühls beschrieben wurde, selbst eine Ordnungsstruktur ist, nämlich eine *vorgegebene Struktur unseres Lebens.* Hier erhebt sich die weitere Frage, worin denn die Steigerung des menschlichen Lebens besteht und nach welchen Kriterien der Entfaltungsprozeß und die gestaltenden Einflüsse,

die ihm dienen sollen, als zielführend beurteilt werden können. Zur Fülle menschlichen Lebens gehört auch ein *Wissen* der Sinngemäßheit unseres Tuns und eine bejahende *Hingabe* an das Ziel dieser Erfüllungstendenz. Sollen wir uns also für den Prozeß, in dem wir stehen, in echt menschlicher Weise einsetzen, dann müssen wir auch kritisch die Frage stellen, was unser Leben auf eine höhere Ebene von sinnhaftem Zusammenhang bringen kann.

Geht man genauer der Frage nach, wie dieses *Ziel der Entfaltungstendenz des Menschen* zu deuten ist, dann wird man auf Züge stoßen, die für Gott wesentlich sind. So muß auch diese neue Welterfahrung nicht notwendig einen atheistischen Humanismus enthalten, sondern kann dazu führen, daß deutlicher wird, welche Bedeutung Gott für die Verwirklichung des Menschen hat. Es kann sich dann auch zeigen, daß eine thematische, explizite Beziehung zu Gott erst eine volle Verwirklichung dieser Erfüllungstendenz des menschlichen Lebens ermöglicht. So wird das verfehlte Gottesbild abgebaut, das atheistischen Gedankengängen zugrunde liegt und das Mißverständnis einschließt, als stünde eine Entfaltung des Menschen in Konkurrenz zu einer bewußten Beziehung auf Gott. Vielmehr verweist ein Eingehen auf das Erfüllungsstreben des Menschen auf Gott. —

Auch hier wiederum führt die Auseinandersetzung mit Fragen, die von der Naturwissenschaft her aufgetreten sind, zu einer Vertiefung und Klärung des Gottesglaubens. Deutlich mußte hier gegen eine Fehlauffassung von Gott Stellung genommen werden, und um so deutlicher tritt dann der Erfahrungsbezug, das Erfassen der Bedeutung des Gottesglaubens für unser tatsächliches Leben, hervor. Dieser Glaube wird dann nicht mehr als bloß nebensächlicher Aufputz des wirklichen Lebens empfunden, sondern als seine tragende Kraft. Gottesglaube wird nicht mißverstanden als eine Ideologie, die die bestehenden Zustände legitimieren soll und einem echten Fortschritt im Wege steht. —

Der kurze Rückblick auf einige Etappen des Verhältnisses von Naturwissenschaft und Gottesglaube dürfte deutlich gemacht haben, daß naturwissenschaftliches Denken nicht in Widerspruch zum Gottesglauben steht. Wohl aber wird ein Ernstnehmen der Ergebnisse und der Denkweise der Naturwissenschaft zum Anlaß, den wesentlichen Gehalt des Gottesglaubens von Vorstellungen, die zu Unrecht damit verbunden wurden, zu reinigen und ihn dadurch zu vertiefen und mit Leben zu füllen.

Literatur

IAN G. BARBOUR, *Issues in Science and Religion*, London 1966.

DERS., *Science and Religion. New Perspectives on the Dialogue*, London 1968.

JOSEPH M. BOCHÉNSKI, *Logik der Religion*, Köln 1968.

ROBERT O. JOHANN, *The Pragmatic Meaning of God*, Milwaukee 1966.

PASCUAL JORDAN, *Der Naturwissenschaftler vor der religiösen Frage. Abbruch einer Mauer*, Hamburg ⁵1968.

OTTO MUCK, *Zur Logik der Rede von Gott*, in: *Zeitschrift für katholische Theologie* 89 (1967) 1–28.

DERS., *Zum Problem der existentiellen Interpretation*, in: *Zeitschrift für katholische Theologie* 91 (1969) 274–288.

OTTO SPÜLBECK, *Zur Begegnung von Naturwissenschaft und Theologie*, Einsiedeln 1969.

Julius Morel

Atheismus und Industriegesellschaft
Soziologische Aspekte und Aufgaben

I. Vorbemerkungen

Es gibt keine religionssoziologisch allgemeingültige Begriffsbestimmung des Atheismus. Vielleicht könnte man sogar eine der wesentlichsten Aufgaben der Soziologie des Atheismus darin sehen, durch Beschaffung der noch fehlenden Einzelerkenntnisse und durch Anbringung der nötigen Unterscheidungen zu einer nuancierteren Definition zu gelangen. Für die religionssoziologische Grundlagenforschung, das heißt für die Bildung der allgemeinsten Theorien dieser Wissenschaft, aber auch für die seelsorgliche Praxis, wäre es von großer Bedeutung, wenn die Zusammenhänge, die auf den folgenden Seiten angedeutet werden, durch Untersuchungen systematisch geklärt würden. Keineswegs gleichgültig ist es zum Beispiel, ob und in welchem Maße die Industriegesellschaft eine Entkirchlichung, eine Entchristlichung, eine Glaubenslosigkeit oder eine Religionslosigkeit fördert. — Um der Frage *Atheismus und Industriegesellschaft* in einer entsprechenden Tiefe der Fragestellung näherzukommen, wird hier ein Abriß der Begriffsproblematik in soziologischer Sicht der Behandlung des eigentlichen Themas vorausgeschickt.

Betrachtet man die religionssoziologische Literatur über die Frage des Atheismus im allgemeinen, so findet man dort eine Reihe von Richtungen, die von der Auffassung des Atheismus als einer negativen Erscheinung (etwa STEEMANN) bis zur Auffassung des Atheismus als einer Art Ersatzreligion reichen. Die „Klassiker" der Religionssoziologie (MENSCHING, WACH usw.) behandeln diese Frage praktisch gar nicht.

Als Ausgangspunkt der Begriffsproblematik kann vielleicht die Behauptung dienen: *Atheismus* sei *so alt wie das menschliche Denken*. Für uns ist hier nur die Bedeutung dieser Behauptung interessant, die zumindest teilweise den Tatsachen entspricht. Fassen wir die Geschichte der Religionen als eine ständige dynamische Entwicklung auf, so finden wir immer und überall Stellungnahmen gegen die herrschenden Gottesvorstellungen. In diesem Sinn ist der Atheismus wirklich eine uralte Erscheinung. Man kann etwa an XENOPHANES denken und an seine Kritik: Wenn die Pferde denken könnten, würden sie ihnen ähnliche Götter verehren — die Götter der Menschen sind in ihrer anthropomorphen Vorstellung gesellschaftlich bedingt, und sie vergehen mit der Änderung dieser Vorstellungen. Die ersten Christen wurden ja auch in diesem Sinn Atheisten genannt, weil sie die herrschenden Gottesvorstellungen ablehnten. In einem ähnlichen Sinne kann man bei jeder Ketzerei von Atheismus reden: Weil es nur einen Gott gibt, ist derjenige, der nicht an diesen einen, wahren Gott glaubt, ein Atheist.

Diese Sicht führt uns zu der für unsere Betrachtung entscheidenden Frage des Zusammenhangs zwischen zwei Phänomenen, auf die man sehr oft und undifferenziert hinweist: dem Atheismus einerseits und der Entkirchlichung, Entchristlichung und Säkularisierung andererseits.

Was bedeutet eigentlich Atheismus? Kann man dieses Phänomen punktartig auffassen, oder ist es ein Faktor der menschlichen Kultur, der mehr oder weniger entscheidend, in kleinerem oder größerem Maße vorhanden ist, wobei ein „absoluter Atheismus" nur das mögliche Ende einer Skala wäre. Kann man nicht dasselbe von der Religion behaupten? Sie ist auch ein Bestandteil der menschlichen, individuellen und sozialen Kultur, der auf beiden Ebenen mehr oder weniger gegenwärtig und wirksam sein kann. Faßt man nun *Religion und Atheismus als zwei Richtungen desselben Kontinuums* auf, so gehört alles, was mit den Phänomenen Entkirchlichung, Entchristlichung und Säkularisierung zusammenhängt, eindeutig zu diesem Kontinuum, ohne daß dadurch behauptet wäre, daß beispielsweise die Entkirchlichung eine notwendige Zwischenstufe zum Atheismus sei oder daß die Entkirchlichung notwendig zum Atheismus führe.

Die Nützlichkeit dieser Betrachtungsweise besteht vor allem in einer klareren Bestimmung der Standortgebundenheit des Atheismus, etwa in ähnlichem Sinne, wie dies über die Standortgebundenheit der Religion in der Wissenssoziologie reichlich erörtert wurde. Wissensformen, Ideologien, kollektive Vorstellungen, überhaupt alle Erscheinungen der menschlichen Kultur, entstehen ja in der menschlichen Gesellschaft, in einem unendlich vielfältigen Zusammenspiel zwischen dem Einzelmenschen und seiner Gesellschaft, bedingt durch die materiellen, technischen und strukturellen Gegebenheiten der konkreten, das heißt wirksamen Umwelt.

II. Industrielle Gesellschaft als Ort der Atheismusfrage

Bedenkt man die Tatsache, daß kein Mensch sein Leben in vollem Sinne vom Nullpunkt an beginnt, so wird *die Prägung des Einzelmenschen durch seine Umwelt* deutlich. Der Begriff der Sozialisation in der Soziologie bezeichnet letztlich eben diese Tatsache: Sobald der Mensch beginnt, wirklich selbständig und im Vollbesitz seiner geistigen Fähigkeiten zu denken, zu urteilen, zu wollen, ist er kein „Mensch im allgemeinen" mehr, sondern ein von seiner Kultur, seiner Zeit, seiner Umwelt so und so geprägter Mensch. Er spricht eine bestimmte Sprache, er denkt in einer bestimmten Ideologie, er sieht alles im Verhältnis zum Durchschnitt und zum Normalfall — Elemente, die er im Laufe seines Mündigwerdens von seiner Umwelt bekommen und verinnert hat. Auch später werden seiner Freiheit Schranken gesetzt: Seine Gesellschaft verteidigt ihre Eigenheit durch die verschiedensten Formen der sozialen Kontrolle, durch Lob und Tadel, durch Ehrung und Strafe. Seine Spontaneität, sein Freiheitsspielraum wird dadurch keineswegs geleugnet, sondern nur als eine „liberté située", eine Freiheit im Rahmen einer bestimmten Situation, gezeichnet. Diese

Spontaneität, zusammen mit der Spontaneität der gesellschaftlichen Gebilde (GEORGES GURVITCH), ist die einzig mögliche Erklärung des Fortschritts, der Entwicklung, des Wandels.

Die *Industriegesellschaft* prägt demnach den Menschen eben anders als andere Gesellschaftstypen. Wenn wir nun die Wurzeln des Atheismus im geschilderten Sinn in den charakteristischen Eigenschaften der Industriegesellschaft suchen, behaupten wir keineswegs die Ausschließlichkeit dieses Gesellschaftstypus als Ursache des Atheismus, sondern nur seine *spezifische Rolle*. Vor dieser Analyse sollte aber noch etwas in Erinnerung gerufen werden: die Merkmale, die mit dem Fortschreiten des Atheismus in Zusammenhang gebracht werden, dürfen nicht als Merkmale von gleicher Unmittelbarkeit aufgefaßt werden. Der Begriff „Industriegesellschaft" ist schon in sich *ein besonders vielfältiger Begriff* — nicht selten wird sogar seine Brauchbarkeit in Frage gestellt. Falls man doch gewisse typische Eigenschaften dieses Ergebnisses der modernen sozialen Entwicklung herausarbeitet und einige davon als für die Veränderungen auf dem Kontinuum Religion—Atheismus verantwortlich bezeichnen kann, so sicher nicht in dem Sinne, daß die Summe dieser Merkmale bereits dieses Phänomen ausmache.

Ein „soziales Totalphänomen" (MAUSS) sollte man sich immer in vielen Stufen vorstellen, wobei zur Oberfläche die mehr unmittelbar erfaßbaren Faktoren (morphologische, geographische, materielle, demographische usw. Gegebenheiten) gehören. Je tiefer man vordringt, zu desto weniger unmittelbar erfaßbaren sozialen Tatsachen gelangt man: zur Organisation, Struktur, Mentalität, kollektiven Vorstellungen usw. (GURVITCH). Diese *Stufen der sozialen Wirklichkeit* stehen miteinander in Zusammenhang und bedingen einander. Deshalb sind auch die Wirkungen der einzelnen Stufen immer in Zusammenhang mit den Wirkungen anderer Stufen zu betrachten, wobei es sehr schwierig wäre, eine Reihung der Wirkungsfolgen oder gar ein ursächliches Nacheinander zu bestimmen. Ohne auf diese wissenschaftstheoretische Problematik einzugehen, soll nur darauf aufmerksam gemacht werden, daß die hier aufzuzeigenden Zusammenhänge unser Problem in verschiedenen Tiefenschichten berühren, ohne die Frage der Prioritäten entscheiden zu wollen.

Aus den bisher genannten Gründen werden hier nun spezifische Merkmale der Industriegesellschaft mit dem Phänomen des Atheismus in Zusammenhang gebracht, wobei noch einmal betont sein soll, daß Atheismus das Verlassen dessen bedeutet, was in einer bestimmten Gesellschaftsstruktur, in einem bestimmten geschichtlichen Zusammenhang Religion heißt.

III. Die Wurzeln des Atheismus in der industriellen Gesellschaft

1. Die Historiker haben öfters darauf aufmerksam gemacht, daß die *technische Entwicklung* der Menschheit sich *in einer immer größeren Beschleunigung* abspielt. Dabei haben wir den Punkt erreicht — und das zum erstenmal in der Geschichte der Menschheit —, wo grundlegende, umwälzende Erneuerungen innerhalb eines menschlichen Lebens mehr als einmal vorkommen. Viele Zeichen weisen darauf hin, daß der Mensch diesen Umstand noch nicht richtig aufarbeiten konnte, noch nicht die Gelegenheit hatte, sich daran zu gewöhnen. Die beinahe unmittelbare Übersetzung dieser Entdeckungen und Erfindungen von der Theorie in die Praxis ist für die Industriegesellschaft charakteristisch: Die radikalen Veränderungen bleiben für uns keine nur theoretisch zu bewältigende Neuigkeit, sondern wirken vielfältig und intensiv auf die Struktur unserer Gesellschaft und dadurch auch auf unser tägliches Leben zurück. Es geht also heute nicht darum, sich gegebenenfalls im Laufe des Lebens einmal an etwas Neues anzupassen, sondern sich darauf einzustellen, daß das gerade neu Übernommene bald durch eine noch aktuellere Entwicklung überholt wird. Die Auswirkungen dieser Umstände auf die religiöse Einstellung sind nicht zu übersehen. Mit der *religiösen* Gedankenwelt hängt der *Begriff der Unveränderlichkeit* in viel stärkerem Maße zusammen als der der Veränderlichkeit. Deshalb könnte

man sagen, daß jede Änderung an sich schon eine Abschwächung der religiösen Einstellung — wenn auch nur rein assoziativ — bewirken kann. Viel ernster und konkreter spielt aber die angedeutete beschleunigte Veränderung unserer technischen Welt in die Religiosität hinein durch die bekannte Tatsache, daß die zur religiösen Welt gehörige Unveränderlichkeit sehr oft mit Elementen des menschlichen Lebens verbunden wird, die man ebenfalls eine Zeitlang für unveränderlich hält. Die Erfahrung der Relativität auf diesem Gebiet bewirkt logischerweise eine Unsicherheit im Zusammenhang mit jenem. — Gott ist unveränderlich; der Kaiser ist Herrscher von Gottes Gnaden: seine soziale Stellung wird lange Zeit für ebenso unveränderlich gehalten. In Zusammenhang mit der technischen Entwicklung entstehen neue Staatsformen, und die dadurch vollzogene Veränderung wirkt dann über die aufgestellte Verbindung auch auf ihren religiösen Bezugspunkt zurück.

2. Die technische Entwicklung entsteht mit Hilfe der technischen Wissenschaften; diese werden aber ihrerseits auch von den Entwicklungen auf technischem Gebiet weiter vorangetrieben, mit neuen Aufgaben und neuen Möglichkeiten versehen. Es entwickelt sich von der Theorie und von der Praxis her *eine neue Denkweise*, eine Mentalität, die mit der herkömmlichen religiösen Gedankenwelt nicht gut vereinbar ist. Der Techniker tut sich schwerer als beispielsweise jemand, der in der Urproduktion arbeitet, sich in der Welt der Mysterien zu bewegen, die Symbolsprache zu verstehen und seine Gefühle darin auszudrücken oder den Glauben zu akzeptieren, wenn er die Antwort auf den Mangel an sichtbarem Erfolg gibt.

3. Selbstverständlich spielt die technische Entwicklung in vieler Hinsicht und durch ein kompliziertes Zusammenspiel zwischen den verschiedenen Stufen der sozialen Wirklichkeit für die Entstehung oder Weiterentwicklung atheistischer Tendenzen in der heutigen Gesellschaft eine große Rolle. Ein Aspekt soll hier noch getrennt behandelt werden. In den praktischen Entscheidungen des Menschen gibt es im allgemeinen Elemente, die mit *Tatsachen-*

fragen zusammenhängen, und Elemente, die von den Tatsachen her nicht genügend bestimmt werden können. Diese letzteren sind einzig und allein oder weitgehend von der *Wertordnung* und letztlich vom Menschenbild abhängig. Keine noch so entwickelte Wissenschaft für Stadtplanung kann an Stelle des Menschen entscheiden, ob die Struktur der Stadt mehr für die Gesundheit, mehr für ästhetische Gesichtspunkte oder mehr für bessere Verkehrsmöglichkeiten geeignet sein soll. In dieser Hinsicht arbeiten die empirischen Wissenschaften immer hypothetisch oder — anders ausgedrückt — auf Grund von Fragestellungen, die grundsätzlich weltanschaulicher Art sind. — Die Entwicklung technischer Möglichkeiten der Ausrechenbarkeit (mathematische Wissenschaften, Computertechnik und der allgemeine Fortschritt der empirischen Wissenschaften) bringt eine deutliche *Verschiebung in der Tragweite der beiden Gebiete.* Solange eine Tatsachenfrage durch Rechnungen oder durch empirische Untersuchungen wegen der Schwäche dieser Methoden nicht beantwortet werden kann, wird auch dort die Ideologie oder weltanschauliche Überzeugung hinzugezogen und dadurch selbst vertieft und bereichert. Dies folgt eindeutig aus der Tatsache, daß der Mensch mit seinen Entscheidungen nicht warten kann, bis die Tatsachenfragen wissenschaftlich zuverlässig geklärt werden. In dem Maße aber, in dem die technischen Möglichkeiten der Vorausberechnung oder der empirischen Klärung der Tatbestände voranschreiten, wird der Raum der weltanschaulichen Entscheidungen geringer. Womit keineswegs angedeutet werden soll, daß diese Entwicklung zum vollen Ersatz der weltanschaulichen Einstellungen führen wird. Die immer vollkommeneren Rechenanlagen haben aber ihren Anteil daran, daß wir heute von „Rumpfideologien" sprechen.

4. In engem Zusammenhang mit der Perfektionierung der technischen Möglichkeiten entsteht in der Industriegesellschaft *eine immer größere Mobilität.* Am unmittelbarsten wirkt sich die sprunghafte Erhöhung der Verkehrsmöglichkeiten auf die geographische Mobilität des heutigen Menschen aus. Die Bewegung, schon rein geographisch verstanden, geht bis zu einem gewissen

Grad notwendigerweise mit einer Entwurzelung Hand in Hand. Die Traditionen der ursprünglichen Gemeinschaft fallen mit denen der neuen nicht zusammen: Die daraus resultierende Konfrontierung der „Ideologien" in derselben Person führen nicht nur zu inneren Konflikten, sondern auch zu einer Relativierung der Tradition und der ideologischen Bindung überhaupt. Eine ähnliche Wirkung zeigt die Verbreitung der Massenkommunikationsmittel. Die Monopolstellung der eigenen Ideologie wird auch erschüttert, ohne daß wir unsere Position ändern. Ohne Zweifel hängt damit auch die Einstellung zusammen, die wir etwa mit den Begriffen geistiger Pluralismus, Toleranz, Ökumenismus oder Koexistenz umschreiben. Daß dadurch die normative Kraft der eigenen Ideologie eine gewisse Schwächung erfährt, steht außer Zweifel. Dies gilt selbstverständlich auch für die religiöse „Ideologie", und das sogar in verstärktem Maß. Religion beinhaltet ja bereits begrifflich den Gegensatz zur Relativität. Deshalb bereitet das „relativierte Bewußtsein" (Cox) des heutigen Menschen die „Stadt ohne Gott" vor.

5. Technik bedeutet *Beherrschbarkeit der Natur*. Die urmenschliche Bestrebung, die Natur nutzbar und untertan zu machen, bekommt in der heutigen Welt eine ungeahnte Bedeutung. Es lohnt sich viel mehr als früher, sich mit Sachen zu beschäftigen: Die Manipulierung der physischen Welt ist quantitativ und qualitativ interessanter geworden. Noch dazu geschieht die Bearbeitung der Sachen mit Hilfe von Maschinen, also wiederum von Sachen. Und die vom Menschen geschaffenen Instrumente funktionieren perfekt: Man kann berechtigterweise von ihnen Leistungen verlangen, und diese Leistungen sind sogar vorausberechenbar. Die Früchte, die aus der Beherrschung der Natur dem Menschen zukommen, sind angenehm genug, daß er die Leistung der Maschine, die Maschine selbst, das heißt die Sachen und die Sachlichkeit, schätzen lernt: eine mächtige Konkurrenz für die Betrachtung religiöser Wahrheiten, für die Beschäftigung mit nicht unmittelbar einträglichen Dingen. Ein atheistischer Humanismus oder humanistischer Atheismus findet hier seine besten Argumente. — Be-

kanntlich bewegen sich die einschlägigen Gedanken eines KARL MARX auch weitgehend in diesem Rahmen. Aus dieser Verbindung: technische Entwicklung — Beherrschung der Natur folgt ein großes Autonomiebewußtsein des heutigen Menschen. —

6. Zum selben Ergebnis können wir auf einem anderen Weg gelangen, dessen Ursprung allerdings ebenfalls in der technischen Entwicklung liegt. Eine hochentwickelte Industrie braucht nämlich eine viel *differenziertere Arbeitsteilung* als die vorindustriellen Formen des Wirtschaftslebens. In dieser komplizierteren Arbeitsteilung wird der einzelne immer weniger austauschbar, was zu einer höheren Einschätzung und Würdigung seiner Person führt und wenigstens teilweise die demokratische Einstellung gerade in der Industriegesellschaft fördert. Der Mensch in der Demokratie ist aber der Besitzer der Macht, der sich nicht einseitig als Untertan begreifen will, sondern auch als Mitwirkender bei Entscheidungen über das Schicksal des Ganzen. Er ist nicht nur Vollzieher, sondern auch Gesetzgeber, der sich als autonom erlebt.

Die schematische Darstellung der beiden Linien, die zum Autonomiebewußtsein des Staatsbürgers in der Industriegesellschaft führen, soll natürlich sehr vorsichtig gehandhabt werden. Vor allem darf keine Ausschließlichkeit der einzelnen Faktoren hineininterpretiert werden, und man darf die Gegenseitigkeit der Wirkungen nicht außer acht lassen. Die Zusammenhänge bestehen aber ohne Zweifel, und sie wirken in den Aufstand des heutigen Menschen gegen die Normen überhaupt, folglich auch gegen die religiösen Normen, hinein. Am unmittelbarsten trifft dies natürlich die Kirche als Institution und Organisation, das heißt die positive Gesetzgebung und die kirchlich geregelten religiösen Verhaltensweisen. Mittelbar greift aber das demokratische Bewußtsein, das Autonomiebedürfnis und der Freiheitsdrang unserer Zeit die eindeutige Anerkennung von Normen überhaupt an, vielleicht mit Ausnahme von unmittelbar funktionalen Normen, die das konkrete Leben innerhalb der Gesellschaft regeln.

7. Die industrielle Entwicklung fördert nicht nur die technischen Wissenschaften, sondern sehr eindeutig auch die anthro-

pologischen Disziplinen. Dies kann auch auf ein gewisses Ergänzungsbedürfnis zurückgeführt werden: Eine Bedrohung wird gespürt, daß nämlich der Mensch gerade über den Maschinen in Vergessenheit gerät und Nachteile erleidet, wenn man sich nicht auch mit Hilfe von spezialisierten Wissenschaften um ihn kümmert. Andererseits bekamen natürlich die *empirische Psychologie und Soziologie* auch einen großen Auftrieb durch die neuesten technischen Möglichkeiten. Damit ging *eine besondere Form der Aufklärung* vor sich. Viele Tatsachen, die das Leben des Menschen bestimmen und früher entweder als Notwendigkeiten oder als Verfügungen Gottes angesehen wurden, erscheinen jetzt als veränderlich, aus inneren Gesetzen erklärbar und vom Menschen manipulierbar. Die Rolle, die etwa die freudsche Psychologie und später die Soziologie in der Erschütterung des Glaubens der intellektuellen Bevölkerungsschichten gespielt hat, kann kaum überschätzt werden. — Wer täglich Zeitung liest und Rundfunk hört, ist natürlich auch ganz allgemein aufgeklärter als seine Vorfahren, die nicht einmal einen Bruchteil dieses Informationsflusses erhalten haben. Er ist daran gewöhnt, informiert zu sein, und verlangt auch nach Information. Es fällt ihm einfach schwer zu glauben, insofern Glauben das Gegenteil von Informiertsein mit Begründung und mit allen Einzelheiten bedeutet.

8. Die Industriegesellschaft ist eine *städtische Gesellschaft*. Es würde zwar den Tatsachen nicht entsprechen, wollte man behaupten, daß die ländliche Bevölkerung von atheistischen Tendenzen verschont geblieben sei, es macht aber einen großen Unterschied aus, ob man von Gesellschaften ländlichen Charakters redet oder von der ländlichen Bevölkerung innerhalb einer Industriegesellschaft. Die Urbanisierung spielt vielfältig in den Säkularisierungsvorgang hinein. Obwohl die Gemeindesoziologen von der allzu globalen Behauptung, die städtische Gesellschaft sei durch Anonymität gekennzeichnet, abgekommen sind, kann man sicherlich Unterschiede entdecken, die vor allem in der sozialen Kontrolle sichtbar werden. Die Verteidigung einer geschlossenen Tradition, wie sie in einem abgelegenen Dorf auch heute noch beinahe voll-

ständig verwirklicht wird, ist in einer Großstadt selbstverständlich ausgeschlossen. Was in einer kleinen Gemeinde als Ausnahmefall Überraschungen und Sanktionen hervorruft, daß jemand zum Beispiel sonntags nicht in die Kirche geht, wird in einer Großstadtpfarre vollkommen unbemerkt und ohne Folgen bleiben. Dazu kommt viel mittelbarer die gegebene Atmosphäre der Großstadt, aus welchen Gründen sie immer entstanden ist; sie fördert eine liberalere Einstellung gegenüber den Normen und eine der religiösen Praxis gegenüber eher feindliche Auffassung. In diesem Sinne wirkt die auch in der Stadt vorhandene soziale Kontrolle geradezu in der entgegengesetzten Richtung.

9. Ein letztes Merkmal der industriellen Gesellschaft, das allerdings von den bisher erwähnten sehr verschieden ist, auch was die Ursache und die Vermittlung betrifft: Religion konkretisiert sich in der Gesellschaft in Form von Kirchen — nach namhaften Religionssoziologen gehört die Kirchlichkeit sogar zur Wesensbestimmung der Religion. Bekanntlich erfüllen die Priester ihrerseits eine spezifische, bedeutsame Funktion in der Kirche. Deshalb ist es für unsere Fragestellung von besonderer Bedeutung festzustellen, inwieweit *die Kirchen* und *die Priester* als Vertreter dieser Kirchen ihre bisherigen Funktionen *im Leben der Gesellschaft* behalten haben. Auf diesem Gebiet sind große Veränderungen geschehen. Die vorindustrielle Gesellschaft hat Aufgaben wie Bildung, Erziehung, soziale Fürsorge, Beratung, Rechtsprechung und ähnliche größtenteils gerade mit Hilfe der Kirchen und deren Exponenten erfüllt und dadurch den Kirchen wie der Priesterschaft Funktionen zuerteilt, die ihre Notwendigkeit in den Augen der Bevölkerung deutlich machten. Im Zuge der Entwicklung hat sich aber die profane Gesellschaft auf all diesen Gebieten verselbständigt und verursachte dadurch der Kirche merkliche Funktionsverluste. Diese Tatsache wird am deutlichsten in der Stellung des Priesters in der heutigen Gesellschaft und in der Bestimmung seiner sozialen Rolle.

10. Parallel dazu könnte man von der Verselbständigung des Menschen in einem ähnlichen Sinne sprechen. Wie die Gesell-

schaft durch die Errichtung von Schulen, Krankenhäusern, Beratungsstellen, Fürsorgeeinrichtungen usw. sich von der Kirche unabhängig machte, so ist auch *der Mensch* in einem gewissen Sinn *unabhängiger von Gott* geworden. Je mehr er heilen kann, je mehr er sich gegen die Kräfte der Natur mit technischen Mitteln verteidigen kann, je mehr er sich mit Hilfe der Wissenschaften in der Welt auskennt, desto weniger Raum bleibt für seine Abhängigkeit von Gott übrig. Dies kann man sicherlich akzeptieren, ohne daß man gleichzeitig mit MARX behaupten müßte, der Mensch sei in seiner Entwicklung durch die Religion behindert worden oder diese Entwicklung werde zu einem Zustand führen, in dem der Mensch Gott überhaupt nicht mehr braucht. Trotzdem wirkt sich der oben angedeutete „Funktionsverlust" Gottes aus: teilweise ändert sich dadurch nur der Raum, das Thema oder der Stil der religiösen Beziehung zu Gott, teilweise führt aber diese Entwicklung auch zur Schwächung oder zum Verlust des Glaubens.

IV. Möglichkeiten und Aufgaben

1. Die hier angeführten Merkmale der Industriegesellschaft, die erfahrungsgemäß negative Auswirkungen im religiösen Bereich haben, sind natürlich nur *eine Auswahl* aus einer Fülle von Faktoren ähnlichen Charakters. Auch die angedeuteten Zusammenhangsketten können nur als Beispiele betrachtet werden: Der Verzweigung von Ursachen, unmittelbaren und mittelbaren Wirkungen, könnte man auch in vielen anderen Richtungen nachgehen. Die Auswahl ist allerdings nicht willkürlich, sondern auf Grund der vorhandenen empirischen Untersuchungen und theoretischen Überlegungen getroffen worden. Es muß aber gleichzeitig betont werden, daß es in der jetzigen Lage der wissenschaftlichen Erforschung des Atheismus auch im Rahmen einer umfangreicheren Studie nicht möglich gewesen wäre, ein in jeder Hinsicht zufriedenstellendes Gesamtbild der Problematik zu geben. Viele empirisch zu gewinnende Ergebnisse fehlen noch, die an sich

bereits heute, beim jetzigen Stand der religionssoziologischen Theorien, erarbeitet werden könnten.

2. Es fehlen aber auch grundlegende theoretische Voraussetzungen zur Klärung des Zusammenhangs zwischen Atheismus und Industriegesellschaft. Die Beschaffung dieser theoretischen Voraussetzungen könnte durch die eben erwähnten, bereits heute möglichen Untersuchungen nur teilweise erreicht werden. Zu konkreten, brauchbaren, nicht rein theoretischen Schlußfolgerungen könnte nur eine interdisziplinäre *Zusammenarbeit zwischen Soziologie und Theologie* führen, da es ja hier um den Begriff des Atheismus geht. Dies ist keineswegs nur eine logische Forderung aus der gestellten Aufgabe, den Zusammenhang zwischen Industriegesellschaft und Atheismus festzustellen, sondern wahrscheinlich das gegenwärtig entscheidendste Problem aller Disziplinen im religiösen Bereich (von der dogmatisch-exegetischen Theologie bis zur konkretesten Pastoralplanung) und eine Frage, die bei jedem Schritt der religionssoziologischen Forschung je nach der konkreten Hypothesenbildung implizit oder explizit auftritt.

3. In den vorausgehenden Überlegungen war einmal von Entkirchlichung oder Säkularisierung, ein andermal von Atheismus die Rede. Wie in der Einleitung kurz formuliert wurde, kann Atheismus für den Soziologen nur das Verlassen dessen bedeuten, was in einer bestimmten Gesellschaftsstruktur, in einem bestimmten gesellschaftlichen Zusammenhang Religion heißt. Mit anderen Worten: Der Soziologe kann das Phänomen „Religion" oder „Atheismus" nur auf Grund des Selbstverständnisses der gegebenen Gesellschaft, der gegebenen religiösen Institution oder der gegebenen atheistischen Ideologie studieren.

Gerade dieses Selbstverständnis ist aber heute ein entscheidendes Problem im religiösen Bereich geworden. Kennzeichnendes Symptom dafür ist — und es geht dabei um etwas viel Ernsteres als um die Verschönerung oder die Rekompensation von Verlusterscheinungen — die unterschiedliche Auffassung in der einschlägigen Literatur darüber, *wie das Kontinuum Religion—Atheismus aufgebaut ist*, oder noch deutlicher: welche Verschiebungen auf diesem Kontinuum negativ und welche positiv beurteilt werden. Der Vorgang der *Entsakralisierung* erscheint nicht nur als ein Verlust, also ein Schritt von „Religion" weg in Richtung „Atheismus", sondern auch als ein Gewinn, sogar eine im Dienste der „Religion" stehende Aufgabe, etwa in der Liturgie. Die *Säkularisierung* kann als radikaler Abfall von Gott oder als der Vollzug der tiefsten Anliegen des Glaubens aufgefaßt werden. Selbst der *„Tod Gottes"* stellt nicht etwa nur eine etymologische und inhaltliche Entsprechung zum Begriff des Atheismus dar, sondern zielt auf eine „Auferstehung in einer neuen Gestalt" (was übrigens längst vor der Entstehung dieses Modeausdrucks immer schon in der Geschichte der mehr oder weniger anthropomorphen Gottesvorstellungen der Fall war).

Der Begriff der *Entkirchlichung* hat in der Kirchensoziologie eine eigene Geschichte: Die Kirchenbesuchszählungen, die früher sehr häufig vorgenommen und — eine Zeitlang sogar mit Recht — als untrügliches Zeichen der Religiosität betrachtet wurden, sind heute viel weniger Mode und eher als Zeichen für die Schwächung der Kirche als Organisation anzusehen. Der *Glaube* außerhalb des kirchlichen Rahmens bekam auch theologisch eine neue Interpretation. Verluste in der kirchlich geregelten *religiösen Praxis* werden durch die Möglichkeiten der institutionalisierten Dauerreflexion aufgewogen. Mit der *„Emigration der Kirche aus der Gesellschaft"* sind nicht nur negative, sondern auch positive Erscheinungen verbunden. Gegenüberstellungen wie „Glaube und Institution", Fragen wie „Wird die Kirche das Grab Gottes"? weisen ebenso auf dieses Problem hin.

4. Die Klärung dieses Selbstverständnisses ist nicht ausschließlich Sache der theologischen theoretischen Überlegungen. Die Wandlung der Vorstellungen und Auffassungen auf diesem Gebiet wurzelt gerade in der sozio-kulturellen Entwicklung unserer Zeit und beweist einmal mehr die Seinsverbundenheit und die Aspektstruktur des religiösen Denkens (MANNHEIM). Deshalb scheint es gerechtfertigt und passend zu sein, diese kurzen Ausführungen über Atheismus und Soziologie mit einem Aufriß der

Aufgaben zu beenden, die *der Religionssoziologie* in diesem Zusammenhang zufallen.

Die erste Aufgabe wäre eine kritische Überprüfung des vorhandenen reichhaltigen Materials und seine Ergänzung auf die Frage hin: Was ist es eigentlich, das in der Industriegesellschaft mit einer feststellbaren Regelmäßigkeit verlorengeht? Stirbt der Glaube an Gott aus oder das Bedürfnis der Menschen, sich religiös zu betätigen (etwa im Sinne des Kultes, der Liturgie), oder werden nur die Kirchenbesucher weniger usw.?

Danach müßten die Zusammenhänge festgestellt werden, die zwischen den einzelnen eben erwähnten Erscheinungen und den charakteristischen Merkmalen der Industriegesellschaft vorliegen, wobei die Antwort auf die Frage, warum diese Beziehungen bestehen, an sich besonders interessant, für die hier vorgeschlagene Aufgabenreihe aber ohne Bedeutung ist.

Als dritte Aufgabe müßte die Verkettung und die Reihenfolge des Zusammenhangs zwischen soziologischen Merkmalen einerseits und religiösen oder areligiösen Phänomen unserer Zeit andererseits untersucht werden. Schematisch ausgedrückt hat zum Beispiel ein unmittelbarer Zusammenhang zwischen Verstädterung und Abnahme des Gebrauchs religiöser Symbole eine ganz andere Bedeutung als der gleiche Zusammenhang, wenn er vermittelt wird durch Entkirchlichung.

Ferner wäre ein fast völlig vernachlässigtes Forschungsgebiet zu bearbeiten, nämlich die Bestimmung der Restbestände nach Verlustvorgängen. Was bleibt bei den verschiedenen Bevölkerungsschichten, bei denen die Zugehörigkeit zur Kirche abgeschwächt wurde oder verlorengegangen ist, im religiösen Bereich übrig, welche religiösen Elemente sind in einer säkularisierten Gesellschaft noch zu finden usw.?

Die aus den aufgezählten vier Stufen gewonnenen Elemente müßten schließlich auf dem Kontinuum Religion—Atheismus geordnet werden. Erst dann könnte die richtige Tragweite des atheistischen Phänomens soziologisch bestimmt und auch von der Soziologie her eine Stellungnahme zu dieser Frage erarbeitet werden, die etwa KARL BARTH, AUGUST BRUNNER, GUARDINI oder BONHOEFFER formulierten: Ist Christentum eine Religion?

Weiterführende Literatur

CARRIER, H. und PIN, E., *Essais de Sociologie Religieuse*, Paris 1967.
DURKHEIM, E., *Les formes élémentaires de la vie religieuse*, Paris 1912.
GODDIJN, H. und W., *Sichtbare Kirche, Ökumene und Pastoral. Einführung in die Religionssoziologie*, Wien 1967.
LENK, K., *Ideologie, Ideologiekritik und Wissenssoziologie* (Soziologische Texte 4), Neuwied 1964.
MATTHES, J. (Hrsg.), *Internationales Jahrbuch für Religionssoziologie*. Bd. 1: *Religiöser Pluralismus und Gesellschaftsstruktur*, Dortmund 1965; Bd. 2: *Theoretische Aspekte der Religionssoziologie*, Dortmund 1966.
MOREL, G., *Approche de l'athéisme moderne*, in: *Etudes* 321 (1964) 467–486.
STEEMAN, TH. M., *The study of atheism. Sociological approach*, in: *Ido-c dossier* 20/21 und 21/22 (1966).
WACH, J., *Religionssoziologie*, Tübingen [4]1951.

Vladimir Šatura

Zur Psychologie des Glaubens und des Unglaubens

I. Zur Problemlage

Wenn man verstehen will, warum manche Menschen glauben, andere nicht glauben, kann man nicht beim intellektuellen Aspekt des Problems stehen bleiben. Der Glaube ist mehr als bloße Zustimmung des Verstandes zur Existenz Gottes oder zu einer Offenbarung, aber auch der Unglaube ist mehr als bloße Negierung solcher Inhalte. Es geht in dem einen und in dem anderen Fall um *eine ganzheitlich personale Lebenshaltung*, die sich auf alle Ebenen der Person auswirkt und an der alle Ebenen der Person mitwirken, nicht nur die Ebene der rationalen Erkenntnis und des Wollens. Man wird darum keine befriedigende Klärung des Problems des Atheismus erreichen, wenn man es nur philosophisch oder theologisch betrachtet.

Die überdimensionierten Anschauungen des „Modernismus", propagiert durch Nicht-Psychologen, haben in katholischen Kreisen auf Jahrzehnte hinaus jeden Versuch, an das Problem psychologisch heranzugehen, von vornherein ausgeschlossen. Es wurde befürchtet, daß man auf diese Weise „den Glauben verpsychologisieren", das heißt alles aus psychologischen Bedürfnissen erklären würde. Eine solche Anmaßung liegt heute jedem Religionspsychologen fern. Er weiß, daß *nicht nur die Psychologie* berufen ist, sich mit dem Problem des Glaubens und des Unglaubens zu befassen, daß ihr Beitrag also nur einen Aspekt der komplexen Problematik erfaßt. Zudem ist sich jeder Psychologe bewußt, daß er auch in seinem beschränkten Bereich nicht alles restlos erklären kann, sondern daß auch hier ein Rest des Unverständlichen übrigbleibt. Aber trotz all dieser Beschränkungen kann der psychologische Gesichtspunkt bei einer adäquaten Betrachtung des Problems nicht außer acht gelassen werden.

Die Religionspsychologie — und damit auch die Psychologie des Glaubens und des Unglaubens — befindet sich, infolge der durch den Modernismus bedingten Verzögerung, im *Anfangsstadium.* Erst seit etwa einem Jahrzehnt fängt man an, sich mit den einzelnen Aspekten des Problems mit Hilfe empirischer Methoden zu befassen. Es ist vor allem zu bedauern, daß wir noch nicht über eine genügend große Anzahl von statistischen Erhebungen verfügen. Zwar wurden bereits einzelne Meinungsbefragungen über Teilprobleme durchgeführt. Einige davon aber entsprechen nicht ganz den wissenschaftlichen Erfordernissen und können höchstens als das erste Abtasten dieses neuen Terrains betrachtet werden. Manche wurden von Nicht-Psychologen geplant und durchgeführt, aber sie bringen nicht immer Antworten auf jene Fragen, die den Psychologen am meisten interessieren und von denen er bei der denkerischen Verarbeitung ausgehen könnte. Die meisten von ihnen beziehen sich auf die religiöse Problematik von Jugendlichen, zum Beispiel von Studenten, oder auf die Besonderheiten der kindlichen Religiosität. Wenn diese Ergebnisse mit den Kenntnissen der allgemeinen Entwicklungspsychologie oder der Sozialpsychologie konfrontiert werden, liefern sie, wenn auch nicht ein sehr detailliertes, so doch ein ziemlich abgerundetes Bild dessen, was man genetische Religionspsychologie nennen könnte. Der Beitrag der Sozialpsychologie über den Akkulturationsprozeß des Kindes, sein Hineinwachsen in eine konkrete Kultur mit ihren Subkulturen und schon bestehenden sozialen Gruppen, ist nicht zu unterschätzen.

Das meiste aber, was wir heute psychologisch über diese Fragen wissen, verdanken wir der *Tiefenpsychologie.* Sie arbeitet nicht statistisch, sondern kasuistisch, hat aber Denkmodelle geschaffen und Gesichtspunkte eröffnet, die unser Wissen über das Werden der Person sehr bereichert haben. Ursprünglich hat FREUD dieses wissenschaftliche Instrumentar dazu benutzt, um die Religion zu bekämpfen. Wie paradox es auch klingen mag, seine Einsichten haben sehr viel dazu beigetragen, daß wir heute das religiöse und moralische Werden des Menschen besser — und zwar im positiven Sinne — verstehen. Wegen der großen Bedeutung des tiefenpsychologischen Ansatzes, über den noch viele Unklarheiten herrschen, soll hier mit der Klarstellung dieses Ansatzes begonnen werden.

Zuvor noch eine Vorbemerkung: Das Problem des Atheismus ist nicht von dem Problem des Glaubens zu trennen. *Glaube und Unglaube sind korrelativ.* Das Verständnis des einen hängt vom Verständnis des anderen ab. Die Gründe, warum der eine glaubt, der andere nicht glaubt, warum der eine vom Glauben abfällt, der andere sich zum Glauben bekehrt, müssen etwas Gemeinsames haben. Wir könnten sogar als eine Arbeitshypothese aufstellen, daß es sich um dieselben Ursachen handelt, nur daß sie das eine Mal anwesend, das andere Mal abwesend sind. Zudem sind wahrscheinlich der absolute Glaube und der absolute Unglaube rein theoretisch gedachte Extreme ein und derselben Linie, die kaum in der Wirklichkeit anzutreffen sind. Es scheint der Erfahrung zu entsprechen, was PETER WUST in seinem Buch *Ungewißheit und Wagnis* sagt, daß es nämlich kaum einen Menschen gebe, der lebenslang unerschüttert glaubte und seines Glaubens ständig absolut sicher wäre; wie es umgekehrt kaum einen Atheisten gebe, der keine Zweifel über seinen Unglauben hätte. Sowohl die einen wie die anderen fluktuieren im Verlauf ihres Lebens zwischen diesen beiden Polen, von denen sie sich einmal mehr, das andere Mal weniger entfernen; manchmal berühren oder überschneiden sie sich sogar. Darum wollen wir das Problem des Atheismus in unserer psychologischen Betrachtung nicht von dem Problem des Glaubens trennen, sondern beide zugleich vor Augen haben.

II. Freuds psychoanalytische Religionstheorie

Wer sich heute mit der Psychologie des Glaubens oder des Atheismus befaßt, kann nicht an FREUD vorbeigehen. Viele Atheisten nach ihm haben sich bei ihrer theoretischen Begründung des Unglaubens auf ihn berufen. FEUERBACH, MARX, NIETZSCHE und FREUD sind wohl die ursprünglichsten und einflußreichsten atheistischen Denker des letzten Jahrhunderts. Ihr Einfluß ist im späteren atheistischen Schrifttum deutlich spürbar. Sie waren kämpferische Atheisten. Freud selbst kennt die großen atheistischen Denker vor ihm und meint, er habe „nichts gesagt, was nicht andere, bessere Männer viel vollständiger, kraftvoller und eindrucksvoller vor mir gesagt haben. Die Namen dieser Männer sind bekannt; ich werde sie nicht anführen, es soll nicht der Anschein geweckt werden, daß ich mich in ihre Reihe stellen will. Ich habe bloß — dies ist das einzig Neue an meiner Darstellung — der Kritik meiner großen Vorgänger etwas psychologische Begründung hinzugefügt"[1]. Marx hat die Religion als Opium für das Volk erklärt, Freud als eine kollektive Neurose. Beide hielten die überirdische Welt für eine Projektion der unerfüllten Wünsche des Menschen, also für die Wirkung eines psychischen Mechanismus, dem in der psychoanalytischen Theorie eine zentrale Rolle zukommt.

Seit Freud seine psychoanalytische Interpretation der Religion vorgetragen hat[2], sind 30 bis 50 Jahre vergangen. Es herrschen aber immer noch viele Unklarheiten über seine Theorie. Es gibt nur wenige gründliche Auseinandersetzungen mit ihr. Allgemein ist bekannt, daß Freud, der Arzt, Psychotherapeut und Begründer einer berühmten psychologischen Schule war, mit allem Nachdruck die Meinung vertreten hat, die Religion sei *eine kollektive Neurose*, das heißt eine psychologische Krankheit, daß also die gläubigen Menschen psychisch kranke Menschen seien. Worin

---

1. S. FREUD, *Die Zukunft einer Illusion*, Wien 1927, S. 57.
2. In den Werken: „*Totem und Tabu*", „*Zukunft einer Illusion*", „*Das Unbehagen in der Kultur*".

aber diese Neurose besteht und welche Gründe Freud für seine Behauptung bringt, ist weniger bekannt. Wir wollen versuchen, dies klarzustellen.

Neurose ist bekanntlich eine allgemeine Bezeichnung für mehrere Formen von psychischen Störungen. Die bekanntesten darunter sind: die Zwangsneurose, die Angstneurose, die Hysterie, die Neurasthenie. Es handelt sich um wirkliche psychische Störungen, die sich voneinander durch Symptomatik und Ätiologie unterscheiden. Welche Form der Neurose ist in der Sicht Freuds die Religion? Freud sagt es nirgends deutlich und klar. Er nennt die Religion eine Regression in das frühere Entwicklungsstadium. Darin liegt aber ein gemeinsamer Zug aller Formen der neurotischen Störung. Erst wenn man mehrere Texte miteinander konfrontiert, findet man, daß es sich um eine Art *Angst*neurose handeln müsse. Die letzte treibende Kraft der religiösen Gläubigkeit sieht Freud im Erlebnis der Kontingenz, des Ausgeliefertseins und der Bedrohung des Menschen sowie in der Suche nach Schutz und Geborgenheit. Das Leben stellt den Menschen von Anfang an häufig vor Situationen, die er mit eigenen Kräften nicht meistern kann und die nicht nur sein Glück, sondern auch seine Existenz bedrohen. Das kleine Kind findet in solchen Situationen Hilfe und Schutz bei den Eltern. Der erwachsene Mensch schützt sich, wenn er solche Situationen nicht realistisch und sachlich meistern kann, in seiner Ratlosigkeit dadurch, daß er eine unsichtbare, transzendente Welt fingiert und in sie jene Eigenschaften des Vaters projiziert, die ihm in seiner Kindheit Schutz und Geborgenheit verschafft haben. Auf diese Weise wird er seine Angst vor der Bedrohung des Lebens und der Unsicherheit der Zukunft los. Er findet Abhilfe in einer Illusion, die nach der kindlichen Form der Problembewältigung, die damals erfolgreich war, konstruiert ist. Deshalb geht es hier um eine Regression in das Entwicklungsstadium der Kindheit. Die Problemlösung des Kindes war real, die des Erwachsenen ist irreal. Sie führt ihn von der Wirklichkeit weg. Der Verlust der Wirklichkeit ist krankhaft. Die realistische Bewältigung würde sich nur natürlicher Kräfte bedienen, vor allem

jener, die dem heutigen Menschen Wissenschaft und Technik liefern. Momentan ist die Menschheit noch nicht so weit, um alles
wissenschaftlich erklären und meistern zu können. Das wird aber
kommen. Freud wie der ganze Szientismus des letzten Jahrhunderts ist davon fest überzeugt. Er glaubt an die Allmacht und
Allwissenheit der Wissenschaft in der Zukunft. Man könnte mit
Recht darauf hinweisen, daß hier der eine Glaube durch einen
anderen ersetzt wird. Beide sind Projektionen, beide sind escha-
tologisch, beide operieren mit denselben Attributen „Gottes".

Wenn man die betreffenden Werke Freuds aufmerksam liest,
findet man folgendes:

1. Die Argumente zur Erhärtung seiner Theorie nimmt Freud
nicht aus seiner ärztlichen und therapeutischen Praxis. Und seine
Behauptung, daß die Religion eine Neurose sei, belegt er nicht mit
konkreten Krankheitsgeschichten, aus denen man sehen würde,
daß bei religiös lebenden Menschen die Ursache der neurotischen
Erkrankung in ihrem Glauben liege. Keinen einzigen Beweis dieser
Art findet man bei Freud, *keine einzige Krankheitsgeschichte*. Dies
zu unterstreichen scheint mir sehr wichtig: Wenn Freud die Religion für eine Neurose erklärt, tut er das nicht aufgrund seiner
positiven wissenschaftlichen Forschung oder seiner ärztlichen und
therapeutischen Praxis.

2. Das Material, dessen sich Freud bei seiner Argumentation
bedient, ist überwiegend *völkerkundlich und religionsgeschicht-
lich*. „Die nachstehenden vier Aufsätze ... entsprechen einem ersten Versuch von meiner Seite, Gesichtspunkte und Ergebnisse
der Psychoanalyse auf ungeklärte Probleme der Völkerpsychologie
anzuwenden."[3] Dieses völkerkundliche Material stammt selbstverständlich nicht aus seiner eigenen Forschung. Er entnimmt es
den Publikationen der Völkerkunde und der Religionsgeschichte
des letzten Jahrhunderts. Diese waren vom Geiste des Szientismus
— eines Wissenschaftsabsolutismus — und der Aufklärung bestimmt: „. . . eine Vergleichung der ‚Psychologie der Naturvölker',

---

3. S. FREUD, *Totem und Tabu*, Wien [4]1925, S. 3.

wie die Völkerkunde sie lehrt, mit der Psychologie der Neurotiker, wie sie durch die Psychoanalyse bekannt geworden ist", wird „zahlreiche Übereinstimmungen aufweisen müssen, und wird uns gestatten, bereits Bekanntes hier und dort in neuem Lichte zu sehen ... Aus äußeren wie aus inneren Gründen wähle ich für diese Vergleichung jene Völkerstämme, die von den Ethnographen als die zurückgebliebensten, armseligsten Wilden beschrieben worden sind, die Ureinwohner des jüngsten Kontinents, Australien, der uns auch in seiner Fauna soviel Archaisches, anderswo Untergegangenes, bewahrt hat."[4] Freud interessiert sich fast ausschließlich für das religiöse und moralische Leben dieser *primitiven Völker*. Das Verhalten des Neurotikers zeigt aber zahlreiche Übereinstimmungen mit dem religiösen und moralischen Verhalten des primitiven Menschen. Also ist auch dieses neurotisch zu nennen. Es besteht weiter eine Verbindung zwischen der religiösen Haltung des Primitiven, der Lebenserfahrung des Kindes und dem Kern der Religiosität überhaupt, nämlich durch die Vatersehnsucht und den Vaterkomplex. „Es ist natürlich meine Aufgabe, die Verbindungswege zwischen dem früher Gesagten und dem jetzt Vorgebrachten, der tieferen und der manifesten Motivierung, dem Vaterkomplex und der Hilflosigkeit und Schutzbedürftigkeit des Menschen aufzuzeigen. Diese Verbindungen sind nicht schwer zu finden. Es sind die Beziehungen der Hilflosigkeit des Kindes zu der sie fortsetzenden des Erwachsenen, so daß, wie zu erwarten stand, die psychoanalytische Motivierung der Religionsbildung der infantile Beitrag zu ihrer manifesten Motivierung wird."[5] Auf dem Umweg über die Religiosität der primitiven Völker und ihre auffällige Übereinstimmung mit manchen Formen der Neurosen glaubt Freud bewiesen zu haben, daß die Religion an sich, ihrem Wesen nach, eine Neurose sei. Wie man sieht, ist es eine komplizierte Beweisführung, in der die Spekulation und das Theoretisieren eine größere Rolle spielen als das positive Wissen.

4. S. FREUD, *Totem und Tabu*, Wien [4]1925, S. 5 f.
5. S. FREUD, *Die Zukunft einer Illusion*, Wien 1927, S. 34 f.

III. Zur Beurteilung von Freuds Religionskritik

Wenigstens zwei von Freuds Voraussetzungen haben seitdem ihre *Beweiskraft verloren:* der Szientismus und die damalige Religionsgeschichte. Geändert hat sich auch das Menschenbild, das Freud vorgeschwebt hat, ohne es je ausdrücklich zu formulieren: Es war eine individualistische Vorstellung vom Menschen, der, wenigstens im Erwachsenenalter, sich selbst genügen soll.

Heute sind es, soweit ich sehe, nur noch wenige mehr spekulativ orientierte Freudianer, die an der Religionstheorie Freuds festhalten. Seine Schule geht zumeist in eine andere Richtung. Sie konfrontiert die Anschauungen Freuds ständig mit der Wirklichkeit, um zu sehen, was daran dauerhaften Wert hat und was zeitbedingt war. Freuds Psychopathologie und Psychotherapie wird berichtigt und ergänzt, seine Kultur- und Religionsphilosophie kaum beachtet, seine „der barbarischen Justiz entnommene Terminologie" (Franz Alexander) vielfach fallengelassen.

Es ist nicht meine Absicht, hier die Geschichte des religiösen Problems innerhalb der psychoanalytischen Schule zu rekapitulieren. Nur auf eine Publikation der letzten Jahre möchte ich hinweisen, die meiner Ansicht nach eine besondere Beachtung verdient: *„Psychoanalyse des modernen Atheismus"* von Ignace Lepp. Der Autor war selbst Psychoanalytiker und bis zu seinem 27. Lebensjahr Atheist. Kein anderes Werk hat meines Wissens die Einseitigkeit der Feudschen Religionsauffassung mit Hilfe desselben wissenschaftlichen und begrifflichen Instrumentars richtiggestellt wie dieses Werk. Es ist ihm vor allem gelungen, in überzeugender Weise darzulegen, daß es auch einen neurotischen Atheismus gibt. Aus der Theorie Freuds mußte man nämlich logisch schließen, daß nur der Atheist ein psychisch gesunder Mensch sei, da der religiöse Mensch ein Neurotiker ist. Lepp bringt aus seiner therapeutischen Praxis ausführliche Analysen von Atheisten-Neurotikern, deren Neurose ihre Wurzeln gerade in ihrem Atheismus hat. Wenn zum Beispiel die Tochter eines atheistischen Lehrers einen weiten Bogen um jede Kirche macht, wenn für sie jede Kirche ein Tabu ist, so daß sie nicht einmal aus kunsthistorischem Interesse sie zu betreten wagt, und wenn sie endlich jede Freude am Leben verliert, so handelt es sich in diesem Fall um eine echte Neurose. Wenn ein ungläubiger Intellektueller, der mit einer gläubigen Frau verheiratet ist, anstatt sich mit dem religiösen Problem offen auseinanderzusetzen, dieses verdrängt, entwickelt sich bei ihm eine krankhafte Angst vor dem Tode, die ihn ständig quält. Andere wieder verwandeln ihre frustrierte Liebe zu einem religiösen Menschen in Haß und übertriebene Aggressivität gegen die Religion als solche. Lepp will selbstverständlich nicht beweisen, daß alle Atheisten Neurotiker sind. Damit würde er denselben Fehler begehen, den Freud gemacht hat, nur mit umgekehrten Vorzeichen. Es ist aber gut zu wissen, daß es Atheisten gibt, die Neurotiker geworden sind, weil sie sich mit der religiösen Problematik nicht ernsthaft auseinandersetzten, sondern sie verdrängten. Lepp kommt daher zu folgender Schlußfolgerung:

Es gibt sowohl Gläubige wie Atheisten, die psychisch gesund sind und denen man keine psychische Störung nachweisen kann.

Es gibt sowohl Gläubige wie Atheisten, die neurotisch sind, deren Neurose aber in keinem Zusammenhang mit ihrem Glauben oder Unglauben steht.

Und es gibt sowohl Gläubige wie Atheisten, deren Neurose durch Verdrängung der religiösen Problematik ausgelöst wurde.

Diese Schlußfolgerung ist einleuchtend, und sie scheint der psychotherapeutischen Praxis durchaus zu entsprechen. Weder der Theismus als solcher noch der Atheismus an sich führten zu einer Neurose, sondern lediglich die Verdrängung der Probleme, die sich in diesem Zusammenhang stellen.

Lepp versucht zudem, auch die Lebensschicksale der Begründer des modernen Atheismus (MARX, NIETZSCHE, SARTRE u. a.), soweit diese aus ihren Biographien bekannt sind, einer Psychoanalyse zu unterziehen. Manche Hinweise in der Analyse von Marx und einigen Marxisten als auch von Sartre und einigen Existentialisten sind sehr aufschlußreich.

Die Analyse der konkreten Lebensgeschichten neurotischer

Atheisten ist aber nicht nur deswegen wertvoll, weil sie die eben erwähnte allgemeine Schlußfolgerung möglich macht. Ihr besonderer Wert liegt darin, daß sie plastisch und anschaulich zeigt, welche Faktoren in der persönlichen religiösen Entwicklung eine entscheidende Rolle spielen. An sich ergibt sich daraus für den Psychologen nichts völlig Neues. Er findet darin aber eine Bestätigung, eventuell auch eine Akzentuierung dessen, was man aus Tiefenpsychologie, Entwicklungs- und Sozialpsychologie schon weiß. Wir wollen versuchen, im folgenden diese Ergebnisse zusammenzufassen, indem wir die für den Glauben oder den Unglauben entscheidenden Momente im Verlaufe des individuellen Lebens hervorheben.

IV. Forschungsergebnisse zur Glaubensproblematik

Die psychologische Betrachtung der Glaubensproblematik interessiert sich selbstverständlich nur für die empirisch feststellbaren Bedingungen des Glaubens oder Unglaubens an konkreten Menschen unserer Kultur, nicht für den Glauben an sich. Wir können das heutige psychologische Wissen über dieses Thema folgendermaßen zusammenfassen:

1. *Glaube und Religion sind nicht angeboren.* Ob eine Neigung zur Religion angeboren sei, kann die empirische Psychologie nicht entscheiden. Sie findet kaum eine spezifische Tendenz, die man von den allgemeinen Neigungen des Menschen unterscheiden könnte oder müßte. Auf jeden Fall sieht sie keinen Grund, so etwas anzunehmen. Mit anderen Worten bedeutet das: Der Glaube und die Religion im Vollzug sind erworben oder gelernt. Das bezieht sich nicht nur auf die religiösen Vorstellungen und Ideen sowie auf das kultische Verhalten, sondern auch auf den Glauben als eine personale Lebenshaltung. Darin liegt die enorme Bedeutung dessen, was dem Menschen auf seinem Lebensweg begegnet, was er erfährt und wie er es erlebt.

2. Entscheidend für das weitere Glaubensschicksal des Men-

schen ist von Anfang an *die Identifikation mit den Personen*, die glauben oder nicht glauben. Eine solche Identifikation kommt schon in den ersten Lebensmonaten zustande und vertieft sich im Verlaufe der ersten Lebensjahre. Sie bezieht sich normalerweise auf die eigenen Eltern, zuerst auf die Mutter, dann auf den Vater. Die Wichtigkeit dieses Moments liegt zunächst darin, daß hier zum erstenmal die Begegnung mit einer anderen Person erfahren wird. Man sagt, die Mutter ist die Brücke zur übrigen personalen Welt. Hier wird so etwas wie ein Modell der personalen Begegnung überhaupt geschaffen, das später auf andere Personen übertragen wird. Die Ursache von späteren Kontaktstörungen liegt meist in der gestörten Beziehung zur Mutter in der ersten Kindheit. Zweitens aber ist die Identifikation die beste Voraussetzung, um mühelos in die betreffende Kultur hineinzuwachsen und sich sowohl Erkenntnisinhalte als auch Verhaltensweisen und Haltungen anzueignen. Auf dem Weg der ersten Identifikation wird die Lebenshaltung der Eltern übernommen, ihre Weltanschauung usw., und darum auch ihr Glaube oder Unglaube. Was auf diese Weise erworben wird, geht weit tiefer in die Person ein, als was durch Belehren und Befehlen oder durch zielbewußtes Lernen angeeignet wird. In unserer speziellen Problematik kann man aber die folgende interessante Erscheinung beobachten: Für einen späteren gesunden Glauben ist wichtiger die ungestörte Identifikation mit den Eltern (vor allem mit dem Vater), auch wenn diese nicht glauben (vorausgesetzt, daß sie keine kämpferischen Atheisten sind), als eine gestörte Identifikation mit dem Vater, der glaubt. Im ersten Falle findet der Mensch leichter den Weg zum Glauben, im zweiten wird seine Beziehung zu Gott gestört bleiben, und trotz ernsthaften Bemühens wird es ihm nur schwer gelingen, Gott echt persönlich zu begegnen. Er spürt ständig so etwas wie eine Schranke zwischen sich und Gott. Dagegen scheint der Mensch im Fall einer harmonischen Identifikation den Glauben an die Harmonie der Welt überhaupt, an den Sinn der menschlichen Existenz in sein Leben mitzubringen, und damit die beste Voraussetzung, um später nach Gott zu suchen.

Die Anbahnung des weiteren religiösen Lebens vollzieht sich in der ersten Kindheit auch in einer anderen Hinsicht: Das Kind erlebt (selbstverständlich ohne darauf zu reflektieren) seine eigene Kontingenz und seine *Abhängigkeit von anderen Personen*. Der erste Gott für das Kind sind seine eigenen Eltern. In sie projiziert das Kind die für den Menschen relevanten Attribute Gottes: das Allwissen, die Allmacht; es sieht in ihnen die oberste moralische Instanz, die über Gut und Böse entscheidet, belohnt oder bestraft. Bei ihnen findet das Kind die Geborgenheit und die existentielle Sicherheit. Man kann sagen, daß in der ersten Kindheit die Grundsteine der weiteren Entwicklung der Person gelegt werden, auch jene ihres Glaubens und ihrer Religiosität.

3. Den zweiten wichtigen Schritt macht das Kind ungefähr nach der ersten Pubertät oder am Anfang des Schulalters. Der gesamte Lebenshorizont wird erweitert, die Eltern verlieren ihre göttlichen Attribute, weil das Kind entdeckt, daß sie von öffentlichen Organen abhängen, daß der Lehrer mehr weiß als sie und daß sie doch nicht alles leisten können. *Das gemeinschaftliche Leben* außerhalb der Familie und die Komplexität seiner Struktur werden nun schrittweise entdeckt: die Schulklasse, die Kirche, die Gemeinde. Das Kind identifiziert sich jetzt mit der Gemeinschaft, das heißt mit jener sozialen und kulturellen Gruppe, in der sich sein Leben vollzieht, und von ihr übernimmt es all das, was man unter Kultur und Zivilisation versteht. Wenn das religiöse Credo dieser Gruppe mit jenem seiner Eltern übereinstimmt, verfestigt sich der Glaube in der Seele des Kindes; wenn nicht, entsteht ein innerer Konflikt in ihm, der dann auf irgendeine Weise bewältigt werden muß, wenn er den Menschen nicht lebenslang belasten soll. Die Attribute Gottes werden jetzt im Erlebnis des Kindes (nicht in den gelernten verbalisierten Inhalten) auf die Gemeinschaft übertragen, obwohl diese keine so klar umgrenzten Konturen ihrer Individualität aufweist, wie es bei den Eltern der Fall war.

Die Bedeutung des sozialen Faktors für den Glauben des Menschen zeigt sich zum Beispiel darin, daß sich die Atheisten jüdischer Abstammung, die im Westen aufgewachsen sind, in der

Bekämpfung der Religion nicht in erster Linie gegen die jüdische Religion, sondern gegen das Christentum richten. Ihr Atheismus entsteht als Reaktion gegen jene Gesellschaft, die sich trotz aller Mängel für christlich hält, aber die in ihrer Mitte lebenden Juden nicht akzeptiert, sondern sie ablehnt und darum ihnen eine echte Identifizierung mit dieser Gesellschaft unmöglich macht. Das kann man sowohl bei Marx als auch bei Freud und anderen europäischen Juden des vorigen und dieses Jahrhunderts beobachten, wie es Ignace Lepp in dem oben genannten Werk klar herausstellt.

Nur nebenbei sei bemerkt, daß der tiefgehende Einfluß des sozialen Faktors in der Missionstätigkeit der Kirche bisher zumeist unterschätzt wird; darin dürfte auch ein Grund dafür liegen, daß die Arbeit der Missionare trotz der enormen Anstrengung und des großen Idealismus so wenig Erfolg hat. Gegen die Kraft der unbewußten Identifikation kann das bewußte Belehren und Ermahnen nur sehr wenig ausrichten. Es wäre wirklich wünschenswert, daß man die Missionsarbeit unter diesem Gesichtspunkt überprüft und neu begründet.

4. Während der sogenannten *Jugendkrise*, im Alter von 16 bis 18 Jahren, versucht der Jugendliche all das, was er bewußt oder unbewußt bisher gelernt hat, einer persönlichen Kritik zu unterziehen. Es ist zugleich auch das Alter der ersten Glaubenskrise, die eine normale und gesunde Erscheinung ist. Da das Feld der religiösen Inhalte sehr groß ist, kann sich der Jugendliche nur mit einigen wenigen Aspekten seines Glaubens auseinandersetzen. Wenn die Überprüfung zugunsten des Glaubens ausfällt, wird er impliziert auch alles Übrige akzeptieren; wenn nicht, wird er alles ablehnen.

Es sei in diesem Zusammenhang darauf hingewiesen, daß es bei der Glaubensproblematik eines Menschen äußerst wichtig ist, diese nicht absolut, sondern immer unter dem Gesichtspunkt des Werdens der Person zu betrachten. Nicht nur die Struktur der Person im allgemeinen ändert sich stetig im Verlauf des Lebens, sondern auch die Gestalt des Glaubens. Die Erwachsenen neigen dazu, den Glauben der Kinder und der Jugendlichen nach ihrer eigenen aktuellen Form zu beurteilen und zu behandeln. Glaubenskrise, Zweifel, Bekehrung usw. werden leicht verabsolutiert, obwohl sie eigentlich in einem bestimmten Lebensstadium eine normale Erscheinung sind. Wenn man die religiöse Problematik im Kontext der jeweiligen Persönlichkeitsstruktur sieht, wird man sie besser deuten und behandeln können. Diese genetische Sicht vermissen wir oft nicht nur in den theologischen oder philosophischen, sondern ebenso in den tiefenpsychologischen Schriften über diese Problematik.

5. Das weitere Schicksal der Glaubenshaltung einer Person wird bei den meisten Menschen durch *die Identifikation mit dem Ehepartner* beeinflußt. Das wird am meisten übersehen und vernachlässigt. Im allgemeinen ist man der Meinung, der „reife" Mensch sei in seiner Persönlichkeit so gefestigt, daß sich in ihm nichts mehr ändert, was von Bedeutung wäre. Aber gerade jene Fälle, die Ignace Lepp in seinem Werk analysiert, zeigen überzeugend, wie tief die Identifikation in der Ehe gehen und wie stark sie auch die Glaubenshaltung des Partners prägen kann. Man muß auch hier sagen: Wenn die Glaubenshaltung des Partners nicht mit der bisherigen eigenen Entwicklung übereinstimmt und die Identifizierung mit dem Partner echt ist, führt dies regelmäßig zu inneren Konflikten, die in manchen Ehen glücklich gelöst werden, in anderen aber mehr oder weniger unterschwellig das ganze Eheleben begleiten und belasten.

Die religiöse Entwicklung des Menschen hört aber auch dann nicht auf. Im Verlauf des weiteren Lebens nimmt der Glaube neue Formen an, die bisher aber nicht positiv untersucht wurden, sondern nur aufgrund einer außerwissenschaftlichen Beobachtung mehr oder weniger bekannt sind. Es wird die Aufgabe der Religionspsychologie sein, die Besonderheiten des weiteren Verlaufs zu erforschen.

In einem Rückblick auf das Gesagte läßt sich wohl zusammenfassend sagen: Der Glaube zeugt den Glauben, der Unglaube zeugt den Unglauben. Sowohl der eine als auch der andere wird von der Person auf die Person übertragen. Die wichtigste Voraussetzung dafür liegt in der Identifikation mit der Person, die den Glauben hat oder nicht hat.

So weit geht die psychologische Beleuchtung des Problems. Man merkt jedoch gleich, daß es nicht die „letzte" Antwort ist. Dem Leser stellen sich weitere Fragen: Wenn der Glaube von einer Person in einer anderen Person gezeugt wird, wie kam der erste Mensch überhaupt zum Glauben? Welchen fundamentalen Bedürfnissen der menschlichen Natur entspricht er? Der Suche nach dem Sinn des Lebens? Der Flucht vor der Sinnlosigkeit? Wieso hat sich der Glaube durch alle Generationen aufrechterhalten, nicht abgenutzt, wieso ist er nicht untergegangen? Wir kennen in der Geschichte der Kulturen Perioden der Intensivierung und Perioden der Erschlaffung des religiösen Lebens, aber keinen Untergang. Dies läßt vermuten, daß der religiöse Glaube von Kräften getragen wird, die mit der Natur des Menschen als solcher zusammenhängen. Worin bestehen sie? Diese und andere ähnliche Fragen zu beantworten, sind Philosophie und Theologie berufen. Diese Disziplinen aber werden kaum etwas Sachliches sagen können, wenn sie nicht unter anderem auch jene positiven Daten berücksichtigen und von ihnen ausgehen, die die empirische Psychologie bisher zusammengetragen hat.

Bibliographie

ALLPORT, G. W., *The individual and his religion. A psychological interpretation*, New York 1950.
FREUD, S., *Totem und Tabu*, Wien [4]1925.
DERS., *Das Unbehagen in der Kultur*, Wien 1930.
DERS., *Die Zukunft einer Illusion*, Wien 1927.
GODIN, A., *De l'expérience à l'attitude religieuse*, Bruxelles 1964.
GOLDMAN, R., *Religious thinking from Childhood to adolescence*, London 1964.
LEPP, I., *Psychoanalyse des modernen Atheismus*, Würzburg [2]1963.
MEILER, W., *Grundformen und Fehlformen der Religiosität und Gläubigkeit des Kindes*, Würzburg 1966.

MEISSNER, W. W., *Annotated bibliography in religion and psychology*, New York 1961.

VERGOTE, A., *Psychologie religieuse*, Bruxelles 1966.

L'étudiant et la religion. Analyse de certains aspects du phénomène religieux dans le monde étudiant parisien, Paris 1966.

Johannes B. Lotz

Von der vorwissenschaftlichen Gewißheit im Hinblick auf die Atheismus-Frage

I. Einführende Bemerkungen

1. Der Atheismus unserer Tage beruft sich häufig auf die *Wissenschaft*, indem er behauptet, er allein sei wissenschaftlich, werde von den Ergebnissen der Wissenschaft nicht nur nahegelegt, sondern sogar gefordert. Der Glaube an Gott hingegen sei *unwissenschaftlich*, finde in der wissenschaftlichen Forschung keine Fundamente, ja werde von ihr widerlegt; er entspringe dem naiven, wissenschaftlich nicht geläuterten Bewußtsein, von dem nie Wahrheit zu erwarten sei und das deshalb der Kritik einer unvoreingenommenen Wissenschaft nicht standhalte. — Eine allseitige Stellungnahme zu derartigen Auffassungen überschreitet den Rahmen unseres Themas; doch seien, bevor wir unsere eigentliche Aufgabe angehen, wenige Bemerkungen gestattet.

Erstens wird oft ein zu enger Begriff von Wissenschaft ohne hinreichende kritische Besinnung angenommen; wenn man sie mit *empirisch verifizierbarer* Forschung gleichsetzt, ist die Philosophie von vornherein aus der Wissenschaft verbannt. Weil aber der Aufstieg zu Gott von der so bestimmten Wissenschaft nicht geleistet werden kann und deshalb in ihr nicht vorkommt, wird er als unwissenschaftlich abgetan.

Zweitens tritt in letzter Zeit die *Philosophie* wieder als Wissenschaft, sogar als strenge Wissenschaft auf, wenn auch um den Preis, daß sie sich auf eine *positivistisch* geprägte Wissenschaftstheorie und vor allem Sprachphilosophie zurückzieht. Insofern aber diese kraft ihrer Voraussetzungen nicht imstande ist, zu Gott vorzudringen, sieht es wiederum so aus, als ob der Aufstieg zu

Gott aus der Wissenschaft herausfalle und daher unwissenschaftlich sei.

Drittens werden in diesem Zusammenhang aus den gesicherten Ergebnissen der Wissenschaft Folgerungen bezüglich der Gottesfrage gezogen, die über jene Ergebnisse weit hinausgehen und durch sie keineswegs gerechtfertigt sind. Der Grund dafür liegt darin, daß die Wissenschaftler das Wesen ihrer Wissenschaft sowie deren Reichweite von ihren Methoden her nicht gründlich genug durchdacht haben, weshalb sie zur *Grenzüberschreitung* neigen; dabei übertragen sie nur allzu leicht die Zuständigkeit, die ihnen diesseits der Grenze oft in hervorragendem Maße zukommt, auf das, was jenseits der Grenze liegt und für das sie wenigstens vermöge ihrer Wissenschaft nicht zuständig sind. Insbesondere heben wir den Trugschluß hervor, der daraus, daß eine Wissenschaft mit ihren Methoden Gott nicht erreicht oder von ihm absieht, entnimmt, Gott sei überhaupt nicht zu finden, ja existiere gar nicht.

Viertens dürfen berechtigte Zweifel an der Unvoreingenommenheit der Wissenschaft vorgebracht werden; obwohl sie an sich zu deren Wesen gehört und das Streben der Forscher ständig befeuert, wird sie nicht von ihnen allen in derselben Vollendung verwirklicht. *Vor-urteile* trüben vielfach den Blick der Wissenschaftler, besonders dann, wenn sie ihnen nicht bewußt werden oder nicht durch eine unerbittliche Kritik als solche erkannt und damit unschädlich gemacht werden. Solche Vor-urteile entspringen etwa aus dem Trend der Zeit, aus religiösen Überzeugungen oder aus als unanfechtbar vertretenen Ideologien. Im religiösen Bereich bietet dafür der Fall Galilei ein deutliches Beispiel; dem ideologischen Einfluß unterliegen nicht wenige marxistische Denker. — Im Rückblick auf diese beiden Punkte ist zu sagen, daß der aus Grenzüberschreitung oder Vor-urteilen stammende Atheismus gewiß als unwissenschaftlich erscheint und daher den Glauben an Gott nicht widerlegen kann.

Fünftens spielt bei unserer Frage eine terminologische Schwierigkeit eine Rolle; indem man nämlich das *Glauben* mit dem ungewissen und häufig *subjektiven Meinen* oder gar nur Vermuten gleichsetzt, schließt man es von der Wissenschaft aus, die auf objektives und sicheres Wissen zumindest hinzielt. Damit wird der vorwissenschaftliche Glaube an Gott wiederum als unwissenschaftlich hingestellt; zugleich wird nicht beachtet, daß der Glaube im christlichen und auch im existentialen Sinne Gewißheit, ja unbedingte Gewißheit besagt, die nicht der Wissenschaft widerstreitet, sondern sie einschließt, überschreitet und vollendet.

2. Diese Bemerkungen können und sollen dazu beitragen, ebenso einen unkritischen *Aber-glauben* bezüglich der Wissenschaft zu erschüttern wie ein unberechtigtes *Mißtrauen* gegenüber dem vorwissenschaftlichen Bewußtsein zu beseitigen. In dieser Hinsicht verdienen zwei Aussprüche von *Goethe* trotz ihrer Einseitigkeit Beachtung: „Man glaubt nicht, wie viel Totes und Tötendes in den Wissenschaften ist, bis man mit Ernst und Trieb selbst hineinkommt. Und durchaus scheint mir die eigentlichen wissenschaftlichen Menschen mehr ein sophistischer als ein wahrheitsliebender Geist zu beleben" (Brief an K. L. von Kuebel vom 12. I. 1798); dazu: „Es bleibt immer gewiß: dieses so geartete und verachtete Publikum betrügt sich über das Einzelne fast immer und über das Ganze fast nie" (Brief an Ch. von Stein vom 10. XII. 1781). — Die Situation, die Goethes Worte umreißen, hat sich seit damals bedeutend geändert. Ohne jeden Zweifel wird die Wissenschaft heute von der Wahrheitsliebe als ihrem führenden Ethos bestimmt; doch behält Goethe insofern recht, als die Wissenschaft kein absoluter Garant der Wahrheit ist, sondern auch in der Gegenwart sophistischen *Entartungen* verfallen kann und tatsächlich verfällt, wie unsere Bemerkungen zeigen. Zugleich hat genau wie in der Goethezeit das Publikum oder das vorwissenschaftliche Bewußtsein unserer Tage die *Befähigung* zum Finden der Wahrheit nicht verloren; doch ist es weiter als früher von der Wahrheit abgewichen, weshalb es sich auch tiefgreifender in den Irrtum, selbst in grundlegende Irrtümer, verstrickt.

Näher läßt sich der hier gemeinte Wandel mit Goethes Gegenüberstellung zwischen dem Einzelnen und dem Ganzen erläutern. Wie die gegenwärtigen Erfolge der *Wissenschaft* beweisen, ergreift sie das *Einzelne* immer umfassender nach allen in ihm enthaltenen Einzelheiten; darauf aufbauend sucht sie auch das *Ganze* in den Blick zu bekommen. Obwohl dieses in gewissen Ansätzen erreicht wird, so macht sich doch auch das Verfehlen des Ganzen bemerkbar, indem man es entweder aus einem zu begrenzten Ausschnitt des Einzelnen verkürzt entwirft oder meint, es mit derselben Methode, wie sie dem Einzelnen gemäß ist, bestimmen zu können. — Was das *vorwissenschaftliche* Bewußtsein angeht, so wird es immer unaufhaltsamer von den Ergebnissen der Wissenschaft durchdrungen. Dadurch gewinnt es eine sich ständig ausdehnende Kenntnis des *Einzelnen*, weshalb es sich nicht mehr im selben Maße wie früher über dieses betrügt. Zugleich wird es so sehr vom Einzelnen in Anspruch genommen, daß die ihm an sich eigene Offenheit für das *Ganze* verstellt wird und dieses schließlich seinem Blick entschwindet; hierbei verfällt es auf seine oft vergröbernde Weise den Unzulänglichkeiten, die eben bei der Wissenschaft angedeutet wurden. — Nach allem liegt eine *Angleichung* des vorwissenschaftlichen an das wissenschaftliche Bewußtsein vor, nicht nur Vorteile, sondern auch Nachteile mit sich bringt; insbesondere droht das vorwissenschaftliche Bewußtsein die dafür kennzeichnende Eigenständigkeit zu verlieren, weshalb es fast als eine primitivere Gestalt des wissenschaftlichen Bewußtseins erscheint, die sich von diesem nur noch durch Unklarheiten und Irrtümer oder durch methodische Unsauberkeit unterscheidet. Nach dieser Meinung erschöpft sich das Verhältnis der Wissenschaft zum vorwissenschaftlichen Bewußtsein darin, daß dieses durch jene geläutert und korrigiert wird; dieses enthält aber nichts Eigenes und Positives, womit es eine Bereicherung und Wegweisung für jene beisteuern könnte.

3. Im Gegensatz zu dem skizzierten Trend unserer Zeit suchen die folgenden Darlegungen die *Eigenständigkeit des vorwissenschaftlichen Bewußtseins* gegenüber der Wissenschaft herauszuarbeiten. Damit stimmt überein, daß nach dem alten Spruch „Primum vivere, dein philosophari" das vorwissenschaftliche Hellwerden dem wissenschaftlichen Nach-denken vorausgeht und

dieses nie den Reichtum, der in jenem aufleuchtet, ganz auszuschöpfen vermag. Selbstverständlich soll damit die kritische Aufgabe der Wissenschaft am vorwissenschaftlichen Bewußtsein nicht geleugnet oder auch nur beeinträchtigt werden, da es immer wieder der Läuterung, der Korrektur und der Erfüllung durch *das Einzelne* bedarf. Zugleich jedoch gilt es *das Ganze* nicht zu übersehen, das im vorwissenschaftlichen Bewußtsein als dessen bewegende Dynamik immer schon am Werk ist. — Freilich ist angesichts der heutigen Verfassung des Menschen im vorwissenschaftlichen Bewußtsein selbst zwischen wenigstens *zwei Schichten* zu unterscheiden. Zunächst bietet sich dieses Bewußtsein in seinem alltäglichen oder meist auftretenden Zustand dar, für den das Ganze *verschüttet* ist und deshalb unbeachtet bleibt. Doch wird es deshalb nicht völlig ausgeschaltet und unwirksam, weil sich in der ersten Schicht wesentlich die zweite verbirgt und zugleich zeigt; diese aber ist dadurch gekennzeichnet, daß in ihr das Ganze wirksam bleibt und sich als der tragende Grund des Einzelnen bemerkbar macht. Allein wer demnach durch die überlagernde erste Schicht zu der überlagerten zweiten Schicht vorstößt, vermag das Eigene und Positive des vorwissenschaftlichen Bewußtseins und damit seinen möglichen Beitrag auch zur Wissenschaft zu entdecken.

Blicken wir von dem bisher Gesagten auf die Gottesfrage, auf *den Atheismus und den Gottesglauben* hin, so sehen wir sowohl in der Wissenschaft als auch im vorwissenschaftlichen Bewußtsein Ansatzpunkte für den Atheismus. Insofern nämlich der Mensch das Einzelne vom Ganzen trennt, bleibt er im *Vorletzten* befangen oder verliert er das Letzte und damit Gott aus dem Blick und gleitet folglich in den Atheismus ab. Soweit es ihm hingegen gelingt, im Einzelnen und durch das Einzelne zum Ganzen zu gelangen, geht ihm durch das Vorletzte das *Letzte* auf, kommt er folglich zu Gott oder erhebt er sich zum Gottesglauben. Aus diesem, der dem vorwissenschaftlichen Bewußtsein angehört, kann und wird sich dann auch ein *Wissen von Gott* auf die Weise von Wissenschaft entfalten. Wie Gottesglaube und Gotteswissen genauer zu kennzeichnen sind und wie sie sich zueinander verhalten, ist im folgenden darzulegen. In die gesuchte Richtung deutet der Unterschied von Lebenswissen und theoretischem Wissen, der sich bei *A. Portmann* findet.

II. Das vorwissenschaftliche Bewußtsein

1. Wenn wir nach unseren einleitenden Bemerkungen nunmehr das vorwissenschaftliche Bewußtsein schärfer zu umreißen bestrebt sind, meldet sich sofort eine *methodische Schwierigkeit*. Indem jemand dieses Bewußtsein oder das Lebenswissen zu analysieren beginnt, geht er bereits *darüber hinaus;* denn er verleiht ihm eine begriffliche Prägung, die es in sich selbst nicht aufweist; er verläßt damit die vorwissenschaftliche oder vorphilosophische Haltung und betreibt bereits Philosophie oder Wissenschaft. Für unser Unternehmen ist es wichtig, diese Schwierigkeit im Auge zu behalten, damit wir in den vorwissenschaftlichen Bereich *nichts ihm Fremdes* hineintragen. Das läßt sich dadurch vermeiden, daß man sorgfältig darauf bedacht ist, das Lebenswissen, dessen Klärung angezielt wird, von dem wissenschaftlichen Vorangehen abzuheben, das die angezielte Klärung vollzieht. Zugleich kann und muß dieses Vorangehen ganz darauf gerichtet sein, die Eigenart und Struktur des Lebenswissens so zu verdeutlichen, wie sie sich zeigen, ohne sie zu verändern.

Das vorwissenschaftliche Bewußtsein, das wir einer Klärung entgegenführen, wird im *weitesten Sinne* genommen. Damit gehört in den Kreis unserer Untersuchung nicht nur das normative, sondern vor allem das faktische Bewußtsein, also das Bewußtsein, wie es tatsächlich ist, mit all seinen Abschattungen; beim normativen Bewußtsein oder bei demjenigen, wie es sein soll, können wir schon deshalb nicht ansetzen, weil hier zu Anfang noch keine Norm sichtbar wird, an der es zu messen wäre. Das *faktische Bewußtsein* aber prägt sich sowohl in der gläubigen als auch in der ungläubigen Gestalt aus oder weist neben der Struktur des

Gottesglaubens die des Atheismus auf. Der Gottesglaube wiederum fächert sich — ähnlich wie der Atheismus — in zahlreiche Spielarten auf, von denen lediglich der Monotheismus, der Pantheismus und der Polytheismus genannt seien.

Etwas anders gewendet, befassen wir uns, wie oben angedeutet wurde, ebenso mit dem Bewußtsein, in dem durch das Einzelne das Ganze zum *Leuchten* kommt, wie mit demjenigen, das vom Einzelnen so fasziniert ist, daß ihm das Ganze *verstellt* bleibt. Vorausgesetzt, das Ganze werde erreicht, sind weiterhin die *verschiedenen Auslegungen* zu betrachten, die keineswegs alle das Ganze im Sinne des Theismus deuten, sondern zum Teil auch atheistische Wege gehen. Hierbei ist vor allem zu prüfen, ob diese Auslegungen alle in gleicher Weise dem Ganzen gemäß sind und deshalb lediglich eine nicht weiter zu rechtfertigende oder irrationale Entscheidung zwischen ihnen wählt oder ob das Ganze immer schon ein *Kriterium* liefert, wodurch die wahre Auslegung von den anderen unterschieden werden kann.

2. Suchen wir dem vorwissenschaftlichen Bewußtsein in *mehreren Schritten* näherzukommen. Zunächst treibt der Mensch in seinem Lebensvollzug nicht unbewußt bzw. dumpf wie die Pflanze oder das Tier dahin; vielmehr entfaltet sich der ihm eigene Lebensvollzug jederzeit *durchlichtet*; den Menschen zeichnet der von Wissen durchleuchtete, sich selbst erschlossene oder sich selbst klärende Lebensvollzug aus. Diese Urgegebenheit gibt all seinem Tun das spezifisch menschliche Gepräge, dem er sich nicht entziehen kann. Das Wissen, das also dem menschlichen Lebensvollzug innewohnt und ihn bestimmt, nennen wir das *Lebenswissen*; denn wie das Leben nicht ohne dieses Wissen vorkommt, so gibt es dieses Wissen nicht ohne das Leben.

Im Lebenswissen ist der Mensch mittels seines Vollzugs *sich selbst* erschlossen; er weiß sich immer schon als jener, der durch diesen Vollzug lebt und sich entfaltet. Zugleich wird ihm durch das Lebenswissen seine *Umwelt* eröffnet; er kennt die Mit-Menschen, mit denen er umgeht, und die Dinge, mit denen er zu tun hat. Außerdem zeigt das Lebenswissen jedem einzelnen Menschen, wie er und seine Umwelt mit den anderen Menschen und deren Umwelten verflochten sind; jeder erfährt sich als *eingefügt in das Ganze* eines Volkes, einer Völkergemeinschaft, schließlich in das Ganze der Menschheit und der Welt überhaupt. In diesen kosmischen Umfang seines Lebenswissens ist der Mensch heute mehr denn je hineingewachsen; von diesem Ganzen ist sein Lebensgefühl geprägt, selbst wenn er das Ganze unbeachtet läßt oder sich sogar dagegen verschließt. Weil auch den isoliert lebenden Menschen die Anforderungen des Ganzen erreichen, vermag keiner mehr völlig im Einzelnen unterzugehen, muß er sich dem Ganzen stellen und sich mit ihm positiv oder negativ *auseinandersetzen*.

Das Ganze der Menschheit und der Welt, in das der Mensch durch das Lebenswissen gestellt ist, weist nicht nur eine *gesellschaftliche*, sondern auch eine geschichtliche Prägung auf. Deshalb umfaßt es mit der Gegenwart die Vergangenheit und die Zukunft; das Gegenwärtige ist durch das Vergangene bestimmt und hat sich vor dem Erbe der Überlieferung zu verantworten; ebenso hat das Gegenwärtige einen bestimmenden Einfluß auf das Zukünftige, das so zu gestalten ist, daß die heutigen Menschen vor den kommenden Geschlechtern bestehen können. Durch dieses *geschichtliche Ganze* ist das Lebensgefühl einer jeden Zeit geprägt; das darin wirksame Lebenswissen vermag der Mensch nicht auszulöschen, auch wenn er von der Vergangenheit bedenkenlos Abschied nimmt und in die Zukunft gedankenlos hineinschlittert oder vor ihr die Augen schließt.

Hier erhebt sich die für unser Thema *entscheidende Frage*, ob das Lebenswissen über das gesellschaftlich-geschichtliche Ganze hinausreicht und ob es überhaupt weiter als dieses ausgreifen kann. Sicher meldet sich innerhalb des Lebenswissens die Frage nach dem *Sinn des Menschendaseins*, die nie zum Schweigen kommt und in unseren Tagen mit neuer Wucht aufgebrochen ist. Für die Sinnfrage ist es kennzeichnend, daß sie alles ohne jede Ausnahme umspannt und nicht bei einem vorläufigen Teil-Sinn haltmacht, sondern immer schon zum *letzten Gesamt-Sinn* hinstrebt. Da aber von einem Teil-Ganzen her stets nur ein Teil-Sinn gegeben ist, kann sich der Gesamt-Sinn einzig vom Ganzen-schlechthin oder vom *absoluten Ganzen* her konstituieren und enthüllen. Da ferner das Ganze-schlechthin notwendig das letzte Ganze ist, erweist sich der von ihm ausgehende Gesamt-Sinn wesentlich als der letzte Sinn. So kann die Frage nach dem letzten Gesamt-Sinn von allem allein im Horizont des Ganzen-schlechthin gestellt werden; nun bricht im Lebenswissen jederzeit die Frage nach dem letzten Gesamt-Sinn von allem auf; daher ist dem Lebenswissen wesentlich der Horizont des Ganzen-schlechthin oder des absoluten Ganzen eröffnet. Also bleibt das Lebenswissen nicht an der Oberfläche, sondern dringt bis zur innersten Tiefe, nämlich zum absoluten Ganzen vor.

3. Suchen wir das eben Gesagte weiter zu verdeutlichen. Das Eröffnen des absoluten Ganzen ist schon mit dem *Fragen* nach dem letzten Gesamtsinn gegeben, weil dieses ohne solches Eröffnen unmöglich wäre. Das so eröffnete absolute Ganze kann verdeckt und verdrängt, nie aber völlig ausgelöscht werden, weshalb es im *Hintergrund* des menschlichen Bewußtseins stets anwesend und wirksam bleibt, obwohl es im Vordergrund oft keine Rolle mehr spielt. Folglich geht es nicht darum, ob das absolute Ganze erreicht wird oder nicht, sondern allein darum, ob es beachtet wird oder nicht, ob es auf Hingabe oder Verweigerung stößt und daher im Menschen zur Entfaltung kommt oder verkümmert. Aus dem untilgbaren Ansatz des absoluten Ganzen erwachsen dessen verschiedene *Auslegungen*, die an eben diesem Ganzen ihr *Richtmaß* finden und somit nicht willkürlich zu wählen sind, sondern auf ihre Berechtigung hin beurteilt werden können und müssen. Zugleich damit erwachsen die verschiedenen Auslegungen bezüglich des letzten Gesamtsinnes unseres Daseins, die ebenfalls der erwähnten Beurteilung unterliegen.

Genau besehen sind nach unseren Erörterungen in den Vorbedingungen des Fragens schon die Voraussetzungen des *Antwortens* enthalten. Wer also die Frage nach dem absoluten Ganzen und dem letzten Gesamtsinn stellen kann, ist damit auch imstande, die Antwort zu finden. Nun stellt aber das vorwissenschaftliche

Bewußtsein oder das Lebenswissen ständig und unausweichlich jene Frage, weshalb es auch befähigt ist, zu der ihr entsprechenden Antwort durchzustoßen. Näherhin geschieht das durch das *fortschreitende Bestimmen* des anfänglich unbestimmten *absoluten Ganzen*; dabei wird all das, was sich als das absolute Ganze anbietet, daraufhin geprüft, ob es wirklich das absolute Ganze ist; allmählich wird so all das ausgeschieden, was nicht das absolute Ganze ist, und das herausgestellt, was allein das absolute Ganze ist und sein kann. In eins damit zeichnet sich durch Enthüllung all dessen, was zu Unrecht der letzte Gesamtsinn zu sein beansprucht, das ab, was allein der letzte Gesamtsinn ist und sein kann. Von hier aus tritt die eigenständige *Tragfähigkeit* des Lebenswissens hervor oder erweist sich seine von der Wissenschaft unabhängige und ihr vorgängige Geltung.

Aus guten Gründen darf sogar von einer *Überlegenheit*, ja von einem *Vorrang* des vorwissenschaftlichen Bewußtseins oder des Lebenswissens gegenüber der Wissenschaft die Rede sein. Dabei handelt es sich nämlich nicht um bloßes Wissen, sondern, wie der Name „Lebenswissen" unzweideutig sagt, um *gelebtes Wissen*. Das bloße Wissen ist als solches vom Gesamt-Lebensvollzug abgehoben und aus diesem herausgehoben, weshalb es sich nach seiner ihm eigenen Gesetzlichkeit entfaltet und die Wissenschaft hervorbringt. Das gelebte Wissen hingegen bleibt in den Gesamt-Lebensvollzug eingebettet, weshalb es ebenso von dessen Eigenart bestimmt wird wie es ihn durchleuchtet und leitet. Vor allem ist das Wissen nicht auf sich allein gestellt und angewiesen, sondern vom *ganzen Menschen* getragen und befruchtet; daher bewahrt es seine Lebensnähe, statt in abstrakte und oft zerstörende Lebensferne zu fallen. Zugleich entwickelt sich das Wissen in innigster Durchdringung mit den übrigen Vollzugsweisen des Menschen, besonders mit seinem *Lieben* und seinem schöpferischen *Tun*. Dadurch überwindet das Wissen jede einseitige Beschränkung auf nur einen oder nur wenige Gesichtspunkte, indem es sich als umfassende Zusammenschau aller Teilaspekte verwirklicht. Besonders wichtig ist das *Erfahrungswissen*, das sich im unaufhörlichen Austausch mit den alltäglichen, kleinen und den großen, umstürzenden Erfahrungen bereichert und vertieft, prüft und korrigiert. Nach allem ist das Lebenswissen keineswegs in enger und oberflächlicher Naivität befangen; vielmehr erreicht es letzten Tiefgang, allseitige Weite und gesunde Kritik.

4. Die bisher umschriebene Grundstruktur des vorwissenschaftlichen Bewußtseins durchzieht dessen sämtliche *Spielarten*, bildet deren *Wurzel und Richtmaß*. Weil selbst im Atheisten die Sinnfrage als die existentielle Grundfrage-schlechthin am Werke ist, erfährt auch er sich immer wieder von der Norm des absoluten Ganzen angefordert; dasselbe gilt von dem oberflächlichen Alltagsmenschen, der scheinbar völlig gedankenlos dahintreibt. Soweit sich die Grundstruktur unverstellt und ungebrochen durchzusetzen vermag, führt sie den Menschen über jeden verborgenen oder ausdrücklichen, faktischen oder grundsätzlichen *Atheismus* hinaus; denn das absolute Ganze deckt sich mit keiner innerweltlichen Gegebenheit und geleitet deshalb zu dem absoluten oder unendlichen *Gott* hin, der die Welt ebenso unendlich übersteigt wie er sie unendlich durchdringt.

Namentlich erfüllt sich das *absolute Ganze* nicht in dem *gesellschaftlich-geschichtlichen* Ganzen der Menschheit, in dem heute etwa E. *Bloch* das Letzte sieht. Dieses Ganze bleibt nämlich *stets begrenzt*; jedes Hinausschieben der Grenzen bringt immer wieder nur ein weiteres begrenztes Ganzes hervor, hinter dem sich immer wieder ein noch größeres Ganzes ankündigt. Infolgedessen ist ein solches Ganzes *nie das Letzte*, kann es auf dieser Ebene überhaupt nie das Letzte geben; ein solches Ganzes ist auch nie das absolute Ganze, sondern stets ein *nur relatives* Ganzes, weil es unaufhörlich von einem noch größeren Ganzen überschritten werden kann und überschritten wird und deshalb nie schlechthin alles umfaßt oder nie das Ganze-schlechthin, das absolute Ganze, ist. Da aber von einem relativen Ganzen lediglich ein vorletzter Teil-sinn ausgehen kann, wird der Mensch durch den von ihm gesuchten *letzten Gesamt-sinn* und das damit gegebene absolute Ganze über das gesellschaftlich-geschichtliche und über jedes relative Ganze hinausgetrieben zu dem *Gott* hin, der allein das absolute Ganze oder der Unendliche ist und der folglich allein den letzten Gesamtsinn zu gründen vermag. Auf ähnliche Weise werden alle pantheistischen und polytheistischen Deutungen überwunden, insofern auch sie nicht dem absoluten Ganzen gerecht werden.

Die vorstehend ein wenig durchgegliederte Einsicht entfaltet sich im Lebenswissen meist ungegliedert-intuitiv, wobei sie mannigfache konkrete Ausgestaltungen annimmt. Die Eigenart dieses Weges zu Gott läßt sich näherhin als *Gotteserfahrung* oder *Gottesglauben* kennzeichnen. Von Erfahren Gottes dürfen wir sprechen, insofern die ganze Fülle der konkreten Erfahrungen des Menschen, nicht aber nur sein Denken ins Spiel kommt, insofern zugleich diese Erfahrungen an Hand der Sinnfrage auf ihren innersten Kern hin durchdrungen, nicht aber durch abstrakte logische Denkmittel bearbeitet werden. Von Glauben an Gott darf die Rede sein, insofern es im Sinne von *Kierkegaard* um subjektive, nicht lediglich um objektive Wahrheit geht, also um individuell angeeignete Wahrheit, die den Einzelnen existentiell ergreift und ganz in Anspruch nimmt. Dabei sind alle Kräfte des Menschen bis in sein innerstes Selbst beteiligt, weshalb das Ja-sagen zu Gott sich in der Hingabe an ihn vollendet und in das vorbehaltlose Sich-Anvertrauen hineinwächst.

III. Das vorwissenschaftliche Bewußtsein und die Wissenschaft

Blicken wir von dem nunmehr erreichten Ergebnis auf den Anfang unserer Darlegungen zurück, so sehen wir, daß das vorwissenschaftliche Bewußtsein *keineswegs un-wissenschaftlich* ist, aus der Wahrheit herausfällt oder gar die kritische Prüfung zu fürchten hat. Darum sind das Gotterfahren und der Gottesglaube, die in ihm erblühen, durchaus ernst zu nehmen. Jetzt bleibt ergänzend von der Wissenschaft her zu untersuchen, wie sie sich zum Gotterfahren und Gottesglauben verhält, ob sie solchen Gegebenheiten feindlich oder freundlich gegenübersteht und vielleicht gar ein *Wissen von Gott* beifügt.

1. Wie schon der Name sagt, entfaltet sich in der Wissenschaft das *Wissen* des Menschen, das, aus dem spontanen Lebensvollzug heraustretend, sich selbständig macht und seinen eigenen Gesetzlichkeiten folgt. Dabei kommt es auf die *objektive Wahrheit* oder auf den Wahrheitsgehalt an, weniger auf die subjektive oder existentielle Aneignung der Wahrheit im Sinne Kierkegaards; doch braucht auch der Wissenschaftler eine bestimmte Haltung zur Wahrheit, nämlich jene unbedingte Sachbezogenheit, die sich durch keinerlei Interessen oder Vorurteile beirren läßt. Die objektive Wahrheit bringt es mit sich, daß die Wissenschaft ihre Ergebnisse *allgemeingültig* und daher abstrakt formuliert, wodurch sie in eine gewisse Lebensferne rückt. In der Eigenart der Wissenschaft ist ihr unabsehbarer *Reichtum* vorgezeichnet; ihr Wissensdurst sucht alles und jedes zu erfassen und unter allen nur möglichen Rücksichten zu erforschen, indem die raffiniertesten Methoden den Kreis des Zugänglichen immer mehr erweitern und mit einer unerbittlichen Logik das Erreichte kritisch prüfen und absichern.

Zweifellos hat die Wissenschaft dem vorwissenschaftlichen Bewußtsein vieles *zu geben*. Sie erweitert dessen Gesichtskreis, indem sie ihm einen unschätzbaren Reichtum an Kenntnissen bietet; sie schärft dessen nüchterne Sachbezogenheit und dessen kritischen Sinn, womit sie es von manchen Täuschungen und Irrgängen befreit. Zugleich jedoch hat die Wissenschaft vom Lebenswissen *zu empfangen*, durch das sie als Teilbetätigung in die Gesamtheit der menschlichen Betätigungen eingefügt und so für den Gesamtlebensvollzug fruchtbar gemacht wird; denn die Wissenschaft hat letztlich dem Leben und dem Lebenswissen zu dienen und nicht umgekehrt; daher gilt es auch häufig, abstrakte Ergebnisse der Wissenschaft in konkretes Lebenswissen umzusetzen. Hierbei tritt das in der Wissenschaft gesondert entfaltete Wissen mit den anderen Vollzugsweisen, besonders mit dem Lieben und dem praktischen Tun, in lebendigen Austausch, womit einer alle anderen Vollzüge verschlingenden Hypertrophie des Wissens vorgebeugt wird. Ebenso bleibt der Mensch wach für eine *Gesamtschau* oder für ein Weltbild, statt von der Vielheit des Einzelwissens so in Anspruch genommen zu werden, daß er vor lauter Bäumen den Wald nicht mehr sieht oder den Sinn für die umfassenden Zusammenhänge und die tieferen Hintergründe verliert. Schließlich vermittelt das Einwurzeln der Wissenschaft in das Lebenswissen auch das Hineinwachsen der objektiven Wahrheit in die subjektive; dadurch schwindet oder verringert sich wenigstens die Gefahr, alles nur auf die Weise der objektiven Wahrheit unbeteiligt festzustellen und sich den leidenschaftlichen Einsatz oder das unbedingte Engagement für die subjektive Wahrheit zu ersparen.

Wie sich aus allem ergibt, lebt im Lebenswissen mehr als in der Wissenschaft *der ganze Mensch in der Nähe des Ganzen und Letzten* der Wirklichkeit. Damit aber enthält das Lebenswissen optimale Voraussetzungen für die Begegnung mit Gott, die durch die in das Ganze einbezogene Wissenschaft noch verbessert, durch die dem Ganzen entfremdete Wissenschaft hingegen verschlechtert und unter Umständen sogar weitgehend zerstört werden. Daher gilt es, die Wissenschaft dem Lebenswissen anzunähern, statt das Lebenswissen möglichst der Wissenschaft anzugleichen.

2. Genau gesprochen gibt es nicht die Wissenschaft in der Einzahl, sondern stets *die Wissenschaften* in der *Mehrzahl;* da nämlich nie eine Wissenschaft alles Wirkliche und alle Weisen, auf die das Wirkliche betrachtet werden kann, zu umspannen vermag, bilden sich notwendig viele Wissenschaften heraus. Jede von ihnen erforscht das ihr zugeordnete Gegenstandsgebiet unter dem ihr entsprechenden Gesichtspunkt und mit den ihr gemäßen Methoden; dadurch ist jede imstande, innerhalb des ihr eigenen Bereiches Großes zu leisten, bildet sich auch das Spezialistentum aus, ohne das die Fortschritte, die wir bewundern, nie erzielt worden wären. Da so jede Wissenschaft auf das ihr zukommende Forschungsfeld *beschränkt* ist, braucht sie die *Ergänzung* durch die anderen Wissenschaften, darf sie sich nicht auf sich selbst zurückziehen oder isolieren, sondern muß sie, um nicht unfruchtbar zu erstarren, den Austausch mit den anderen Wissenschaften pflegen. Auf diese

Weise wird jede Wissenschaft beim Bearbeiten ihres Teilbezirkes die *Offenheit für das Ganze* bewahren, statt sich in ihrem Teilbezirk zu verhärten und damit das Ganze aus den Augen zu verlieren und schließlich zu vergessen. — Nach allem hat auch die *Naturwissenschaft* einen wesentlich partiellen Charakter, insofern sie mit ihren Methoden lediglich einen Ausschnitt des Wirklichen umgreift und ebenfalls nur einen gewissen Tiefgang erreicht. Von hier aus zeichnet sich die ihr innewohnende *Gefahr* ab, daß sie nämlich ihre Methode der empirischen Verifizierbarkeit für die einzig mögliche Methode der Wahrheitsfindung ausgibt, deshalb den von ihr untersuchten Ausschnitt mit dem Ganzen des Wirklichen gleichsetzt und jeden Tiefgang, der das von ihr Entdeckte überschreitet, als Illusion verwirft.

Die vielen Wissenschaften, auch Einzelwissenschaften genannt, haben es nicht unmittelbar mit dem Ganzen zu tun und sind daher auf *Er-gänzung* angewiesen, wobei sie nicht nur einander helfen, sondern vor allem durch das *Lebenswissen* einen unentbehrlichen Beistand erfahren. Da nämlich die Ausschnitte des Wirklichen wesentlich auf das Ganze bezogen sind, leben sie aus der Eröffnung des Ganzen, können sie einzig in deren Licht wahrhaft so gesehen werden, wie sie sind. Die Eröffnung des Ganzen aber geschieht nicht allein durch Summieren der Teilbereiche, wodurch wiederum nur ein Teilaspekt des Ganzen erreicht würde, und darum auch nicht durch das Zusammenwirken der Wissenschaftler als Wissenschaftler. Vielmehr müssen diese sich *als Menschen* begegnen, insofern sie nämlich immer schon das Lebenswissen vollziehen und damit einen Entwurf oder ein *Vorverständnis des Ganzen* mitbringen, innerhalb dessen sich die Teilsichten, die ihnen ihre Wissenschaften liefern, zur Gesamtschau verbinden. Zugleich treten die Wissenschaftler als Menschen durch das dem Ganzen zugewandte Lebenswissen in den darin ohne weiteres geschehenden *letzten Tiefgang* ein, der den nur relativen Tiefgang der Einzelwissenschaften umfängt und zu Ende führt.

Wenn so die von sich aus ihrem Teilbereich verhafteten Wissenschaften mittels des Lebenswissens *zum Ganzen hin vollendet*

werden, können sie durch so manche ihrer Ergebnisse das Gotterfahren und den Gottesglauben konkretisieren, werden sie hingegen keinen berechtigten Anlaß mehr finden, diese als unwissenschaftlich abzutun. Nur soweit sich etwa die Naturwissenschaft
vom Lebenswissen und *vom Ganzen losreißt*, indem sie sich in den
ihr zugeordneten Teilbezirk verkrampft, wird sie das Gotterfahren
und den Gottesglauben als unwissenschaftlich bekämpfen. Dabei
verfällt sie aber einem Mißverstehen ihrer selbst, indem sie das
ihr methodisch eigene Absehen von Gott in ein Leugnen Gottes
umfälscht.

3. Der Abstand zwischen den Einzelwissenschaften und dem
Lebenswissen wird durch die *Philosophie* überbrückt, die mit beiden übereinkommt, insofern sie einerseits Wissenschaft ist und
andererseits gerade das letzte, alles umfassende Ganze der Wirklichkeit erforscht. Daher hebt sie sich von den vielen Einzelwissenschaften als die eine *Universalwissenschaft* ab; diese erst rundet
den Kreis der Wissenschaften, die ohne sie des einigenden Bandes
und des Fundamentes entbehren.

Nun wird von den Einzelwissenschaften, und zwar heute mit
besonderer Eindringlichkeit, *bestritten*, daß die Philosophie wahrhaft Wissenschaft sei. Dabei spielt meist ein zu enger Begriff von
Wissenschaft eine Rolle, gemäß dem diese auf den Bereich des
empirisch Verifizierbaren beschränkt wird. Anders gewendet fehlt
oft das Gespür dafür, daß ein ganz anderer Typ von Wissenschaft
möglich und besonders die Philosophie auf einzigartige Weise
Wissenschaft ist. Sie schreitet über die empirische Verifizierbarkeit
hinaus, mit der sich allein der Teilbezirk fassen läßt, und bleibt
doch Wissenschaft, weil sie das Ganze mittels der *transzendentalen
Verifizierbarkeit* zugänglich macht. Diese gibt dem Ganzen mit all
seinen Bestimmungen die wissenschaftliche Unterbauung, indem
sie es als den notwendigen ermöglichenden *Grund des menschlichen Wirkens* erweist; ohne seinen ermöglichenden Grund kann
solches Wirken nicht geschehen, weshalb durch die Tatsache dieses
Wirkens jener Grund wissenschaftlich gesichert wird. Ein Beispiel
für einen derartigen Zusammenhang bietet das Fortschreiten von

der Sinnfrage zur Eröffnung des absoluten Ganzen, ein Fortschreiten, das schon vom vorwissenschaftlichen Bewußtsein auf ungegliederte Weise durchlaufen wird. — Mit dem Herausarbeiten des Ganzen bahnt die Philosophie den *wissenschaftlichen Weg zu Gott* oder vertieft sie das Gotterfahren und den Gottesglauben durch das Wissen von Gott.

Freilich ist dieses Wissen von eigener Art; hier liegt ein weiterer Grund dafür, daß die Einzelwissenschaften gegen den Wissenschaftscharakter der Philosophie *streiten*. Indem diese nämlich das Ganze erforscht, kann der Philosophierende sich selbst nicht ausklammern, muß er in das Fragen sich selbst miteinbeziehen. Daher bringt es die Eigenart der Philosophie mit sich, daß sie nicht unbeteiligt oder auf die Weise der objektiven Wahrheit, sondern einzig beteiligt oder engagiert und damit auf die Weise der *subjektiven Wahrheit* zu vollziehen ist. Von hier aus gesehen, zeigt sich von neuem die Nähe des Philosophierens zum Lebenswissen; weil beide im Ganzen als dem gemeinsamen Gehalt übereinkommen, stimmen sie auch in der subjektiven Wahrheit als der dem Ganzen allein gemäßen Haltung zusammen. Doch verliert deshalb die Philosophie, wie man nicht selten vorschnell behauptet, den Charakter wahrer Wissenschaft keineswegs; denn die hier gemeinte subjektive Wahrheit darf *niemals* im Sinne einer *subjektivistischen* Zerstörung der Wahrheit mißverstanden werden. Sie ist also nicht eine von der Wirklichkeit losgetrennte und deshalb sie verfehlende Meinung; vielmehr erweist sie sich als der Weg, auf dem allein das Ganze als Wirklichkeit getroffen werden kann. Außerdem fällt die subjektive Wahrheit der Philosophie nicht ohne weiteres mit derjenigen des Lebenswissens zusammen, weil erstere das *methodisch* durchgliedert und sichert, was letztere spontan vollzieht, weil erstere eben wissenschaftlich entfaltet, was letztere vorwissenschaftlich lebt. Unter dieser Rücksicht nähert sich die Philosophie als Wissenschaft den übrigen Wissenschaften; insofern sie nämlich methodisch die logischen Verknüpfungen herausarbeitet und kritisch das Treffen der Wirklichkeit verdeutlicht, gleicht sich ihre subjektive Wahrheit an die Eigenart der objektiven an, ohne freilich je nur objektive Wahrheit werden zu können.

Diese entspricht genau den Einzelwissenschaften, die wegen ihrer Beschränkung auf den Teilbezirk und den Vordergrund eine vom Ganzen und von der Haltung des Forschers losgelöste oder eben nur *objektive Wahrheit* entwickeln. Deren Exaktheit und Allgemeingültigkeit verleiht ihr eine vom menschlichen Einsatz unabhängige und daher leicht faßliche Gewißheit, die aber nur ihrer *Begrenztheit* zu verdanken ist und folglich nicht für jede Weise der Wahrheit maßgebend sein kann. Diese Exaktheit wird vor allem von der *subjektiven Wahrheit* der Philosophie und des Lebenswissens überschritten, ist aber deshalb nicht eine geringere, sondern *eine höhere* Wahrheit, da sie mit dem Ganzen den von ihr ergriffenen Menschen umschließt; ähnlich ist ihre Gewißheit nicht eine geringere, sondern eine höhere, da sie vom Einsatz des ganzen Menschen getragen und genährt, nicht aber nur von seinem Verstand nüchtern festgestellt wird. Infolgedessen zeigt sich, daß die Philosophie vermöge ihrer höheren Wahrheit auch *auf höhere Weise Wissenschaft* ist als die Einzelwissenschaften, die somit, in sie aufgenommen, gerade auch als Wissenschaften vollendet werden.

4. Wie aus unseren Erörterungen hervorgeht, ergänzt die Philosophie kraft ihres eigensten Wesens das Gotterfahren oder den Gottesglauben des vorwissenschaftlichen oder Lebens-Bereiches durch einen wissenschaftlichen Weg zu Gott oder ein *Wissen von Gott*, das der Eigenart des Lebenswissens ebenso entspricht, wie es sie vertieft. *Lebenswissen* und wissenschaftliche Philosophie durchdringen sich auf das innigste, weil beide sich in der *subjektiven Wahrheit* entfalten, wobei aber die Philosophie ihre Akzente in der Richtung auf die objektive Wahrheit hin setzt. Damit vermittelt sie zu den *Einzelwissenschaften* hinüber, die sich in der *objektiven Wahrheit* bewegen, in jüngster Zeit jedoch durch das Einbeziehen des Beobachtenden ebenfalls etwas von der subjektiven Wahrheit erahnen lassen. Dem *Zusammenspiel* zwischen diesen drei Stufen kommt eine für das Leben des Menschen grund-

legende Bedeutung zu, weil davon abhängt, ob und in welchem Maße er zur Wahrheit gelangt; wie das gestörte Zusammenspiel die Wahrheit verdunkelt, so wird durch das gelungene Zusammenspiel der Zugang zur Wahrheit gebahnt.

In der gegenwärtigen Stunde haben die *Einzelwissenschaften die Oberhand* gewonnen, weshalb sie die Philosophie und sogar das Lebenswissen zu verschlingen drohen; damit aber erringen die nur objektive Wahrheit, die Teilbezirke und deren relative Tiefe so sehr die Vorherrschaft, daß die subjektive Wahrheit, das absolute Ganze und dessen letzte Tiefe sich auflösen und in nichts zerrinnen; hier liegt eine entscheidende Wurzel des heutigen *Atheismus.* Im Gegensatz dazu gilt es, die *Eigenständigkeit* nicht nur der Einzelwissenschaften, sondern auch und vor allem der Philosophie und des Lebenswissens zu wahren und zu festigen; damit werden die objektive Wahrheit in der subjektiven, die relativen Teilbezirke im absoluten Ganzen und die vorletzten Tiefendimensionen in der letzten Tiefe gegründet. Hier liegt eine entscheidende Wurzel für die *Überwindung des Atheismus* und für das Neuerwerben des Wissens von Gott sowie des Gotterfahrens oder des Gottesglaubens. Erforderlich ist also ein *Umstrukturieren des menschlichen Bewußtseins,* ja des ganzen Menschen, der so aus der Gottesferne, die ihm heute naheliegt, in die Gottesnähe heimkehrt, die seinem innersten Wesen entspringt.

Solches Umstrukturieren ist ein *Lebensvorgang,* kann also nicht allein durch Nachdenken erreicht werden, obwohl die Philosophie im oben umschriebenen Sinne einen wichtigen Beitrag dazu liefern kann. Nun fragt es sich, ob im Leben des heutigen Menschen *Anzeichen* für das erforderliche Umstrukturieren zu finden sind, ob dieses also bereits wenigstens nach gewissen Anfängen in Gang gekommen ist. Eine Antwort darauf deutet sich in dem unwiderstehlichen *Aufbrechen der Sinnfrage* an, die wir oben näher erörtert haben. Darin meldet sich ebenso das Ungenügen, der Überdruß, ja der Ekel an dem vorletzten Teilbezirk wie das sehnsüchtige Ausgreifen nach dem Ganzen und Letzten.

Nur wenn derartige Erfahrungen völlig *ausfallen,* ist der Mensch im Vorletzten eingefroren; sobald er hingegen *negativ* darauf reagiert oder jeden Sinn leugnet, liegt etwas anderes vor. Hierbei tritt nämlich ein Zwiespalt zutage, der einen *Übergang* im Umstrukturieren anzeigt. Indem einerseits die Frage nach dem Sinn den Menschen unablässig quält, hat die Hinkehr zum Letzten bereits begonnen; indem aber andererseits die Sinnfrage negativ beantwortet wird, hat sich die Hinkehr zum Letzten noch nicht durchgesetzt. Näherhin besagt das: Wenn die Sinnfrage, die dem Letzten zugehört, von einem Bewußtsein aufgegriffen wird, das dem Vorletzten verhaftet bleibt, so kann die Antwort nie anders als negativ ausfallen, weil das im Vorletzten eingemauerte Bewußtsein keinen Zugang zu dem im Letzten liegenden Sinn hat. Erst nachdem das Umstrukturieren des Bewußtseins weiter vorangeschritten ist, kann sich im Antlitz unserer Zeit die *positive Antwort* auf die Sinnfrage deutlicher abzeichnen und damit die Gottesnähe wachsen.

5. Unsere Überlegungen laufen darauf hinaus, gegen den herrschenden Trend einer fortschreitenden Auflösung des vorwissenschaftlichen Bewußtsein und der Philosophie in die Einzelwissenschaften ganz entschieden die *Drei-Einheit dieser Stufen* zu wahren und dabei die Einzelwissenschaften in die Philosophie und in das vorwissenschaftliche Bewußtsein einzugründen. Nur wenn sich die drei Stufen ergänzen und ständig einander korrigieren, kann menschliches Dasein sich als menschliches in seiner Offenheit zu Gott hin entfalten. Sowohl die *totale Verwissenschaftlichung* als auch die totale Einengung auf das Vorwissenschaftliche hemmen die Entfaltung des Menschlichen und kommen schließlich dessen Zerstörung gleich. Wer sich für die totale Verwissenschaftlichung einsetzt, vergißt, daß das Leben immer wieder der Wissenschaft vorausgeht und nie ganz von ihr eingeholt wird. Das Leben verlangt gebieterisch Vollzüge wie Glauben, Liebe, Vertrauen gegenüber den Mitmenschen, bevor sie wissenschaftlich restlos geklärt sind; das Warten auf solches Klären macht das Leben unmöglich und führt so zur Entmenschung; ähnliches ist von dem Verhältnis zu Gott zu sagen. Wer hingegen die *totale Einengung auf das*

Vorwissenschaftliche verlangt, übersieht oder gesteht sich nicht ein, daß dieses nur eine Teilverwirklichung des Menschen darstellt, der darüber hinausdrängt und tatsächlich darüber hinausschreitet, sobald es seine Lebensumstände zulassen. Auch und gerade das Verhältnis zu Gott kann nicht auf die vorwissenschaftliche Entfaltung beschränkt werden, weil es sonst leicht in Primitivität verkümmert und den Fortschritten der Wissenschaft nicht gewachsen ist; es muß sich mit dieser auseinandersetzen und mit ihrer Hilfe fortbilden, wodurch allein ein *Gottesbewußtsein* heranwächst, das sich auf der Höhe des *wissenschaftlichen Geistes* unseres Zeitalters bewegt.

Hier drängt sich noch einmal das Bedenken auf, ob nicht doch das vorwissenschaftliche Bewußtsein, zumindest im Bereich des Gottesglaubens, völlig *der Wissenschaft zu weichen* hat. Das Lebenswissen erreicht nämlich oft nicht eindeutige Klarheit und Gewißheit, sondern bleibt suchend und tastend, schwankend und ungewiß; häufig greift es, sogar in grundlegenden Anliegen, daneben und gerät es angesichts widriger Erfahrungen in Verwirrung; nicht selten wird es durch ein dumpf eingeengtes oder ein von Gott abgewandtes Leben verdunkelt. — Diese Hinweise, die sich ohne weiteres vermehren lassen, zeigen, wie *unvollkommen* und wie *gefährdet* das Lebenswissen ist, wie oft es auch seiner Unvollkommenheit und Gefährdung zum Opfer fällt. Sie beweisen jedoch keineswegs, daß das Lebenswissen nie oder meist nicht zu Klarheit und Gewißheit gelangt, daß es fast immer verwirrt und verdunkelt dahindämmert, daß es dem Menschen keine zuverlässige Leitung zu geben vermag und deshalb aus seiner Lebensführung auszuschalten ist.

Wohl aber wird eindringlich klar, in welch hohem Maße das Lebenswissen ständig eine sorgfältige *Achtsamkeit* und eine unaufhörliche *Pflege* verlangt, weil es nur so zu der tragfähigen Kraft reift, die der Mensch braucht, statt zu verkümmern oder gar zu entarten. Dazu ist der Einzelne imstande, insofern das Lebenswissen jederzeit in das absolute Ganze oder den absoluten Grund hineinreicht, von dem her es sich erneuert, läutert und in seine

Fülle hineindrängt. Freilich ist außerdem der *Beistand der anderen*, der Mitmenschen, vor allem auch der Wissenschaft, erforderlich, wobei sich alle letztlich im selben Ganzen treffen, aus ihm schöpfen und leben. Schließlich ist eine *anfängliche Grundstörung* nicht zu verkennen, die gleichsam am Boden des Daseins haftet, die das Lebenswissen jedes einzelnen und auch die Wissenschaft belastet und die nie ganz zu beheben ist. Einen Ausgleich dafür gewährt die *Offenbarung*, in der Gott selbst sein erhellendes und geleitendes Wort an den Menschen richtet, jene Botschaft, die uns in erster Linie der menschgewordene Sohn Gottes übermittelt. Sein Kommen und sein Erlösungswerk schenkt uns erst endgültig die Gewißheit, daß unser Ringen um Gott nicht vergeblich oder nutzlos ist. So lebt in uns die Zuversicht: Jener Gott will sich tatsächlich von uns finden lassen, der nur dann gefunden werden kann, wenn er sich finden lassen will.

Emerich Coreth

Weltverständnis und Gottesfrage

Nietzsche, der Prophet des modernen Atheismus, schreibt: „Wohin ist Gott? Ich will es euch sagen. Wir haben ihn getötet, ihr und ich! Wir alle sind seine Mörder! Aber wie haben wir das gemacht? Wie vermochten wir das Meer auszutrinken? Wer gab uns den Schwamm, um den ganzen Horizont wegzuwischen? Was taten wir, als wir diese Erde von ihrer Sonne losketteten? Wohin bewegt sie sich nun? Wohin bewegen wir uns? Fort von allen Sonnen? . . . Gott ist tot. Gott bleibt tot. Und wir haben ihn getötet. Wie trösten wir uns, die Mörder aller Mörder?"[1]

Das Wort Nietzsches vom „Tod Gottes" hat erst in unserer Zeit weltweites Echo gefunden. Es gilt als Ausdruck der heutigen Welt in ihrem Verhältnis zu Gott. Doch müssen wir darauf achten, was Nietzsche sagt. Denn er sagt nicht: Es gibt keinen Gott, sondern: Wir haben ihn getötet. Er macht nicht eine Aussage über Gott, sondern eine Aussage über den Menschen, der Gott getötet, sich selbst in dieser Welt verschlossen, die Erde losgekettet hat von ihrer Sonne. Nietzsche hat wie kaum ein anderer das Ungeheuerliche dieser Tat empfunden. Er hat es qualvoll durchlitten, zugleich aber mit flammenden Worten als einzigartige Heldentat gepriesen. Endlich, wenn auch schmerzlich, ringt sich der Mensch los vom Glauben an Gott, um frei zu werden von Gott, befreit von Gottes erdrückender Übermacht in seiner Welt leben und sich entfalten zu können.

Der Mord an Gott bedeutet aber, „das Meer auszutrinken", „den ganzen Horizont wegzuwischen", „die Erde von ihrer Sonne

1. *Die fröhliche Wissenschaft*, 3. Buch, S. 125.

loszuketten". Hier geschieht ein völliger Wandel des menschlichen Selbst- und Weltverständnisses. Gott ist nicht ein beliebiger „Gegenstand", den man erkennen und anerkennen oder dem man sich verschließen kann. Wir sind nicht dieselben, wenn wir an Gott glauben oder ihn verneinen. Der ganze Horizont wird „weggewischt", wenn es für uns keinen Gott mehr gibt. Unsere Welt, der Horizont, in dem wir uns erfahren und verstehen, ist radikal anders, wenn diese Welt offen für Gott oder in sich verschlossen ist. Dies zeigt nicht nur die zentrale Bedeutung und Entscheidung, die — auch für Nietzsche — in der Gottesfrage liegt. Es weist auch hin auf das fundamentale Problem jedes Gesprächs zwischen Christen und Atheisten, zwischen Menschen, die an Gott glauben, und anderen, die nicht an ihn glauben. Es geht dabei um eine Begegnung verschiedener Welten, um eine Konfrontation radikal verschiedener Horizonte, aus denen wir uns jeweils selbst in unserer Welt verstehen.

Das ist nicht allein Sache logisch-rationaler Beweise für oder gegen die Existenz Gottes. Daß man Gott nicht in einem mathematisch exakten Verfahren, wie es den Naturwissenschaften möglich ist, beweisen kann, darüber sind wir uns einig. Auch wenn es philosophisch ganz anders vermittelnde Denkweisen gibt, die zu Gott führen — mag man sie Beweise nennen oder nicht —, so wird doch kaum einer, der nicht an Gott glaubt, durch Gottesbeweise überzeugt; und einer, der an Gott glaubt, mag bereit sein, Gottesbeweise anzunehmen und einzusehen, aber aufgrund vorgängiger Überzeugung, die nicht allein aus philosophischer Einsicht, sondern aus religiöser Erfahrung stammt, die sich im rationalen Denken zu reflexer Gewißheit vermittelt. Es geht um die gesamte Sinngebung des menschlichen Lebens. Es geht um den letzten Sinngrund, aus dem wir uns selbst verstehen. Der Glaube an Gott bestimmt — richtig verstanden und vollzogen — den Gesamthorizont unseres Daseins. Er kann darum nicht wie ein Einzelgegenstand wissenschaftlich bewiesen werden.

Er kann aber auch und erst recht nicht durch wissenschaftliche Beweise widerlegt werden. Nur ein naiver Atheismus kann der

245

Meinung sein, die eigene Position wissenschaftlich beweisen zu können. Wie sollte man auch die Nichtexistenz Gottes streng beweisen? Man kann zwar manche psychologischen und soziologischen Motive aufdecken, denen bestimmte, geschichtlich konkrete Gottesvorstellungen entspringen. Man kann sie kritisieren und relativieren, man kann die Unzulänglichkeit, vielleicht auch Widersprüchlichkeit eines bestimmten Gottesbegriffes aufzeigen. Damit sind aber immer nur menschliche Anschauungen, Vorstellungen und Denkweisen getroffen, die dasjenige, was wir „Gott" nennen, zu vergegenwärtigen suchen, dem Gemeinten aber unangemessen bleiben. Die Wirklichkeit Gottes wird dadurch nicht berührt, auch nicht widerlegt. Seine Nichtexistenz ist grundsätzlich nicht beweisbar. „Wissenschaftlicher Atheismus" ist ein naiver Widerspruch. Aber der Atheismus ist — jenseits aller Wissenschaft — eine Realität, die einer tieferen Wurzel entspringt.

Im Gespräch zwischen Gottesglaube und Atheismus geht es nicht darum, mit rationalen Beweisen und Gegenbeweisen die Klingen zu kreuzen, bis einer der Gegner geschlagen ist. Dies führt an kein Ziel, solange die Voraussetzungen nicht reflektiert, die verschiedenen Horizonte des Verstehens nicht konfrontiert werden. Erst aus der Begegnung kann gegenseitiges Verständnis erwachsen. Erst dadurch können die bestimmenden Beweggründe und Anliegen des Atheismus sichtbar werden; sie zeigen, was der atheistische Protest eigentlich meint und wogegen er sich richtet. Dies läßt aber im Hintergrund seiner Negation eine positive Sinnfrage und Sinnbejahung des Menschen in seiner Welt erkennen, die, auf ihren letzten Sinngrund zurückgeführt, dasjenige erreichen kann, was wir im Glauben „Gott" zu nennen wagen.

Wir wollen darum versuchen, erstens (I) die wichtigsten Formen und Motive des modernen Atheismus aufzudecken, um ihn von innen her aus seinen eigentlichen Anliegen zu verstehen, und zweitens (II) die darin verborgene Sinnfrage aufzunehmen und die Sinnganzheit des menschlichen Weltverständnisses auf einen letzten Sinngrund zurückzuführen, um dadurch einen Zugang zum Verständnis dessen zu öffnen, was das Wort „Gott" sagen will.

I. Die Formen und Motive des Atheismus

1. Die Gestalt des modernen Atheismus

1. Der Atheismus der Gegenwart hat eine völlig *neue Gestalt*, die sich von allen früheren Formen des Atheismus deutlich abhebt. Der Unterschied liegt sowohl im Inhalt seiner Aussage als auch im Umfang seiner Geltung. Jeder Atheismus ist, wie schon der Name sagt, eine Negation. Jede Negation aber ist bestimmte Negation, in ihrem Sinn und in ihrer Begründung bestimmt durch das, was sie negiert. Wenn der Atheismus „Gott" oder die „Götter", allgemeiner das „Göttliche" negiert, so liegen sehr verschiedene Vorstellungen und Anschauungen von Gott und vom Göttlichen zugrunde, die ebensoviele Formen des Atheismus bedingen.

Schon im klassischen *Griechentum* gab es immer wieder Philosophen, die sich dem Götterglauben und den Götterkulten der überkommenen Religionsform kritisch widersetzt haben. Nicht nur SOKRATES, sondern schon vor ihm ANAXAGORAS und nach ihm ARISTOTELES wurden in Athen der „asébeia" (gottloser oder irreligiöser Einstellung) angeklagt; Sokrates allein ist dafür in den Tod gegangen. Keiner von ihnen wollte aber das Göttliche schlechthin leugnen. Ihre Abkehr vom naiven Götterglauben sollte den Weg frei machen für ein reineres und höheres Begreifen des absoluten Urgrundes, den man — wie schon HERAKLIT zeigt — nur zögernd mit dem Namen Gottes zu benennen wagte. Wenn es auch vereinzelt Atheisten gab, die alles Göttliche verneint oder für unerkennbar gehalten haben, so richtet sich auch ihre Kritik gegen die Vielheit von Göttern mit menschlichen Zügen. „Gott" war einer der „Götter", zwar dem Menschen überlegen, aber gleich ihm der Pluralität und Relativität verhaftet und einer absoluten Schicksalsmacht unterworfen. Ein „Gott" war eine relative Größe, seine Negation daher ein *relativer Atheismus*.

Der neuzeitliche Atheismus dagegen ist ein Atheismus im *christlichen Raum*. Er lebt im Horizont des christlichen Glaubens, der seit Jahrhunderten allgemein gültig war. Aus diesem gemeinsamen

Verständnishorizont wußte man, was gemeint war, wenn „Gott" genannt wurde. Gemeint war immer, auch wenn man nicht theologisch von ihm sprach, sondern ihn philosophisch zu beweisen und zu begreifen suchte, der Gott der christlichen Offenbarung. Wenn sich dagegen seit etwa zweihundert Jahren ein atheistischer Protest erhoben und verdichtet hat, so war auch er eindeutig gegen den christlich verstandenen Gott gerichtet. So auch bei NIETZSCHE, der den „Tod Gottes" verkündet und damit den Gott des Christentums abschaffen will. Der gesamte Atheismus der Neuzeit ist durch seinen christlichen Hintergrund bestimmt. Er ist in diesem Sinn ein „christlicher Atheismus". Das gibt ihm seine besondere Gestalt und seine Schärfe. Für den christlichen Glauben ist Gott nicht mehr einer unter vielen, nicht mehr eine relative oder relativierbare Größe, sondern der Erste und Letzte, der absolute Urgrund, der freie Schöpfer und Herr der Welt. Eine Frage „darüber hinaus" verliert ihren Sinn. Die Ablehnung dieses „Gottes" ist nicht mehr offen für anderes, in höherem Sinn „Göttliches". Der Atheismus wird zur Negation des „absoluten Gottes", er setzt damit sich selbst absolut und wird so gerade als Atheismus im christlichen Raum zu einem *absoluten Atheismus*.

2. Ein solcher Atheismus hat seine Ursprünge im englischen Empirismus und in der französischen Aufklärung des 18. Jahrhunderts, er setzt sich fort im Positivismus und Materialismus des 19. Jahrhunderts, in der Religionskritik von FEUERBACH und MARX, er wird bei NIETZSCHE zur leidenschaftlichen Prophetie. Aber all diese Erscheinungen verbleiben doch zumeist im *akademischen Raum*. Es war ein Atheismus von Intellektuellen, im wesentlichen beschränkt auf den Umkreis wissenschaftlichen und philosophischen Denkens. Das ist in der Gegenwart durchaus anders geworden. Heute ist der Atheismus eine allgemeine soziologische Erscheinung von weltweitem Ausmaß. Er ist nicht mehr Protest einzelner gegen einen allgemein verbindlichen Gottesglauben. Er ist vielmehr in der Breite zur vorherrschenden, fast selbstverständlichen Einstellung geworden. Der Atheismus ist heute ein *Massenphänomen*. Wenn man in unserer Zeit von einem

„konventionellen Christentum" spricht, das zu Ende sei, so gibt es längst einen ebenso konventionellen Atheismus, der weithin die Atmosphäre bestimmt, vom einzelnen fraglos übernommen wird als gängige Weltanschauung und Lebensauffassung, die ihn gar nicht mehr zur Auseinandersetzung herausfordert.

Worin liegt der Grund dieses tiefgreifenden Wandels? Sicher gibt es ein allgemein geschichtliches Gesetz geistiger Auswirkung und Absickerung; es ist ein Gesetz von unheimlicher, fast unaufhaltsamer Konsequenz. Was sich zuvor im akademischen Raum ereignet, in den Hörsälen der Hochschulen, in wissenschaftlichen und philosophischen Publikationen, dringt immer weiter hinaus und schlägt immer weitere Wellen. Es wirkt sich in der Breite der Gesellschaft aus und bildet „öffentliche Meinung". Das hat sich auch in der Gottesfrage ereignet. Die Ideen der Atheisten des 18. und 19. Jahrhunderts, verbunden mit dem sozial-revolutionären Impuls von Marx, haben sich in steigendem Maße ausgewirkt. Was aber in der Gegenwart vor sich geht, ist nicht allein die geistige Auswirkung von Ideen und Tendenzen der Vergangenheit, sondern liegt ebenso in der realen Umgestaltung der Gesamtsituation des Menschen in der Welt.

3. Diese *Gesamtsituation* hat sich durch moderne Wissenschaft und Technik grundlegend gewandelt. Der moderne Mensch lebt weithin in einer durchaus profanen, *säkularisierten Welt*, die in sich geschlossen erscheint und keinen Bezug auf Gott, auf den Glauben, auf das Religiöse zeigt. Die Welt ist allein durch eigene Kräfte und Gesetze der Natur bestimmt, die immer mehr wissenschaftlich durchschaut und technisch beherrscht werden. Den Lebensraum des Menschen bildet eine vom Menschen autonom gestaltete, menschlich konstruierbare und manipulierbare Welt. In ihr begegnet Gott nicht mehr sichtbar und greifbar. Er scheint in ihr Geschehen nicht mehr wirksam einzugreifen. Ereignisse der Natur und Schicksale des menschlichen Lebens verweisen nicht mehr — wie es ehedem war — unmittelbar auf Gott; sie werden immer mehr aus natürlichen Ursachen erklärbar. Und wenn sie noch nicht voll erklärt sind, so scheint eine Erklärung, die wir

heute noch nicht haben, doch schon morgen möglich zu werden. Es ist eine Welt, die nicht mehr offen und transparent ist für Gott; er wird in ihr nicht mehr zu einer Wirklichkeit menschlicher Erfahrung. Es ist im ganzen eine gottferne und gottfremde, in diesem Sinn gott-lose Welt geworden. Um als Mensch in dieser Welt zu leben, scheint man Gott nicht mehr zu brauchen. Man wird allein damit fertig. Man denkt nicht mehr an Gott und fragt nicht mehr nach Gott; der Gottesglaube wird weithin kaum mehr bekämpft, er spielt keine Rolle mehr.

In der Gegenwart wird oft darauf hingewiesen, daß diese Säkularisierung eigentlich *christlichen Ursprüngen* entstammt, daher auch christlich verstanden und gewertet werden müsse. Daran ist sicher richtig, daß für den biblisch-christlichen Glauben diese Welt gerade nicht Gott ist. Er ist der Andere gegenüber der Welt, der Weltüberlegene, der diese Welt in Freiheit geschaffen hat. Die Offenbarung Gottes setzt sich immer wieder in aller Schärfe von jedem mythisch-magischen Weltverständnis ab, etwa der heidnischen Umwelt Israels, in der Naturkräfte, Gestirne, Lebewesen oder Kunstwerke unmittelbar göttlich verehrt werden, das Göttliche also unmittelbar in der Welt gegenwärtig und erfahrbar ist und als Ding unter Dingen, als eine Ursache neben anderen, nämlich natürlichen Ursachen, in der Welt wirkt. Zu alldem sagt die Offenbarung ein klares Nein. Gott ist nicht dies oder jenes. Gott ist der Andere, der allmächtige Herr, der verborgene Gott, der nicht sichtbar und greifbar, nicht menschlich verfügbar ist, der nicht im Bilde dargestellt werden kann, der alle menschlichen Vorstellungen und Begriffe durchbricht und übersteigt, der aber, indem er die Welt erschaffen hat, diese Welt in ihrer Eigenwirklichkeit bejaht und gewollt hat, in ihre Eigenwirksamkeit und Eigengesetzlichkeit hinein freigegeben und dem Menschen zur Gestaltung und Beherrschung übertragen hat: Macht euch die Erde untertan!

Die christliche Sicht und Bewertung der Welt hat den Einsatz neuzeitlicher *Wissenschaft und Technik* erst möglich gemacht. Im Raume eines mythisch-magischen Weltbildes ist dafür grundsätzlich kein Platz. Solange das Weltgeschehen unmittelbar von göttlichen oder dämonischen Kräften durchwirkt vorgestellt wird, ist es weder rational erforschbar noch technisch verfügbar. Dies ist erst möglich, wenn man es in der Welt mit Dingen und Kräften zu tun hat, die in sich selbst erfaßbar sind und dadurch für den Menschen beherrschbar werden. Es ist erst möglich auf dem Boden eines grundsätzlich profanen Weltbildes, wie es durch den christlichen Glauben an die Transzendenz Gottes gegenüber der Welt gegeben ist. So hat sich tatsächlich gerade auf dem Boden der christlichen Welt die neuzeitliche Wissenschaft entfaltet, in ihrem Gefolge die moderne Technik, die industrielle Gesellschaft und damit der gesamte Wandel der sozialen und ökonomischen Struktur, aber auch die allgemein geistige und kulturelle Situation des Menschen in der modernen Welt, die den heutigen Atheismus bedingt.

Damit ist aber das Problem nicht gelöst, sondern verschärft gestellt. Denn es ist die Frage, ob im Horizont gegenwärtiger Welterfahrung der Mensch überhaupt noch einen Zugang zu Gott finden kann, ob er noch sinnvoll Gott denken und von Gott sprechen kann oder ob jede Rede von Gott, ja schon die Frage nach Gott sinnlos geworden ist, das heißt, ob im Raume des modernen Welt- und Selbstverständnisses für Gott überhaupt noch Platz ist, ob das Wort „Gott" überhaupt noch einen Sinn hat oder schon endgültig tot ist.

2. Die Motive des modernen Atheismus

Es ist aber konkreter die Frage, was mit dem Wort „Gott" gemeint und vorgestellt wird. Der Sinn einer atheistischen Negation Gottes bestimmt sich daran, welcher „Gott" negiert, welche *Vorstellung von Gott* abgelehnt wird. Wenn auch der moderne Atheismus sich seit jeher als Protest gegen den christlichen Gott verstanden hat, so liegen ihm doch ganz bestimmte, sehr einseitige Akzente, zum Teil geradezu Entstellungen und Verzerrungen des christlichen Gottesglaubens zugrunde. Eine Reflexion auf die *Beweggründe des Atheismus* kann daher zeigen, welche Vorstellungen von Gott vorausgesetzt sind und abgelehnt oder bekämpft werden. Es sind durchaus nicht immer Entstellungen und Verzerrungen, die nur von Gegnern des Gottesglaubens erfunden wurden, um den atheistischen Protest mit berechtigten Gründen zu motivieren. Es sind auch Vorstellungen, die dem Raum des christlichen Glaubens selbst entstammen, vor allem in naiv religiöser, philosophisch und theologisch kaum reflektierter Überzeugung gläubiger Christen verbreitet waren und immer noch wirksam sind, aber durch ihre Einseitigkeit und Unzulänglichkeit eine berechtigte Ablehnung herausfordern. Die Reflexion auf die Gründe des Atheismus kann daher nicht nur zu seinem Verständnis, sondern auch zur Läuterung und Vertiefung des Gottesglaubens selbst beitragen.

1. Die wichtigsten Motive des modernen Atheismus betreffen die Welt, den Menschen und die Gesellschaft in ihrem Verhältnis zu Gott. Das Verhältnis zwischen der *Welt und Gott* war früher so verstanden, daß die Welt von Gott geschaffen und durchwirkt ist. Die Welt im Sinn der „Natur" wird jedoch in der Neuzeit zum Gegenstand wissenschaftlicher Naturforschung. Die Welt wird in steigendem Maß aus sich selbst, aus eigenen Kräften und Gesetzen erklärt, die wissenschaftlich erfaßt und mathematisch formuliert werden. Ein unmittelbarer Eingriff göttlichen Wirkens in den Ablauf der Natur ist wissenschaftlich nicht festzustellen. Gott wird daher durch die Wissenschaft immer mehr aus der Welt verdrängt.

Daraus entspringen, solange man am Gottesglauben festhält, zwei Auffassungen über das Verhältnis zwischen Welt und Gott, die jedoch beide in gleicher Weise fragwürdig sind. Die eine Vorstellung bezeichnet sich als *Deismus*, die typische Gestalt der Gotteslehre der Aufklärung. Man glaubt zwar an den Gott des Christentums, den persönlichen Gott als den Schöpfer der Welt. Aber dieser Gott ist in der Welt nicht mehr gegenwärtig und wirksam, er überläßt die Welt dem Ablauf ihrer eigenen Gesetze. Es ist ein Gott, der den Menschen in seiner Welt nicht stört, nichts von ihm fordert, keinen Bezug zur Welt und zum Menschen hat. Es ist ein Gott, der rein jenseitig „über der Welt" und „außer der

Welt" für sich existiert, aber keine reale Bedeutung mehr für uns hat.

Anderseits entspringt dem naturwissenschaftlichen Weltbild, sofern es noch Lücken hat und nicht alles wissenschaftlich zu erklären vermag, die Vorstellung, daß dort, wo keine Erklärung aus anderen, nämlich innerweltlichen Ursachen zu geben ist, ein unmittelbarer Eingriff Gottes anzunehmen sei. Gott wird so zum *„Lückenbüßer"* mangelnder Naturerklärung. Es ist ein Gott, der als Ursache neben anderen Ursachen des Weltgeschehens wirkt, er wird ein Ding unter Dingen, eine „Ersatzhypothese", wo andere Erklärungen versagen.

Beide Vorstellungsweisen müssen *Widerspruch* erregen. Die erste, des Deismus, weil die Annahme eines solchen Gottes völlig belanglos, im letzten sogar sinnlos wird. Es kommt gar nicht mehr darauf an, ob man an einen solchen Gott glaubt oder nicht, ob man ihm noch Existenz zubilligt oder nicht, um so weniger, als die Existenz eines solchen Gottes außer und über der Welt weder vorstellbar noch wissenschaftlich erweisbar ist. Die zweite Auffassung fordert den Widerspruch heraus, weil eine solche „Ersatzhypothese" die wissenschaftliche Forschung nicht fördert, sondern behindert. Naturwissenschaft verlangt als Bedingung ihrer Möglichkeit die Grundhypothese allgemeiner, immer weiterer Erklärbarkeit der Phänomene. Sie kann als Wissenschaft im Bereich ihrer Zuständigkeit sich nicht Grenzen auferlegen oder einen Phänomenbereich grundsätzlich aussparen, der allein aus unmittelbarem Eingriff Gottes zu erklären sei. Sie muß im Namen der Wissenschaft einen solchen Gott negieren.

Beiden Vorstellungsweisen ist aber gemeinsam, daß sie Gott kategorial denken als etwas neben anderem, neben gegenständlichen Dingen und Ursachen in unserer Welt, und diese kategoriale Größe entweder als Ursache neben anderen Ursachen in das wissenschaftliche Weltbild einführen wollen oder — wieder als kategoriale Größe — in einem räumlichen Jenseits außer der Welt ansetzen. Jede Vorstellung dieser Art muß heute scheitern. Man kann nicht mehr glauben an einen naiv gegenständlich vorgestellten Gott; ein solcher Glaube ist unvollziehbar geworden, er ist so gründlich wie möglich überholt. Aber folgt daraus, daß Gott nicht naturwissenschaftlich erfaßbar oder aufweisbar ist, auch schon, daß es einen Gott überhaupt nicht gibt? Ist Gott eine Hypothese oder ein Ergebnis wissenschaftlicher Forschung? Ist nicht jede wissenschaftliche Betrachtung durch ihr Wesen und ihre Methode grundsätzlich begrenzt? Und ist mit „Gott" nicht etwas radikal anderes gemeint?

2. Ein weiterer Ansatz des Atheismus ist das Verhältnis zwischen dem *Menschen und Gott.* Schon FEUERBACH und MARX, NIETZSCHE und SARTRE erheben einen Protest gegen Gott im Namen des Menschen und seiner Freiheit, seiner Selbstgestaltung und Selbstentfaltung. Der Protest richtet sich gegen einen Gott, der den Menschen erdrückt, erniedrigt und entrechtet, dem Menschen seine Würde und Freiheit, die Entfaltung seiner eigenen Kräfte und Werte mißgönnt. Es ist ein Gott, der als der große Gegner des Menschen erscheint, gegen dessen Eingriff in unsere Welt man sich empört. Es ist ein Gott, der allein als Richter und Rächer erscheint, als unerbittlich grausamer Moloch, der sich am Leiden der Menschheit ergötzt, der uns in Sklavenmoral niederhält. Der Glaube an Gott bedeutet darum eine *Entfremdung* des Menschen, die ihn nicht zum eigentlichen Selbstsein kommen läßt, sondern in einem fernen Jenseits künftige Vollendung verheißt, ihn dadurch aber vom vollen Einsatz in dieser Welt ablenkt und davon abhält, sich in diesem Leben mit allen Kräften gegen das Unrecht aufzulehnen, seine sozialen Rechte zu erkämpfen und am Fortschritt der menschlichen Gesellschaft mitzuwirken. Der religiöse Mensch ist, so meint man, der entfremdete Mensch, der vor sich selbst und seiner Welt in ein Jenseits flieht. Daß man mit einer solchen Vorstellung von Gott nicht leben kann, daß man sich dagegen auflehnen muß, ist verständlich. Aber ist es nicht ein sehr verkürztes und verzerrtes Gottesbild? Mit dem Gott des christlichen Glaubens, mit der Botschaft des Evangeliums vom Gott der Liebe und des Heiles hat es kaum noch etwas zu tun; aber auch nicht mit dem Ewigkeitswert des menschlichen Lebens und Handelns in dieser

Welt, das — recht verstanden — erst dadurch zum vollen Einsatz aufgerufen wird.

3. Diese Begründungen des Atheismus verbinden sich mit historisch-soziologischen Beziehungen zwischen der menschlichen *Gesellschaft* und dem *Glauben an Gott.* Sicher war die konkrete Religionsform, auch des Christentums und der christlichen Kirchen mit ihrem Gottesglauben, vielfach hineinverflochten in die geschichtliche soziale und politische Situation. Es gab durch Jahrhunderte den Bund zwischen „Thron und Altar", man berief sich auf das „Gottesgnadentum" des Herrschers, auch in absolutistischer Staatsform, man zog in den Krieg „für Gott, Kaiser und Vaterland". Die bestehende Staatsform erhielt einen geistigen Rückhalt an der Religion und lieh dafür der Kirche Schutz und Förderung. So aber erscheint der Gott des Staates und der Kirche als Garant des herrschenden Systems mit seinen sozialen und politischen Verhältnissen. Konkrete Entscheidungen und Forderungen erhielten eine religiöse Motivation, das heißt eine *absolute Motivation* durch die Legitimierung aus dem „Willen Gottes".

Das mußte dazu führen, daß jede, auch berechtigte Ablehnung des bestehenden Systems sich zugleich gegen die Religion, die es stützte, und gegen den Gott, der sich dafür verbürgte, richten mußte. Schon der Aufstand gegen die absolutistische Staatsform des 18. Jahrhunderts stand im Zeichen der Auflehnung gegen Kirche und Religion mit ihrem Gottesglauben. Erst recht die soziale Revolution, die von Marx entfesselt wurde, stand — und steht weithin bis heute — mit ihrem berechtigten Kampf um soziale Gerechtigkeit im Zeichen des Aufstands gegen die Kirche, gegen die Religion und den Gottesglauben, die das bisherige System sozialen Unrechts garantiert und legitimiert hatten. Gott selbst erscheint als derjenige, der Unrecht, Unterdrückung und Ausbeutung der Menschen will.

Einen solchen Gott aber kann man nicht dulden, erst recht nicht verehren und anbeten; man muß ihm schärfsten Protest entgegensetzen. Wir sind uns der erschütternden Tragik dieses Geschehens bewußt. Aber was hat diese historisch bedingte, politisch-soziologische Gottesvorstellung mit dem Gott des christlichen Glaubens zu tun? Dies zeigt, wie sorgsam man sich davor hüten muß, Gott für bestimmte und konkrete, historisch und soziologisch bedingte Ziele und Anliegen in Anspruch zu nehmen. Dadurch werden solche Ziele vorschnell mit dem Siegel der Absolutheit versehen und Gott selbst wird in die Relativität der geschichtlichen Welt hineingezogen, seine absolute Transzendenz aufgehoben.

Es sind immer wieder sehr einseitig verzerrte Aspekte des Gottesglaubens, die den Protest des Atheismus herausfordern. Gott wird verstanden als „Gegenstand", der der naturwissenschaftlichen Forschung erreichbar sein müßte, aber nicht erreichbar ist und deshalb negiert werden muß. Gott wird verstanden als Gegner des Menschen, der ihn erdrückt und vernichtet, gegen den sich deshalb der Mensch in seiner Freiheit empört. Gott wird verstanden als Garant eines Herrschaftssystems, eines sozialen Standes, einer politischen Partei oder einer Nation; der Aufstand dagegen wird zur Auflehnung gegen Gott.

Sicher sind hier Verfälschungen des christlichen Gottesgedankens am Werk, die aber den modernen Atheismus wesentlich relativieren. Zwar ist er ein absoluter Atheismus, insofern er sich gegen den absoluten Gott des Christentums wendet. Er ist zugleich aber ein relativer Atheismus, insofern er diesen absoluten Gott unter sehr relativen und negativen Aspekten versteht und bekämpft. Der wahrhaft absolute, unendliche Gott, der radikal Andere, der alle kategorialen Inhalte und Begriffe unendlich transzendiert, kommt nicht in den Blick.

II. Sinnverständnis und Sinngrund

1. Sinn und Sinnganzheit

1. Noch wichtiger aber ist es, diese Formen des Atheismus aus ihrem positiven Anliegen zu verstehen. Da zeigt sich jedoch im Hintergrund jedes Atheismus eine tiefe, oft leidenschaftliche Sinn-

frage und *Sinnbejahung*, die den Atheismus motiviert. Weil moderne Wissenschaft einen Sinn hat, das Recht und den Auftrag hat, die Welt aus ihren eigenen Gesetzen zu erklären, kann dieser Sinn nicht begrenzt oder aufgehoben werden durch eine sinnlose Ersatzhypothese, auch wenn diese „Gott" heißt. Weil das menschliche Dasein mit seiner Freiheit und Verantwortung einen Sinn haben muß, aus dem wir leben und zu dem wir uns bekennen, lassen wir uns diesen Sinn nicht nehmen oder durchkreuzen durch einen Gott, der uns in eine sinnlose Selbstentfremdung zwingt. Und weil die menschliche Gesellschaft und Geschichte einen Sinn haben muß, menschliche Werte, Freiheit und Gerechtigkeit zur Entfaltung zu bringen, echtem Fortschritt sozialer Gerechtigkeit und mitmenschlicher Verhältnisse Raum zu geben, deshalb kann dieser Sinn nicht zerstört, dieser Fortschritt nicht gedrosselt werden durch den Glauben an einen Gott, der die bestehenden Verhältnisse absolut motiviert und garantiert.

Das heißt nicht nur, daß jeder Atheismus in seiner negativen Aussage ein positives Anliegen meint, sondern auch, daß dieses positive Anliegen durch eine grundsätzliche Sinnbejahung bestimmt ist. Ein Sinn des menschlichen Daseins, ein Sinn der Welt, der menschlichen Welterkenntnis und Weltgestaltung, ein Sinn der menschlichen Gesellschaft und Geschichte ist vorausgesetzt. Der Glaube an Gott wird abgelehnt, oft auch hart bekämpft, weil und insofern er diesem Sinn zu widersprechen, ihn zu ersticken scheint. Aber damit wird eine grundsätzliche Sinnhaftigkeit der Welt und des menschlichen Lebens, Erkennens und Handelns in der Welt — gerade in der Negation Gottes — bejaht und gefordert. Der Mensch kann nicht ohne „Sinn" leben. In allem, was wir sagen, meinen wir einen Sinn. In allem Erkennen und Verstehen erfassen wir einen Sinn. In allem Handeln und Arbeiten vollziehen wir einen Sinn. Sonst hebt sich das menschliche Leben, sinnlos geworden, als menschlich unvollziehbar auf.

Was ist aber damit gemeint? Wir verstehen einen Inhalt in seinem „Sinn": Dinge, mit denen wir umgehen; Ereignisse, die wir erfahren; Aussagen, die wir machen oder vernehmen. Sinn ist dasjenige, wodurch etwas verstehbar ist. Wir verstehen es, sofern es sinnvoll ist; sinnvoll ist es, sofern es verstehbar ist. „Sinn" und „Verstehen" sind aufeinander bezogen; das eine ist nur durch das andere bestimmbar. Sie weisen zurück auf das Grundphänomen des Sinnverstehens, das sich nicht weiter zurückführen läßt, sondern mit dem menschlichen Dasein gegeben ist. Darum hat HEIDEGGER das Verstehen als ein Existential des Daseins bezeichnet. Es ist ein fundamentales Phänomen unseres Menschseins, das konstitutiv in das gesamte menschliche Verhalten zu allem, was uns begegnet, eingeht. Menschsein heißt: verstehend sich selbst in seiner Welt vollziehen.

Weil aber das Verstehen von Sinn ein so fundamentales und konstitutives Element menschlichen Daseins ist, kann die Bedeutung dessen, was wir „Sinn" nennen, nicht in einer einschränkenden Weise definiert werden. Man kann zwar in einem begrenzten Gegenstandsbereich Kriterien nennen, unter denen eine Aussage innerhalb dieses Bereiches unter bestimmten dafür relevanten Aspekten als sinnvoll zu gelten hat. Damit wird aber der „Sinn" schon auf einen begrenzten Bereich festgelegt. Das wird dem Gesamtphänomen des Verstehens von Sinn nicht mehr gerecht, weil wir vor jeder bestimmten Eingrenzung und Festlegung in allen Bereichen unseres Sprechens und Handelns „Sinn" erfahren und vollziehen. Will man dem Gesamtphänomen gerecht werden, so kann man als „Sinn" nur den Inhalt möglichen Verstehens bezeichnen und das Verstehen nur als Erfassung eines Sinnes bestimmen.

2. Wir verstehen Einzelinhalte in ihrem Sinn: Dinge, Ereignisse, Aussagen, Handlungen und Einrichtungen. Aber wir verstehen Einzelinhalte doch niemals völlig isoliert. Ihr Sinn erschließt sich erst aus ihrem Sinnbezug auf anderes. Sie stehen in einem *Sinnzusammenhang*, aus dem das einzelne erst verständlich wird. Das kann ein theoretischer Bedeutungszusammenhang sein, aus dem wir das einzelne Wort erst im Zusammenhang der Aussage als sinnvoll verstehen. Der Sinn der Aussage erschließt sich erst voller im weiteren Zusammenhang der Rede, des Gesprächs oder

eines geschriebenen Textes. Der einzelne Sinngehalt wird erst aus einer Sinnganzheit verständlich. Diese Sinnganzheit kann auch ein praktischer Handlungszusammenhang sein, aus dem wir einzelne Handlungen und Handgriffe, Werkzeuge oder Einrichtungen verstehen. Wenn sich dieser Sinn auch erst im praktischen Umgang mit Dingen erschließt, so ist es doch ein Verstehen, das unser Handeln durchsichtig macht und leitet, in seinem Sinn vollziehbar macht.

Der unmittelbare — sei es theoretische oder praktische — Sinnzusammenhang, aus dem wir Einzelinhalte verstehen, verweist aber wieder auf eine größere Ganzheit: den weiteren Zusammenhang unseres Lebens. Wir haben eine Gesamtschau und Bewertung der Welt, unseres Lebens und Handelns in der Welt. Wir haben Erfahrungen gemacht, Überzeugungen und Meinungen gebildet. Wir entwerfen beständig Ziele und Pläne, durch die wir dem einzelnen, was wir sagen oder tun, im ganzen unseres Sinnentwurfs einen Sinn verleihen. Diese *Ganzheit* kann als Weltanschauung oder Lebensauffassung bezeichnet werden oder einfach als unsere „*Welt*" im Sinne der „Lebenswelt" (Husserl) oder des „In-der-Welt-Seins" (Heidegger).

Wie das einzelne nur aus dem Ganzen eines Zusammenhangs verständlich wird, so ist umgekehrt die Ganzheit dieser Welt zusammengewachsen aus vielen Einzelinhalten: aus einzelnen Erfahrungen und Einsichten, aus geschichtlich überkommenen Beurteilungen und Bewertungen, theoretischen Intentionen, praktischen Interessen und affektiven Stellungnahmen. Unsere gesamte persönliche und geschichtliche Vergangenheit geht ein in unsere Welt, aus der wir beständig in die Zukunft einen Sinnentwurf unserer Anliegen und Wünsche, Ziele und Pläne vollziehen. Beides, das Bestimmtsein durch die eigene Vergangenheit und der freie Entwurf in die Zukunft, geht ebenso konstitutiv in das Ganze meiner „Welt" ein. Insofern diese Ganzheit sehr verschiedenen Ursprüngen entstammt, ist sie eine *heterogene* Einheit. Insofern sich darin aber die Einheit eines Gesamtsinnes durchhält, der die Vielheit aller Einzelinhalte zur Ganzheit einer Welt zusammenfügt, bildet sie unter dieser Rücksicht doch eine *homogene* Einheit. Es ist eine Einheit in der Mannigfaltigkeit, eine Ganzheit, die aus der Vielheit verschiedenartiger Elemente, jedoch unter einheitlicher Sinngebung, zusammenwächst.

Diese „Welt", in der jeder Mensch lebt — und jeder hat seine eigene Welt, die sich mit der Welt eines anderen nicht vollkommen deckt —, ist nur dadurch eine sinnvolle Einheit und Ganzheit, daß in ihr alle Einzelinhalte in einer Gesamtschau, das heißt aus einem gesamten Sinnentwurf auf einen *gemeinsamen Sinngrund*, eine sinngebende Mitte hin, verstanden und ausgelegt werden. Von diesem Sinngrund, dieser Sinnmitte her haben sie überhaupt erst ihren vollen Sinn, indem sie im gesamten Zusammenhang unseres menschlichen Daseins sinnvoll verstanden und vollzogen werden. Erst aus diesem Sinnentwurf auf einen letzten, die Ganzheit bestimmenden Sinngrund konstituiert sich die Einheit einer Welt des Verstehens, in der wir leben, reden und handeln.

2. Der absolute Sinngrund

1. Hier stellt sich jedoch vor jedem Gespräch zwischen Atheismus und Gottesglauben die entscheidende Frage, was als der *letzte Sinngrund* des menschlichen Daseins in der Welt angesetzt wird. Daß diese Frage auch für die „Welt" des Atheisten von Bedeutung ist, zeigt eine auffallende Erscheinung, die wir in der Geschichte wie in der Gegenwart immer wieder vorfinden. Wo immer Gott als Sinngrund geleugnet wird, ob man grundsätzlich seine Existenz verneint oder ihm wenigstens keine sinnbestimmende Bedeutung im eigenen Leben gewährt, werden andere *Absolutsetzungen* vorgenommen. Ein anderer, also weltimmanenter Seins- oder Wertbereich wird als absolut gesetzt, als absolut sinngebende Mitte des Strebens und Handelns angenommen, sodann oft auf geradezu religiöse oder pseudoreligiöse Weise verehrt: sei es die Materie, wissenschaftlicher und technischer Fortschritt, das Leben oder die Entwicklung; sei es der Mensch in seiner Freiheit und Entfaltung menschlicher Werte, die menschliche Kultur oder Ge-

sellschaft; sei es die Nation, eine Klasse oder Partei, ein anderes soziales oder politisches Ideal oder schließlich ein persönliches Lebensziel wie Macht und Besitz, Genuß und Erfolg. Immer wieder wird ein Wert als absolut gesetzt, auf den alles übrige bezogen wird; er wird zur sinngebenden Mitte des ganzen menschlichen Lebens in der Welt. Ist das aber nicht der Fall, das heißt, hat der Mensch weder einen Gott noch einen Götzen, so erfährt er sich in einem „existentiellen Vakuum", in dem ihm jede Sinnhaftigkeit seines Daseins zerbricht. Diese Erscheinungen weisen darauf hin, daß der Mensch auf einen unbedingten Sinngrund angewiesen ist. Nur wenn sein Dasein im ganzen von einer bestimmenden Mitte her einen Sinn hat, kann er als Mensch bestehen und sich als Mensch verstehen.

Es ist keine Frage, daß im modernen Atheismus, sofern er nicht nur gedankenlos — als Massenerscheinung — übernommen, sondern aus persönlicher Überzeugung vollzogen wird, positive Anliegen bestimmend sind. Es sind echte Anliegen, Werte und Ziele, für die er sich einsetzt und die des Einsatzes würdig sind. Weil er meint, daß die christlichen Kirchen in Vergangenheit und Gegenwart diesen Einsatz nicht genügend geleistet haben, daß gerade der Gottesglaube und der Trost im Jenseits daran Schuld tragen, erhebt sich aus diesen Anliegen heraus der Aufstand gegen Gott. Die Frage ist aber, ob sich dieser Protest nur gegen historisch-soziologisch bedingte Formen, vielleicht Fehlformen des Gottesglaubens richtet oder ob er sich mit Recht zurückbezieht auf den christlichen Gottesglauben selbst. Dahinter steht die weitere Frage, ob er seine echten Anliegen und Werte ohne Gott sinnvoll begründen und durchhalten kann, ob sie, losgelöst von Gott, als Sinnmitte einer atheistischen Weltanschauung angesetzt, die umfassende Sinngebung des menschlichen Daseins tragfähig zu leisten vermögen.

2. In jeder derartigen Sinngebung bleibt eine letzte *Sinnfrage offen*. Gerade innerhalb der modernen, weithin gottfernen Welt bricht vielfach die Frage nach dem Sinn des menschlichen Daseins in der Welt mit neuer Urgewalt auf; sie fordert Antwort. In den

Ländern des Ostens besteht zwar der Kommunismus weiterhin als machtpolitisches System und, wenn auch in einer langsam, aber deutlich sich wandelnden Form, als sozial- und wirtschaftspolitisches Programm, die atheistische Ideologie des dialektischen Materialismus verliert aber immer mehr an Kraft. Sie überzeugt nicht mehr, sie erweckt keinen Glauben mehr, sie liefert keine tragfähige Weltanschauung, weil sie die Sinnfrage nicht voll zu beantworten vermag.

Die Sinnfrage des menschlichen Lebens war für Marx, der den Menschen allein als „Ensemble der gesellschaftlichen Beziehungen" verstanden hat, ein bürgerliches Vorurteil, das im Sozialismus zu überwinden ist; die Frage hat keine Berechtigung mehr. In der Gegenwart aber öffnet sich das marxistische Denken immer mehr, entgegen dem starren Kollektivismus, der das Individuum unterdrückt hat, den eigentlich menschlichen Werten; es erklärt den Sozialismus als „Humanismus", der den konkreten Menschen in seiner personalen Würde, seinen Rechten und seiner Freiheit verstehen und zur Geltung bringen will. Da stellt sich um so dringlicher die Frage nach dem Sinn des ganzen menschlichen Lebens. Wenn man aber — im Raum eines humanistischen Atheismus verbleibend — den Sinn des Daseins in einem sozialen Eudaimonismus (L. Kolakowski) sieht, die Sinnfrage durch Rationalisierung aller offenen Probleme, auch des Todes, zu beantworten sucht (A. Schaff), den eigentlichen Sinn des menschlichen Lebens im Dialog ansetzt (M. Machovec) oder die Sinnfrage durch die Hoffnung auf eine künftige Vollendung der Menschheit beantworten will (E. Bloch), so bleibt in all dem doch die Frage, ob eine solche Antwort genügt.

Gegen jede Antwort, die den Einzelmenschen zur Funktion im historisch-soziologischen Prozeß macht, seinem Leben nur eine Dienstfunktion am Fortschritt der Menschheit zuweist, erhebt sich im Grunde doch, oft unterdrückt, ein Aufstand des individuellpersonalen Daseins. Der Einzelmensch ist nicht nur ein Glied am Ganzen, er kann seinen Sinn nicht nur darin sehen, unterzugehen in einem geschichtlichen Prozeß. Und wenn diese Antwort genügen mag, solange einer voll in der Arbeit steht, die ihn ausfüllt und in der er einen Sinn erfährt, was ist, wenn er unheilbar krank ist und nichts mehr zu leisten vermag, was ist, wenn er schwer leidet und darin keinen Sinn mehr sehen kann, und was ist, wenn er dem Tod entgegengeht? Kann dieser Sinn, der menschlichen Gesellschaft zu dienen, dem ganzen Dasein des Menschen eine tragfähige Sinngebung verleihen? Hier wird eine Grenze deutlich.

Es geht aber nicht nur um das individuelle Dasein, das einen Ewigkeitssinn fordert, durch die Absolutheit seines personalen Wertes sogar fordern muß. Es geht darüber hinaus auch um den Sinn der ganzen Geschichte der Menschheit. Der Fortschritt in der Geschichte ist fragwürdig. Sicher gibt es Fortschritt, aber auch Rückschläge, nicht nur Aufwärtsentwicklung, sondern auch Verfall und Niedergang. Jeder Aufstieg in einem Kulturbereich ist erkauft um den Preis des Verfalls in anderen Bereichen. Die menschliche Geschichte ist nicht nur ein sieghafter Fortschritt, sondern vielmehr ein Weg der Menschheit über Höhen und Tiefen, aber so, daß im steten Wellengang ein Wellenberg hier ein Wellental dort bedingt. Nichts gibt uns die Verheißung, daß in der Geschichte selbst ein vollendeter Zustand erreichbar sei, in dem alles Leid und Elend überwunden und der Menschheit eine beglückende Sinnerfüllung geschenkt werde. Selbst wenn es so wäre, wo ist der Sinn aller erfolglosen Mühen und Kämpfe, alles umsonst vergossenen Blutes, aller qualvollen Schmerzen und heimlichen Tränen, allen Unrechts, das still ertragen und nicht gesühnt wurde? All das findet keinen „Sinn" im Fortschritt der Menschheit, in einer künftigen, vielleicht besseren Welt. All diese *Antworten genügen nicht*, sie können nicht genügen, weil der Mensch — jeder einzelne und die ganze Geschichte der Menschheit — auf einen absoluten Sinngrund hingeordnet und angewiesen ist.

3. Im Grunde derselbe Aufbruch der Sinnfrage ist auch, obwohl auf andere Weise und oft in verdeckten Gestalten, in der freien Welt des Westens wirksam. Hier zeigt sich, daß auch Freiheit und Demokratie, Wohlstand und Fortschritt keine letzte Sinnerfüllung bieten. In all den Unruhen unserer Zeit spricht sich ein verbreitetes

Unbehagen des Menschen in der *modernen Gesellschaft* aus. Es ist eine technisch organisierte, rationalisierte und konstruierte Gesellschaft. Bei allen praktischen Vorteilen und Entlastungen, die der technische Fortschritt bringt, spürt der heutige Mensch, der in dieser technischen Welt lebt und von ihr mitgerissen wird, daß sie im Grunde nicht menschlich bewältigt ist, daß sie die eigentlich menschlichen Probleme nicht löst, die eigentlich menschlichen Werte nicht fördert, sondern bedroht, und daß sie keine Antwort auf die Sinnfrage des menschlichen Daseins in der Welt gibt. Wenn auch die äußeren Lebensziele weithin erfüllt sind und der allgemeine Wohlstand höher ist als jemals zuvor, zeigt sich um so krasser, daß alle Prosperität und Saturität keinen echten Sinn vermitteln und keinen wahrhaft menschlichen Fortschritt bedeuten. Wer keine tragenden Werte und gültigen Ziele hat, die seinem Leben Sinn und Richtung geben, weiß in alldem nicht mehr, wozu und wohin. Er fühlt eine Leere, ein tiefes Ungenügen und lehnt sich, oft sehr unbewußt, dagegen auf. Hinter den lauten Protesten und Revolten, in denen zumeist verborgen bleibt, wogegen sie sich auflehnen, und noch mehr, wofür sie sich einsetzen, tut sich ein Abgrund innerer Leere, ein Chaos der Sinnlosigkeit und Ratlosigkeit auf. Es ist wie eine *Explosion des Nihilismus* im Protest gegen sich selbst: gegen alles, was diese innere Leere nicht erfüllen kann und aus der Sinnlosigkeit, in der man steht, nicht erlöst. Es ist im Grunde ein Ausdruck, wenn auch oft ein sehr ratloser und hilfloser Ausdruck, der brennenden Frage des Menschen nach einem Sinn seines Lebens: nach einem letzten, wirklich gültigen, tragenden und richtungweisenden Sinn des ganzen menschlichen Daseins in der Welt.

4. Der Mensch ist, um als Mensch zu bestehen und sich selbst zu verstehen, auf einen letzten Sinn angewiesen, auf den hin er sein ganzes Leben in der Welt entwerfen und vollziehen kann. Ein Sinn ist erfordert, der eine umfassende Sinngebung des gesamten Lebens in all seinen Erfahrungsbereichen leisten kann. Das kann er nur, wenn er eine unbedingte, nicht mehr aufhebbare oder überholbare Sinngebung vermittelt. Denn wir erfahren im

ganzen unseres menschlich-personalen Selbstvollzugs überall einen *absoluten Anspruch*, den wir als sinnvoll erfahren und bejahen — sonst hebt sich das menschliche Dasein überhaupt als grundsätzlich sinnlos auf. Wir erfahren eine Unbedingtheit im Anspruch der Wahrheit, der sich an unser Erkennen richtet; in der unbedingten Forderung des Guten, die unser freies Wollen und Handeln in Anspruch nimmt und als verbindliches Sollen erfahren wird. Eine Unbedingtheit tritt uns auch im personalen Sein und Wert entgegen, der uns im anderen Menschen begegnet, unbedingte Anerkennung und Ehrfurcht fordert, den Einsatz mitmenschlicher Hilfe und Liebe aufruft. Der Mensch kann sich selbst nur sinnvoll verwirklichen im Hinausgehen über sich selbst, in der Antwort auf den absoluten Anspruch, dem er zu entsprechen hat.

Der Mensch „ist" Transzendenz. Er aktuiert sich selbst, indem er sich transzendiert; er verwirklicht sein eigenes Wesen, indem er sich selbst verläßt und übersteigt. Das geschieht in jedem echten Sich-Öffnen und Hingeben an das unbedingt Wahre, Gute und Schöne, an den personalen Wert und die Gemeinschaft. Insofern sich darin ein Sinn des menschlichen Daseins verwirklicht, ist es ein Sinngeschehen. Insofern sich in diesem Geschehen eine absolute, nicht mehr relativierbare Sinngebung des menschlichen Daseins vollzieht, setzt es einen *absoluten Sinngrund* voraus, auf den hin wir uns selbst übersteigen und in dem wir den Sinn unseres Selbstseins finden. Bei aller Bedingtheit konkreter Verhältnisse und Erfordernisse des Lebens erfährt sich der Mensch immer im Horizont des Absoluten; er ist der wesenseigene Horizont menschlich-personalen Selbstvollzugs. Er setzt daher immer — ob wir es wollen oder nicht — als Bedingung seiner selbst ein Absolutes voraus, das den letzten und unbedingten Sinngrund menschlichen Daseins ausmacht. Wir können uns selbst in unserer Welt nur sinnvoll verstehen, wenn wir uns auf diesen Sinngrund einlassen, auf ihn ausgreifen und darin die sinngebende Mitte unseres gesamten Welt- und Selbstverständnisses erreichen.

Wenn dieser Sinngrund aber alles andere sinngebend begründen soll, kann er nicht mehr in einem bedingten und begrenzten Inhalt unserer gegenständlichen Erfahrung liegen. Er kann nicht in einem weltimmanenten Seins- oder Wertbereich liegen, den man beliebig als absolute Sinnmitte ansetzen mag, der aber eine umfassende Sinngebung nicht zu leisten imstande ist. Kein Einzelinhalt innerhalb des Sinnhorizonts kann die gesamte Sinngebung leisten, sondern setzt diese schon voraus: als dasjenige, was den gesamten Sinnhorizont konstituiert. Wenn der absolute Sinngrad den gesamten Sinnhorizont begründet, kann er nicht mehr ein einzelner Sinngehalt innerhalb dieses Horizonts sein, sondern muß ihn grundsätzlich übersteigen und ihm vorausliegen. Er muß eine absolut transzendente Größe sein. Wenn er jedoch — innerhalb des gesamten Verständnishorizonts — auch den Sinn menschlich-personalen Seins, den Sinn und Wert der personalen Beziehung sinngebend begründen und gewährleisten soll, muß er ein personaler Sinngrund sein, ein absolutes Du, das uns in allem begegnet und anspricht, in allem gegenwärtig und wirksam ist. Dieser letzte Sinngrund ist in der Sinnganzheit unserer menschlichen Welt, im Sinnvollzug menschlichen Daseins immer schon vorausgesetzt, ohne uns jemals voll begreifbar zu werden. Er bleibt der sinngebende, aber geheimnisvolle Hintergrund, den wir in der Ohnmacht menschlicher Sprache „Gott" nennen.

5. Doch stellt sich heute vielfach die Frage, ob dieses Wort überhaupt noch einen Sinn hat, ob der Mensch im Horizont moderner Welterfahrung überhaupt noch einen Zugang zu Gott finden, sinnvoll nach ihm fragen und von ihm reden kann. Ist im ganzen der Erfahrungs- und Verständniswelt des heutigen Menschen überhaupt noch ein Platz für Gott, ist noch eine Dimension auf Gott hin offen? Oder gehört das, was wir mit dem Worte „Gott" meinen, einem so fernen und fremden Weltverständnis vergangener Zeiten an, daß es sich in die heutige Welt nicht mehr sinnvoll einfügt und aus ihr nicht mehr sinnvoll verstanden werden kann?

Diese Frage setzt aber voraus, daß das Wort „Gott", wenn es überhaupt einen Sinn hat, auf derselben Sinnebene liegt wie andere Worte, die wir gebrauchen, und andere Sinngehalte, die wir denken und verstehen. Sie setzt voraus, daß Gott neben anderen Dingen und Inhalten unserer Welterfahrung irgendwo einen Platz haben müßte; weil dies nicht der Fall ist, meint man, Gott nicht finden und verstehen zu können. Aber Gott ist grundsätzlich nicht ein Ding unter Dingen, nicht ein Gegenstand neben anderen Gegenständen unserer Erfahrung. Man beginnt überhaupt erst zu verstehen, was mit dem Worte „Gott" gemeint ist, wenn man einsieht, daß es die uns zugesprochene *Antwort auf die gesamte Sinnfrage* des menschlichen Daseins in der Welt ist. Auch der heutige Mensch ist immer noch Mensch. Er hat immer noch die eigentlich und wesentlich menschlichen Fragen und Anliegen. Er erfährt in seinem menschlich-personalen Selbstvollzug immer noch einen absoluten Sinnbezug. Er steht immer noch vor der unausweichlichen Frage nach einem absoluten Sinngrund seines Daseins. Und deshalb gibt es immer noch eine echte Sinnerfahrung aus dem Glauben an Gott.

Dieser Glaube ist heute sicher nicht so fraglos und selbstverständlich wie in vergangenen Zeiten allgemeiner Gläubigkeit. Er muß errungen und immer wieder bewahrt und vertieft werden. Wenn dies aber geschieht, so erfahren wir im Glauben an Gott eine letzte, alles durchdringende und erhellende Sinnhaftigkeit unseres Lebens. Wenn einer wirklich an Gott glaubt, sich einläßt auf den absoluten Sinngrund und dadurch eine letzte Sinnhaftigkeit seines Daseins erfährt, so ist für ihn im Grunde die Frage überholt, ob das Wort „Gott" noch einen Sinn hat, ob er noch „sinnvoll" Gott denken und von ihm reden kann. Die Frage ist überholt durch die eigene, sehr reale Sinnerfahrung. Keine analytische Sprachphilosophie und keine Tod-Gottes-Theologie könnte ihm widerlegen, daß er eine Sinnerfüllung in Gott gefunden hat und daß er sinnvoll etwas meint, wenn er „Gott" nennt. Er weiß aber auch, nicht allein aus rationalen Argumenten, sondern aus religiösem Glauben, der sich aber, im gesamten Leben realisiert und konkretisiert, zu lebendiger *Sinnerfahrung* vermittelt, daß sein Glaube weder eine Illusion noch eine Projektion ist, die ins Leere geht, sondern daß er den wirklichen und lebendigen Gott erreicht. Und er weiß, daß er darin keine Selbstentfremdung erfährt, sondern im Glauben an Gott erst voll zu sich selbst kommt, weil er darin den tragenden Sinngrund seines eigenen Daseins gefunden hat.

Es gibt eine solche Sinnerfahrung aus dem Glauben. Sie erschließt eine neue Gesamtschau der Wirklichkeit. Sie eröffnet einen Verständnishorizont, in dem alles in neuem Licht und tieferem Sinn erscheint. Weil der religiöse Glaube, besonders der christliche Glaube, die Ganzheit des Menschen in Anspruch nimmt und auf einen absoluten Sinngrund hin auslegt, erschließt sich gerade im Glauben ein neuer Verständnishorizont, der das Ganze unserer Welt umfaßt und damit allen Einzelinhalten unserer Erfahrung — jedem Ereignis und jeder Begegnung — einen neuen Sinnhintergrund verleiht. Alles wird in neuer Weise „sinnvoll", wenn es auf Gott bezogen und von Gott her verstanden wird. So bildet sich aus echtem und gelebtem Gottesglauben eine neue Verständniswelt, in der alles von seinem letzten Sinngrund her auf neue Weise „verstanden" und aus solchem Verstehen auch als sinnvoll „erfahren" wird.

Mit diesen Hinweisen sollte nicht etwa ein Gottesbeweis geliefert werden. Es sollte nur versucht werden zu zeigen, daß der eigentliche Ursprung, der existentielle Ort der Gottesfrage und des Gottesglaubens die Sinnfrage und — als ihre Antwort — die Sinnerfahrung des menschlichen Daseins ist. Von da aus kann sich auch vor dem Hintergrund der gottfernen Welt der Gegenwart ein Zugang des Verstehens öffnen für das, was mit „Gott" gemeint ist, und dafür, wie auch der Mensch in der heutigen Welt in Gott einen letzten Sinngrund seines Daseins finden kann.

Bibliographie zum Thema Atheismus

Deutschsprachige Literatur von 1960 bis 1970

Zusammengestellt von Hans Figl

Einleitende Bemerkungen

Ziel dieser Bibliographie ist es, die in deutscher Sprache von 1960 bis 1970 erschienene Literatur zum Thema Atheismus (einschließlich Übersetzungen aus Fremdsprachen) zu erfassen. Aufgenommen wurden selbständige Schriften (Monographien und Sammelbände), Aufsätze in Zeitschriften und Periodica sowie Beiträge in Sammel- und Nachschlagewerken.

Umfang: Es konnte nur eine gewisse Vollständigkeit erreicht werden. Für die Einschränkung sind außer der kaum überschaubaren Anzahl von Publikationen zu diesem Sachgebiet auch noch die folgenden Gründe anzuführen. Schon die Abgrenzung gegenüber nach Umfang und Inhalt weniger gewichtigen Veröffentlichungen erforderte eine Auswahl. Tagungs- und Literaturberichte, populärwissenschaftliche Schriften, Aufsätze in Zeitschriften und Blättern von bloß lokaler Bedeutung und Artikel sehr geringen Umfangs wurden nur in Ausnahmefällen berücksichtigt. Überdies dürften die Neuauflagen von vor 1960 erschienenen Büchern nur teilweise erfaßt sein. Dasselbe gilt auch von Publikationen des Jahres 1970.

Nicht aufgenommen wurden: Quellenwerke des Atheismus, Rezensionen, Dissertationen, wenn sie nicht im Druck erschienen sind, und Schriften, die nicht im Buchhandel erhältlich sind.

Thematische Abgrenzung: Die Abgrenzung gegenüber sachlich benachbarten Gebieten, wie z. B. Dialog zwischen Christen und Marxisten, Marxismus, Dialektischer Materialismus, Nihilismus und Humanismus, war nicht immer einfach. Im allgemeinen wurden davon nur Veröffentlichungen aufgenommen, die ausdrücklich auf den Atheismus Bezug nehmen. Ausnahmen wurden dann gemacht, wenn das Werk für die Diskussion über den Atheismus als besonders wichtig erschien. Dasselbe trifft auch zu bei Darstellungen der Situation der Kirchen in kommunistischen Ländern.

Einen Schwerpunkt der vorliegenden Bibliographie bildet die theologische Literatur. Von dem umfangreichen Schrifttum zur Gottesfrage und zum Glaubensproblem wurden jedoch nur solche Abhandlungen aufgenommen, die in einem engen Zusammenhang mit der Atheismus-Problematik stehen. Die Literatur zur Gott-ist-tot-Theologie wurde stärker, die zum Säkularisierungsproblem hingegen kaum berücksichtigt. (Vergleiche dazu die angegebenen Bibliographien.)

Anordnung: Die Titel sind numeriert und in zwei Gruppen unterteilt: in Selbständige Schriften (Nr. 1–259) und in Aufsätze bzw. Beiträge (Nr. 260

bis 617). Innerhalb dieser Gruppen sind die Titel nach Autoren alphabetisch geordnet. Publikationen desselben Verfassers erscheinen in chronologischer Reihenfolge.

In einer *thematischen Einteilung* sind die Nummern nach inhaltlichen Gesichtspunkten zusammengefaßt. Diese Gliederung beruht vorwiegend auf einer Titelauswertung und will darum nur als eine vorläufige Orientierung verstanden werden. Jede Nummer ist mindestens einmal angeführt. Durch diese Anordnung war es möglich, denselben Titel unter mehreren Themen einzuordnen. Zugleich kann aus der Nummer erkannt werden, ob es sich um ein Buch oder um einen Aufsatz bzw. Beitrag handelt.

Quellen: Ausgangspunkt für die Arbeit war die Literaturzusammenstellung von Professor Rupert Lay SJ (siehe unter Bibliographien). Weitere wichtige Quellen waren: Elenchus bibliographicus der Ephemerides Theologicae Lovanienses, Répertoire bibliographique de la Philosophie (Louvain), Internationale Zeitschriften-Bibliographie (Felix Dietrich Verlag, Osnabrück) und die in Betracht kommenden Nationalbibliographien; ferner Auskünfte von Bibliotheken und Instituten.

Von fast allen Büchern und dem Großteil der Aufsätze und Beiträge wurden die bibliographischen Angaben auch am Original ermittelt.

Bibliographische Angaben: Bei Büchern wird (mit wenigen Ausnahmen) die erste Auflage bzw. die erste nach 1960 erschienene Neuauflage angegeben. Taschenbuchausgaben werden eigens genannt. Einzelne Abschnitte werden dann angegeben, wenn sich die Gesamtthematik des Werkes nicht unmittelbar auf den Atheismus bezieht.

Der Bibliographie vorangestellt ist ein Verzeichnis von Bibliographien zum Thema Atheismus, die im letzten Jahrzehnt zusammengestellt wurden. Auch ungedruckte Arbeiten sind darunter angeführt.

Für Rat und Unterstützung bei der Zusammenstellung der Bibliographie danke ich Universitätsprofessor Walter Kern SJ.

Innsbruck, den 27. Februar 1971   *Hans Figl*

Bibliographien zum Thema Atheismus

ANDRES, L.: Nuevos caminos en la Teología? El „Ateísmo christiano" y „La muerte de Dios". Bibliografía critica. In: Estudio Agustiniano 4 (1969) 275—319.

BENT, Ans J. van der: The Christian-Marxist Dialogue. An annotated bibliography. 1959—1969. Geneva: World Council of Churches Library 1969. 90 p. — Auch: Ökumenische Diskussion 3 (1967) 167—186. Nach Sprachen geordnet: Englisch, Deutsch, Französisch, Italienisch und Spanisch. Ein Großteil der Titel ist kurz kommentiert.

BERKOWITZ, Morris J. — JOHNSON, J. Edmund: Social Scientific Studies of Religion. A Bibliography. University of Pittsburgh Press 1967. 258 p. (Darin: Secularism, Humanism and Atheism, S. 31—32).

BIBLIOGRAFIA sobre la secularización. In: Secularización. Instituto Fe y Secularidad. Boletin 1 (Interno). Madrid 1970, S. 49–77 und 81–85. — Thematisch geordnet, mit Autorenregister.

BIBLIOGRAFIA: a) sul mondo; b) sulla morte di Dio; c) sulla secolarizzazione, il mondo secolare e la morale. In: Diàlogo (1967) Nummer 1 — Associazione degli studenti dell' Accademia Alfonsiana, Roma.

BIBLIOGRAFIJA sowjetskoi bibliografii. Moskva: Isdatestwo wsesojusnoi knihnoi palaty 1962. (Darin: Ateism. Nauka i Religija. Religija. S. 451–452 (= Nr. 8927–8950). — Verzeichnis versteckter und selbständiger Bibliographien in russischer Sprache zu den Themen: Atheismus, Wissenschaft und Religion, Religion.

CASTILLO, Dionisio: El tema del ateísmo en los años 1950–1967. In: Naturaleza y Gracia 15 (1968) 265–284. — Umfaßt 348 Titel, vor allem in spanischer, italienischer und französischer Sprache. — A) Temática general: Nr. 1–130; B) Temática historica: Nr. 131–210; C) Temática filosofico-teologica: Nr. 211–268; D) Temática pastoral: Nr. 269–348.

CHEVALIER, Bernadette: L'athéisme dans le monde moderne de 1955 à mars 1969. Bibliographie analytique. Trav. de diplôme de l'Ecole de Bibliothécaires. Genève 1969. II, 52 p. Multigraph. — Standortnachweis: Schweizerische Landesbibliothek Bern. — Enthält aus dem angegebenen Zeitraum nur Literatur in französischer Sprache. Selbständige Schriften und Aufsätze. Über 550 Nummern. Der Inhalt jedes Werkes bzw. Artikels wird kurz wiedergegeben. Nach Autoren alphabetisch geordnet.

Az ateizmus és a valláskritika nemzetközi CIKKBIBLIOGRAFIAJA. (Internationale Bibliographie der Zeitschriftenaufsätze in Auswahl aus den Gebieten der kritischen Analyse der Religion und des Atheismus). Budapest: Tanönyvkiadó 1 (1960) bis 7 (1966). — Zusammengestellt von Károly Akos, József Pelle und Béláné Bezenyi. Periodische Veröffentlichung der Bibliothek der Roland Eötvös Universität Budapest.

KOMMUNISMUS in Geschichte und Gegenwart. Ausgewähltes Bücherverzeichnis. Hrsg. von Karl-Heinz Ruffmann. Bonn: Bundeszentrale für politische Bildung 1964. 205 S. (Darin: Religiös-kirchliches Leben — Atheismus, S. 178–185 (= Nr. 1323–1395). — Nur selbständig erschienene Literatur von 1945–1964. Überwiegend deutschsprachige Veröffentlichungen.

LAY, Rupert: Deutschsprachige Literatur zum Atheismus-Problem. In: Bolletino del segretariato per i non credenti 5 (1970) 40–44. — Mit wenigen Ausnahmen aus dem Zeitraum 1960–1969.

MALAHOVA, L.: Kratkaja bibliografija ateiszticseszkoj literaturü, izdannoj v SzSzSzR v 1965 g. (Kurze Bibliographie der atheistischen Literatur, herausgegeben in der UdSSR im Jahre 1965). In: Voproszü Naucsnogo Ateizma 3, 1967, 371–389.

MURGOITTO, J.: Bibliografia: Problemi morali della „Teologia della secolarizzazione". Roma: Pontificia Universitas Gregoriana 1968/69. — Nicht im Druck erschienen.

POTEL, Julien, et al.: Eléments bibliographiques sur les formes d'incroyance et d'athéisme. Rome: Secrétariat pour les non-Croyants 1969. 39 p.

271

Rodriguez, Victorino: Bibliografia de ateismo contemporaneo. In: Salmanticensis 16 (1969) 397–424. – A. Obras de colaboracion: Nr. 1–31; B. Libros: Nr. 32–227; C. Articulos: Nr. 228–814.

Stange, Douglas C.: The nascent Christian-Marxist Dialogue: 1961–1967. A Bibliography. The Library, Andover-Harvard Theological Seminary, Bibliographical Series No. 5. 1968.

Vanzan, Piersandro – Basso, Giacomo: Bibliografia italiana sulla teologia della secolarizzazione e della „morte di Dio". In: Rassegna di teologia 11 (1970) 120–141. – Umfaßt 249 Nummern. Thematische Gliederung.

Witte, J.: Bibliographia de Teología „Deus mortuus est". Cum annotationibus explicativis ad cursum. Roma: Pontificia Universitas Gregoriana 1968.

Wittin, Glenn R.: The Radical Theologians. A Bibliography. In: Encounter 27 (1966) 299–316.

Literaturverzeichnisse finden sich in folgenden Nummern der vorliegenden Bibliographie: 24 (Bolkovac): S. 28–30; 29 (Buri): S. 275–284; 109 (Jäger): S. 261–265; 130 (H.-G. Koch): S. 266–278; 131 (H.-G. Koch): S. 551–575; 145 (Ley): Bd. I: S. 519–535; Bd. II/1: S. 351–361; 154 (Mädicke): S. 226 bis 238; 209 (Sauer): S. 292–296; 211 (Scharfenberg): S. 205–212; 227 (Skoda): S. 155–159.

Bibliographie zum Thema Atheismus
Deutschsprachige Literatur von 1960 bis 1970

A) Selbständige Schriften

1 Abschied vom Christentum? Siebzehn Antworten von Publizisten und Theologen auf eine zeitgemäße Herausforderung (Festgabe für H. Lilje), hrsg. von A. Seeberg und H. Zahrnt. Hamburg: Furche 1964. 285 S.

2 Acquaviva, S. S.: Der Untergang des Heiligen in der industriellen Gesellschaft. Essen: Ludgerus-V. 1964. 230 S.

3 Alain (Chartier, E. A.): Wie die Menschen zu ihren Göttern kamen. München: Szczesny 1965. 258 S.

4 Altizer, Th. J. J.: ... daß Gott tot sei. Versuch eines christlichen Atheismus. Zürich: Zwingli-V. 1968. 183 S.
Arendt, D. (Hrsg.): Siehe Nr. 178 (Nihilismus).

5 Aschenbrenner, J.-P.: Shelleys Weltanschauung. Eine Untersuchung zu Holbachs „Système de la nature". Bamberg: Rodenbusch 1967. II, 262 S.

6 Der Atheismus als Frage an die Kirche. Handreichung der Vereinigten Evangel.-Luther. Kirche Deutschlands. Hrsg. vom Luther. Kirchenamt. Berlin, Hamburg: Lutherisches Verlagshaus 1962. 60 S.

7 Der moderne Atheismus. Anstoß zum Christsein. Hrsg. von L. Klein. München: Pfeiffer 1970. 149 S.

8 Moderner Atheismus und Moral. Mit Beiträgen von K. Löwith, H. Flügel und J. Girardi. Freiburg, Barcelona: Herder 1968. 61 S. (= Weltgespräch, 5).

9 AUFKLÄRUNG und Materialismus im Frankreich des 18. Jahrhunderts. La Mettrie, Helvétius, Diderot, Sade. Hrsg. von A. Baruzzi. München: List 1968. 183 S.

AUGUSTIN, H. W. (Hrsg.): Siehe Nr. 46 (Diskussion zu Bischof Robinsons „Gott ist anders" . . .).

10 AULEN, G.: Das Drama und die Symbole. Die Problematik des heutigen Gottesbildes. Göttingen: Vandenhoeck & Ruprecht 1968. 302 S.

11 BACKHAUS, G.: Atheismus – eine Selbsttäuschung? München–Basel: Reinhardt 1962. 67 S.

12 BARTLEY, W. W.: Flucht ins Engagement. Versuch einer Theorie des offenen Geistes. München: Szczesny 1964. 254 S.

BARUZZI, A. (Hrsg.): Siehe Nr. 9 (Aufklärung und Materialismus . . .).

13 BECKMANN, F.: Und Gott soll tot sein? Gladbeck: Schriftenmissions-V. 1968. 152 S.

14 BEN-CHORIN, Sch.: Der unbekannte Gott. Berlin: Vogt 1963. 67 S.

15 BENGSCH, A.: Glaube und Kritik. Berlin: Morus 1968. 103 S.

16 BIRK, K.: Sigmund Freud und die Religion. Münsterschwarzach: Vier-Türme-V. 1970. 125 S.

17 BISER, E.: Gott ist tot. Nietzsches Destruktion des christlichen Bewußtseins. München: Kösel 1962. 310 S.

18 BISER, E.: Glaubensvollzug. Einsiedeln: Johannes-V. 1967. 113 S. (Darin: Der Dialog mit dem Unglauben, S. 83–100).

19 BISHOP, J.: Die „Gott-ist-tot"-Theologie. Düsseldorf: Patmos 1968. 172 S.

BITTER, W. (Hrsg.): Siehe Nr. 192 (Psychotherapie . . .).

20 BLOCH, E.: Atheismus im Christentum. Zur Religion des Exodus und des Reichs. Frankfurt a. M.: Suhrkamp 1968. 362 S.

21 BLOCH, E.: Religion im Erbe. Eine Auswahl aus seinen religionsphilosophischen Schriften. Hrsg. und eingeleitet von J. Moltmann. München–Hamburg: Siebenstern-Taschenbuch-V. 1967. 221 S. (= Siebenstern-Taschenbuch, 103).

22 BOCKMÜHL, K. E.: Leiblichkeit und Gesellschaft. Studien zur Religionskritik und Anthropologie im Frühwerk von Ludwig Feuerbach und Karl Marx. Göttingen: Vandenhoeck & Ruprecht 1961. 285 S.

23 BOCKMÜHL, K. E.: Atheismus in der Christenheit. Anfechtung und Überwindung. Teil 1 von: Die Unwirklichkeit Gottes in Theologie und Kirche. Wuppertal: Aussaat-V. 1969. 159 S.

24 BOLKOVAC, P.: Atheisten – Christen. Atheismus im Westen. Kevelaer: Butzon & Bercker 1966. 30 S.

25 BORNE, E.: Gott ist nicht tot. Über das Ärgernis und die Notwendigkeit des Atheismus. Graz: Styria 1965. 244 S.

BRINKMANN, E. – HÄHN ,F. E. (Hrsg.): Siehe Nr. 90 (Gottesfrage).

26 BUREN, P. M. van: Reden von Gott – in der Sprache der Welt. Zur säkularen Bedeutung des Evangeliums. Zürich–Stuttgart: Zwingli 1965. 192 S.

27 BURI, F.: Die Substanz des christlichen Glaubens, ihr Verlust und ihre Neugewinnung. Eine Besinnung im Blick auf Gerhard Szczesnys „Die Zukunft des Unglaubens". Tübingen: Mohr 1960. 18 S.

28 Buri, F.: Wie können wir heute noch verantwortlich von Gott reden? Tübingen: Mohr 1967. 35 S.

29 Buri, F.: Gott in Amerika. Amerikanische Theologie seit 1960. Bern: Haupt/Tübingen: Katzmann 1970. 284 S.

30 Chanson, P.: Argumente für Gott. Das Gespräch mit Ungläubigen. Würzburg: Arena 1963. 132 S.

31 Christentum und Marxismus – heute. Gespräche der Paulus-Gesellschaft. Hrsg. von E. Kellner. Wien: Europa-V. 1966. 350 S.

32 Das Christentum im Urteil seiner Gegner. Hrsg. von K. Deschner. Bd. 1. Wiesbaden: Limes-V. 1969. 408 S.

33 Cornu, A.: Marx' Thesen über Feuerbach. Berlin: Akademie-V. 1963. 23 S.

34 Cox, H.: Stadt ohne Gott? Stuttgart, Berlin: Kreuz-V. 1966. 310 S.

35 Cox, H.: Stirb nicht im Warteraum der Zukunft. Berlin: Kreuz-V. 1968. 180 S. (Darin: Der Tod Gottes und die Zukunft der Theologie, S. 21–31).

36 Daecke, S. M.: Der Mythos vom Tode Gottes. Ein kritischer Überblick. Hamburg: Furche-V. 1969. 131 S. (= Stundenbücher, 87).

37 Dahm, H.: Meuterei auf den Knien. Die Krise des marxistischen Welt- und Menschenbildes. Olten: Walter 1969. 208 S.

38 Delanglade, J.: Das Problem Gott. Salzburg: Müller 1966. 202 S. (Darin: Der Gottesglaube und der Atheismus, S. 111–144).

39 Danielou, J.: Die Zukunft der Religion. München: Ars Sacra 1969. 144 S.

40 Dannemann, Chr.: Bruno Bauer. Eine monographische Untersuchung. Erlangen: Hogl 1969. 244 S.

Deschner, K. (Hrsg.): Siehe Nr. 32 (Christentum), Nr. 246 (Warum ich aus der Kirche ausgetreten bin) und Nr. 247 (Was halten Sie von Christentum?).

41 Desqueyrat, R. P.: Zur religiösen Krise der Gegenwart. München: Manz 1961. 285 S.

42 Dewart, L.: Die Zukunft des Glaubens. Einsiedeln: Benziger 1968. 242 S.

43 Der Dialog der Kirche. Hrsg. von H. Pfeil. Aschaffenburg: Pattloch 1966. 128 S.

44 Dialog mit dem Zweifel. Hrsg. von G. Rein. Stuttgart, Berlin: Kreuz-V. 1969. 158 S.

45 Dirks, W. – Hanssler, B.: Der neue Humanismus und das Christentum. München: Kösel 1968. 152 S.

46 Diskussion zu Bischof Robinsons „Gott ist anders". Hrsg. von H. W. Augustin. München: Kaiser 1964. 224 S.

47 Disputation zwischen Christen und Marxisten. Hrsg. von M. Stöhr. München: Kaiser 1966. 272 S.

48 Doerne, M.: Gott und Mensch in Dostojewskijs Werk. Göttingen: Vandenhoeck & Ruprecht ²1962. 111 S.

49 Ebeling, G.: Gott und Wort. Tübingen: Mohr 1966. 91 S.

50 EHLEN, P.: Der Atheismus im dialektischen Materialismus. München: Pustet 1961. 228 S.

51 ESPIAU DE LA MAESTRE, A.: Der Sinn und das Absurde. Malraux, Camus, Sartre, Claudel, Péguy. Salzburg: Müller 1961. 415 S.

52 EVDOKIMOV, P.: Gotteserleben und Atheismus. Wien, München: Herold 1967. 256 S.

53 FAHR, W.: „Theus nomizein". Zum Problem der Anfänge des Atheismus bei den Griechen. Hildesheim: Olms 1969. X, 211 S.

54 FARNER, K.: Theologie des Kommunismus? Frankfurt a. M.: Stimme-V. 1969. 362 S.

55 FEIFEL, E.: Die Glaubensunterweisung und der abwesende Gott. Not und Zuversicht der Katechese im Kraftfeld des Unglaubens. Freiburg i. Br.: Herder 1965. 175 S.

56 FERON, B.: Gott in Sowjetrußland. Eine Bestandsaufnahme. Essen: Driever 1963. 173 S.

57 FETSCHER, I. – POST, W.: Verdirbt Religion den Menschen? Marxistischer und christlicher Humanismus. Düsseldorf: Patmos 1969. 77 S.

58 FINGER, O.: Von der Materialität der Seele. Beitrag zur Geschichte des Materialismus und Atheismus im Deutschland der 2. Hälfte des 18. Jahrhunderts. Berlin: Akademie-V. 1961. 191 S.

59 FLAKE, O.: Der letzte Gott. Das Ende des theologischen Denkens. Hamburg: Rütten & Loening 1961. 312 S.

60 FLÜGEL, H.: Zwischen Gott und Gottlosigkeit. Stuttgart: Evangel. Verlagswerk ²1966. 146 S.

61 FRIES, H.: Ärgernis und Widerspruch. Christentum und Kirche im Spiegel gegenwärtiger Kritik. Würzburg: Echter 1966. 156 S.

62 FRIES, H.: Herausgeforderter Glaube. München: Kösel 1968. 233 S. (Darin: Der Glaube und der Atheismus, S. 203–233).

63 FRIES, H. – STÄHLIN, R.: Gott ist tot? Eine Herausforderung – zwei Theologen antworten. Berlin: Deutsche Buchgemeinschaft 1969. 238 S.

64 FROMM, E.: Das Christusdogma und andere Essays. München: Szczesny 1965. 198 S.

65 FROMM, E.: Psychoanalyse und Religion. Konstanz: Diana-V. 1966. 139 S.

66 FROMM, E.: Die Herausforderung Gottes und des Menschen. Konstanz: Diana-V. 1970. 235 S.

67 FUCHS, E.: Die Christenheit am Scheidewege. Berlin: Union-V. 1963. 137 S.

68 FÜRSTENBERG, E. v.: Der Selbstwiderspruch des philosophischen Atheismus. Regensburg: Habbel 1960. 167 S.

69 GAGERN, M. v.: Ludwig Feuerbach. Philosophie- und Religionskritik. Die „Neue" Philosophie. München: Pustet 1970. 403 S.

70 Garaudy, R.: Marxismus im 20. Jahrhundert. Reinbek: Rowohlt 1969. 187 S. (= Rororo-Taschenbuch, 1148).

GARAUDY, R.: Siehe Nr. 139 (Lauer).

71 GARAUDY, R. – METZ, J. B. – RAHNER, K.: Der Dialog oder Ändert sich das Verhältnis zwischen Katholizismus und Marxismus? Reinbek: Rowohlt 1966. 139 S. (= Rororo-Taschenbuch, 944).

72 GARDAVSKY, V.: Gott ist nicht ganz tot. Betrachtungen eines Marxisten über Bibel, Religion und Atheismus. München: Kaiser ²1969. 236 S.

73 Die GEFÄHRDUNG der Religionen. Ein Symposion der Weltreligionen. Hrsg. von R. Italiaander. Kassel: Oncken 1966. 307 S.

74 GENT, W.: Untersuchungen zum Problem des Atheismus. Ein Beitrag zur weltanschaulichen Situation unserer Zeit. Hildesheim: Olms 1964. 219 S.

75 GEORGESCU, Fl.: Wer hat Gott geschaffen? Bukarest: Wissenschaftlicher V. 1964. 62 S.

76 GESPRÄCH mit dem Atheismus. Ausgewählt und bearbeitet von W. Trutwin in Verbindung mit B. und R. Kakuschke und G. Wischmann. Düsseldorf: Patmos 1970. 65 S.

77 GESPRÄCH über Gott. Die protestantische Theologie im 20. Jahrhundert. Ein Textbuch. Hrsg. von H. Zahrnt. München: Piper & Co. 1968. 492 S.

78 GIRARDI, G.: Marxismus und Christentum. Wien: Herder 1968. 357 S.
GIROCK, H.-J. (Hrsg.): Siehe Nr. 184 (Partner von morgen?).

79 GLASENAPP, H. v.: Der Buddhismus — eine atheistische Religion. Mit einer Auswahl buddhistischer Texte. München: Szczesny 1966. 272 S.

80 GOGARTEN, F.: Die Frage nach Gott. Eine Vorlesung. Tübingen: Mohr 1968. 217 S.

81 GOLDSTEIN, W.: Glaube oder Unglaube. Schriften zum Atheismus-Problem. Jerusalem: Mass 1964. 120 S.

82 Gollwitzer, H.: Forderungen der Freiheit. München: Kaiser 1962. XXXIX, 389 S. (Darin: Die christliche Kirche und der kommunistische Atheismus, S. 211—220).

83 GOLLWITZER, H.: Die Existenz Gottes im Bekenntnis des Glaubens. München: Kaiser 1963. 201 S.

84 GOLLWITZER, H.: Die marxistische Religionskritik und der christliche Glaube. München: Siebenstern-Taschenbuch-V. 1965. 158 S. (= Siebenstern-Taschenbuch, 33) (= Nr. 354 dieser Bibliographie).

85 GOLLWITZER, H.: Von der Stellvertretung Gottes. Christlicher Glaube in der Erfahrung der Verborgenheit Gottes. München: Kaiser 1967. 162 S.

86 GOTT. Hrsg. von A. Grabner-Haider. Mainz: Grünewald 1970. 356 S.

87 GOTT HEUTE. 15 Beiträge zur Gottesfrage. Hrsg. von N. Kutschki. Mainz: Grünewald/München: Kaiser 1967. 187 S.

88 Zerbrochene GOTTESBILDER. Mit Beiträgen von Th. C. de Kruijf u. a. Freiburg i. Br.: Herder 1969. 166 S.

89 GOTTESERFAHRUNG und Gottesverlust. Mit Beiträgen von J. Goldbrunner u. a. Graz: Styria 1966. 94 S.

90 Die GOTTESFRAGE heute. Hrsg. von E. Brinkmann und F.-E. Hähn. Donauwörth: Auer 1967. 56 S.

91 Der GOTTESGEDANKE im Abendland. Hrsg. von A. Schaefer. Stuttgart: Kohlhammer 1964. 143 S. (= Urban-Bücher, 79).
GRABNER-HAIDER, A. (Hrsg.): Siehe Nr. 86 (Gott).

92 GRAU, E.: Unglaube, Zweifel, Glaube. Ein Gespräch mit suchenden Menschen unserer Zeit. Lahr: Kaufmann 1969. 112 S.

93 GULYGA, A. V.: Der deutsche Materialismus am Ausgang des 18. Jahrhunderts. Berlin: Akademie-V. 1966. 287 S.

94 HAAS, J.: Biologie und Gottesglaube. Der Gottesgedanke in der wissenschaftlichen Biologie von heute. Berlin: Morus 1961. 207 S. (Darin: Biologie und Atheismus, S. 180–190).

95 HAENDLER, O.: Zwischen Glaube und Unglaube. Göttingen: Vandenhoeck & Ruprecht 1966. 129 S.

HÄHN, F.-E. (Hrsg.): Siehe Nr. 90 (Gottesfrage heute).

96 HARTMANN, W.: Was kommt nach dem „Tode Gottes"? Dialektische Unterhaltung mit einem Trend theologischen Denkens. Stuttgart, Berlin: Kreuz-V. 1969. 79 S.

97 HASENHÜTTL, G.: Der unbekannte Gott? Einsiedeln: Benziger 1965. 80 S.

98 HAUER, J. W.: Verfall oder Neugeburt der Religion? Ein Symposion über Menschsein, Glauben und Unglauben. Stuttgart: Kohlhammer 1961. 375 S.

99 HAUG, W. F.: J. P. Sartre und die Konstruktion des Absurden. Frankfurt a. M.: Suhrkamp 1966. 247 S.

100 HEER, F. – Szczesny, G.: Glaube und Unglaube. Ein Briefwechsel. München: List 1960. 153 S. (= List-Bücher, 143).

HEER, F.: Siehe Nr. 235 (Szczesny).

101 HERMANN, F.-G.: Der Kampf gegen Religion und Kirche in der Sowjetischen Besatzungszone Deutschlands. Stuttgart: Quell-V. 1966. 138 S.

HEYDEN, G.: Siehe Nr. 248 (Wegweiser zum Atheismus).

102 HEYDEN, G. – ULLRICH, H.: Im Namen Gottes. Berlin: V. Neues Leben 1960. 168 S.

103 HOLL, A.: Das Religionsgespräch der Gegenwart. Voraussetzungen und Prinzipien. Graz: Styria 1965. 192 S.

104 HOLM, S.: Das Ende der Vergangenheit. Denken und Glauben im 20. Jahrhundert. Tübingen: Katzmann 1963. XVI, 213 S. (Darin: Der Atheismus, S. 15–20).

105 HORKHEIMER, M.: Die Sehnsucht nach dem ganz Anderen. Ein Interview mit Kommentar von H. Gumnior. Hamburg: Furche 1970. 90 S. (= Stundenbuch, 97).

106 HROMADKA, J. L.: An der Schwelle des Dialogs. Berlin: Union-V. 1964. 114 S.

107 HROMADKA, J. L.: Evangelium für Atheisten. Zürich: Verlag der Arche ²1969. 64 S.

108 HUMANISMUS und Christentum heute. Hrsg. von G. Lanzenstiel. München: Claudius-V. 1965. 64 S.

ITALIAANDER, R. (Hrsg.): Siehe Nr. 73 (Gefährdung der Religionen).

109 JÄGER, A.: Reich ohne Gott. Zur Eschatologie Ernst Blochs. Zürich: EVZ-V. 1969. 267 S.

110 JASPERS, K.: Nietzsche und das Christentum. München: Piper 1963. 87 S.

111 JEANSON, F.: Vom wahren Unglauben. München: Szczesny 1966. 201 S.

112 JESPER, K.-H.: Wer schuf die Götter? Zur Entstehung religiösen Denkens. Leipzig, Jena: Urania-V. 1960. 114 S.

113 Jones, E.: Zur Psychoanalyse der christlichen Religion. Frankfurt a. M.: Suhrkamp 1970. 157 S.

114 Jüchen, A. v.: Gespräch mit Atheisten. Gütersloh: Verlag Kirche und Mann 1962. 231 S.

115 Jüchen, A. v.: Mit dem Kommunismus leben? Witten: Luther-V. 1963. 213 S.

116 Jüchen, A. v.: Atheismus in Ost und West. Erscheinungsformen des Atheismus. Berlin: Lettner-V. 1968. 124 S.

117 Kahl, J.: Das Elend des Christentums oder Plädoyer für eine Humanität ohne Gott. Reinbek: Rowohlt 1968. 154 S. (= Rororo-Taschenbuch, 1093).

118 Kahn, L. W.: Literatur und Glaubenskrise. Stuttgart: Kohlhammer 1964. 200 S.

119 Kaiser, P.: Der Unglaube im Spiegel deutscher Prosa-Literatur aus den letzten zwanzig Jahren. Diss. theol. Erlangen 1965. München (UNI-Druck) 1966. VI, 213 S.

120 Kampits, P.: Der Mythos vom Menschen. Zum Atheismus und Humanismus Albert Camus'. Salzburg: Müller 1968. 178 S.

121 Karisch, R.: Christ und Diamat. Der Christ und der dialektische Materialismus. Berlin: Morus 1961. 206 S.

122 Kasch, W. F.: Atheistischer Humanismus und christliche Existenz in der Gegenwart. Theologische Erwägungen zur Auseinandersetzung mit Gerhard Szczesny und der humanistischen Union. Tübingen: Mohr 1964. 29 S.

123 Kaufmann, W.: Der Glaube eines Ketzers. München: Szczesny 1965. 431 S.

124 Kaufmann, W.: Religion und Philosophie. München: Szczesny 1966. 490 S.

Kellner, E. (Hrsg.): Siehe Nr. 31 (Christentum und Marxismus) und Nr. 219 (Schöpfertum und Freiheit . . .).

125 Kirchhoff, R.: Wissenschaftliche Weltanschauung und religiöser Glaube. Berlin: VEB Deutscher Verlag der Wissenschaften ^{2}1960. 97 S.

126 Klausener, E.: Sie hassen Gott nach Plan. Zur Methodik der kommunistischen Propaganda gegen Religion und Kirche in Mitteldeutschland. Berlin: Morus 1962. 308 S.

Klein, L. (Hrsg.): Siehe Nr. 7 (Der moderne Atheismus).

Klohr, O. (Hrsg.): Siehe Nr. 176 (Naturwissenschaft und Atheismus) und Nr. 201 (Religion und Atheismus . . .).

127 Knevels, W.: Gottesglaube in der säkularen Welt. Stuttgart: Calwer 1968. 47 S.

128 Koch, G.: Die Zukunft des toten Gottes. Hamburg: Agentur des Rauhen Hauses 1968. 408 S.

129 Koch, G.: Für eine bewohnbare Welt. Abschied vom homo faber. Hamburg: Agentur des Rauhen Hauses 1970. 240 S.

130 Koch, H. G.: Abschaffung Gottes? Der materialistische Atheismus als heutige Existenzform. Geschichte, Polematik, Widerlegung. Stuttgart: Quell-V. 1961. 291 S.

131 KOCH, H.-G.: Neue Erde ohne Himmel. Der Kampf des Atheismus gegen das Christentum in der DDR – Modell einer weltweiten Auseinandersetzung. Stuttgart: Quell-V. 1963. 591 S.

132 KOCH, L.: Bruno Bauers „Kritische Kritik". Beitrag zum Problem eines humanistischen Atheismus. Köln: Gouder & Hansen 1969. 219 S.

133 KOLARZ, W.: Die Religionen in der Sowjetunion. Überleben in Anpassung und Widerstand. Freiburg i. Br.: Herder 1963. 540 S.

134 KORTZFLEISCH, S. v.: Religion im Säkularismus. Stuttgart: Kreuz-V. 1967. 78 S.

135 KRIKOWSKI, J.: Wer macht die Götter? Atheismus – Materialismus – christlicher Glaube. Wuppertal: Aussaat-V. 1963. 94 S.

136 KÜNNETH, W.: Von Gott reden? Eine sprachtheologische Untersuchung zu J. A. T. Robinsons Buch „Gott ist anders". Wuppertal: Brockhaus 1965. 78 S.

KUTSCHKI, N. (Hrsg.): Siehe Nr. 87 (Gott heute).

137 LACROIX, J.: Wege des heutigen Atheismus. Freiburg i. Br.: Herder 1960. 103 S.

138 LANOOY, H. J.: Kampf der Kirche wider den Atheismus. Hannover: Pfeiffer 1967. 36 S.

LANZENSTIEL, G. (Hrsg.): Siehe Nr. 108 (Humanismus . . .).

139 LAUER, Qu. – GARAUDY, R.: Sind Marxisten die besseren Christen? Ein Streitgespräch. Hamburg: Hoffmann und Campe 1969. 136 S. (Darin: Christentum und Atheismus, S. 18–36).

140 LAY, R.: Zukunft ohne Religion? Olten: Walter 1970. 178 S.

141 LELONG, M.: Dialog mit den Atheisten. Paderborn: Verlag Bonifacius-Druck 1967. 163 S.

142 LEPP, I.: Psychoanalyse des modernen Atheismus. Würzburg: Arena 1962. 237 S. Auch: Würzburg: Arena 1969. 226 S. (= Arena-Taschenbuch, 142/143).

143 LEPPICH, J.: Atheisten-Brevier. Kevelaer: Butzon & Bercker 1964. 327 S.

144 LEPPIN, E.: Glaubt ihr nicht, so bleibt ihr nicht. Eine Antwort auf Gerhard Szcznesnys Buch „Die Zukunft des Unglaubens". Tübingen: Mohr 1966. VIII, 164 S.

145 LEY, H.: Geschichte der Aufklärung und des Atheismus. Berlin: VEB Deutscher Verlag der Wissenschaften. Bd. I. 1966. VI, 570 S. Bd. II/1. 1970. 391 S.

146 LILJE, H.: Atheismus – Humanismus – Christentum. Der Kampf um das Menschenbild unserer Zeit. Hamburg: Furche-V. 1962. 123 S. (= Stundenbuch, 1).

147 LOEN, A. E.: Säkularisation. Von der wahren Voraussetzung und angeblichen Gottlosigkeit der Wissenschaft. München: Kaiser 1965. 228 S.

148 LÖWITH, K.: Wissen, Glaube und Skepsis. Göttingen: Vandenhoeck & Ruprecht ³1962. 89 S.

149 LÖWITH, K.: Das Verhältnis von Gott, Mensch und Welt in der Metaphysik von Descartes bis zu Nietzsche. Göttingen: Winter 1964. 26 S.

150 Löwtih, K.: Zur Kritik der christlichen Überlieferung. Vorträge und und Abhandlungen. Stuttgart: Kohlhammer 1966. VII, 290 S.

151 Löwith, K.: Gott, Mensch und Welt in der Metaphysik von Descartes bis zu Nietzsche. Göttingen: Vandenhoeck & Ruprecht 1967. 252 S.

Lohse, J. M. (Hrsg.): Siehe Nr. 161 (Menschlich sein . . .).

152 Lotz, J. B.: Der heutige Atheismus. Eine Herausforderung für das Christentum. Kevelaer: Butzon & Bercker 1966. 46 S.

153 Machovec, M.: Marxismus und dialektische Theologie. Barth, Bonhoeffer und Hromádka in atheistisch-kommunistischer Sicht. Zürich: EVZ-V. 1965. X, 192 S.

154 Mädicke, H.: Naturerkenntnis oder Gottesglaube. Über Wesen und Funktion der naturwissenschaftlich-atheistischen Aufklärung. Leipzig: Urania 1961. 238 S.

155 Mainberger, G.: Widerspruch und Zuversicht. Die Glaubenssituation im Lichte der Denkgeschichte und der Verkündigung. Olten: Walter 1967. 201 S. (Darin: Der Glaube der Ungläubigen, S. 28–34).

156 Marcuse, L.: Unverlorene Illusionen. Pessimismus – ein Stadium der Reife. München: Szczesny ²1965. XVI, 190 S.

157 Maser, W.: Genossen beten nicht. Kirchenkampf des Kommunismus. Köln: Verlag Wissenschaft und Politik. 254 S.

158 Maurier, H.: Theologie des Heidentums. Ein Versuch. Köln: Bachem 1967. 293 S.

159 Mauthner, F.: Der Atheismus und seine Geschichte im Abendland. 4 Bände. Stuttgart 1920–23. Reprograph. Nachdruck, Hildesheim: Olms 1963.

160 Mensching, G.: Der säkularisierte Mensch der Gegenwart in den Weltreligionen. Wilhelmshaven: Nordwestd. Univ. Ges. 1967. 16 S.

161 Menschlich sein — mit oder ohne Gott? Hrsg. v. J. Lohse. Stuttgart: Kohlhammer 1969. 124 S.

Metz, J. B.: Siehe Nr. 71 (Garaudy).

162 Meurers, J.: Die Frage nach Gott und die Naturwissenschaften. München: Pustet 1962. 296 S.

163 Meurers, J.: Können wir von Gott wissen? Eine Studie über Gott-Suchen und Welt-Erkennen. Aschaffenburg: Pattloch 1965. 126 S.

164 Mildenberger, F.: Ohne Gott leben — vor Gott. Bemerkungen zur gegenwärtigen Diskussion der Gottesfrage. Stuttgart: Calwer 1969. 48 S.

165 Miller, S. H.: Säkularität, Atheismus, Glaube. Neukirchen–Vluyn: Neukirchner-V. 1965. 138 S.

166 Möller, J.: Fragen wir nach Gott? Einsiedeln: Benziger 1966. 39 S.

Mollnau, K. A. (Hrsg.): Siehe Nr. 248 (Wegweiser zum Atheismus).

167 Morel, J.: Religion in der kommunistischen Presse. Eine Inhaltsanalyse. Innsbruck: Universität 1968. 214 S.

168 Mouat, K.: Leben in dieser Welt. Philosophie und Moral des nichtchristlichen Humanismus. München: Szczesny 1964. 244 S.

169 Mühlen, H.: Die abendländische Seinsfrage als der „Tod Gottes" und der Aufgang einer neuen Seinserfahrung. Paderborn: Schönigh 1968. 61 S.

170 MÜLLER-ECKHARD, H.: Das Unzerstörbare. Religiöse Existenz im Klima des Absurden. Stuttgart: Klett 1964. 221 S.
171 MÜLLER-SCHWEFE, H.-R.: Atheismus. Stuttgart: Kreuz-V. 1962. 70 S.
172 MÜLLER-SCHWEFE, H.-R.: Humanismus ohne Gott. Grundzüge einer Auseinandersetzung. Stuttgart: Steinkopf 1967. 64 S.
173 MURRAY, J. C.: Das Gottesproblem gestern und heute. Freiburg i. Br. 1965. 160 S.
174 MYNAREK, H.: Der Mensch, das Wesen der Zukunft. Glaube und Unglaube in anthropologischer Perspektive. München: Schönigh 1968. 125 S.
175 MYNAREK, H.: Existenzkrise Gottes? Der christliche Gott ist anders. Augsburg: Winfried-Werk 1969. 110 S.

176 Moderne NATURWISSENSCHAFT und Atheismus. Hrsg. von O. Klohr. Berlin: VEB Deutscher Verlag d. Wissenschaften 1964. 312 S.
177 NEUENSCHWANDER, U.: Die religiöse Krise des 20. Jahrhunderts. Glaube und Unglaube als Grundform menschlicher Existenz. Bern: Haupt 1967. 38 S.
178 NIHILISMUS. Die Anfänge. Von Jacobi bis Nietzsche. Eingel. und hrsg. von D. Arendt. Köln: Hegner 1970. 393 S.
    NITSCHKE, H. (Hrsg.): Siehe Nr. 253 (Wo ist Gott?).
179 NÜDLING, G.: Ludwig Feuerbachs Religionsphilosophie. „Die Auflösung der Theologie in Anthropologie". Paderborn: Schönigh ²1961. VIII, 216 S.

180 OBENDIEK, E.: Was ist Atheismus? Wuppertal-Barmen: Jugenddienst-V. 1967. 28 S.
181 OGDEN, Sch. M.: Die Realität Gottes. Zürich: Zwingli-V. 1970. 283 S.
182 ORDNUNG, K.: Der Atheismus als Frage an die Christenheit. Berlin: Union-V. 1961. 36 S.
183 ORTEGA Y GASSET, J.: Gott in Sicht. Betrachtungen. Stuttgart: Deutsche Verlagsanstalt 1964. 191 S.

184 PARTNER von morgen? Das Gespräch zwischen Christentum und marxistischem Atheismus. Hrsg. von H.-J. Girock. Stuttgart, Berlin: Kreuz-V. 1968. 82 S.
    PEERMANN, D. (Hrsg.): Siehe Nr. 237 (Theologie im Umbruch).
185 PELZ, W. und L.: Gott ist nicht mehr... Von der Hoffnung des Menschen. Heilbronn: Salzer 1965. 220 S.
186 PFEIL, H.: Der atheistische Humanismus der Gegenwart. Aschaffenburg: Pattloch ²1961. 160 S.
187 PFEIL, H.: Der moderne Unglaube und unsere Verantwortung. Donauwörth: Auer 1965. 141 S.
    PFEIL, H. (Hrsg.): Siehe Nr. 43 (Der Dialog der Kirche).
188 PICHT, G.: Der Gott der Philosophen und die Wissenschaft der Neuzeit. Stuttgart: Klett 1966. 106 S.
189 POL, VAN DE: Die Zukunft von Kirche und Christentum. Wien: Herder 1970. 359 S. (Darin: Das siebente Jahrzehnt, S. 13—58).
190 PLE, A.: Freud und die Religion. Eine kritische Bestandsaufnahme für die Diskussion der Zeit. Wien: Cura-V. 1969. 127 S.

191 Post, W.: Kritik der Religion bei Karl Marx. München: Kösel 1969. 327 S.
Post, W.: Siehe Nr. 57 (Fetscher).
192 PSYCHOTHERAPIE und religiöse Erfahrung. Ein Tagungsbericht. Hrsg. von W. Bitter. Stuttgart: Klett 1965. 267 S.

193 QUENZER, W.: Welt ohne Utopie. Aspekte des Säkularismus. Stuttgart: Kreuz-V. 1966. 70 S.

194 RAHNER, K.: Glaubst du an Gott? München: Ars Sacra 1967. 127 S.
RAHNER, K.: Siehe Nr. 71 (Garaudy).
195 RANKE-HEINEMANN, U.: Christentum für Gläubige und Ungläubige. Essen: Driewer 1968. 100 S.
196 RATSCHOW, C. H.: Gott existiert. Berlin: Töpelmann 1966. 87 S.
197 RATSCHOW, C. H.: Atheismus im Christentum? Eine Auseinandersetzung mit Ernst Bloch. Gütersloh: Mohn 1970. 119 S.
198 REDING, M.: Die Glaubensfreiheit im Marxismus. Zum Verhältnis von Marxismus und christlichem Glauben. Wien: Europa-V. 1967. 140 S.
199 REHM, W.: Jean Paul — Dostojewski. Eine Studie zur dichterischen Gestaltung des Unglaubens. Göttingen: Vandenhoeck & Ruprecht 1962.
200 REIDINGER, O.: Gottes Tod und Hegels Auferstehung. Antwort an Dorothee Sölle. Berlin, Hamburg: Luther. Verlagshaus 1969. 173 S.
REIN, G. (Hrsg.): Siehe Nr. 44 (Dialog mit dem Zweifel).
201 RELIGION und Atheismus heute. Ergebnisse und Aufgaben marxistischer Religionskritik. Hrsg. von O. Klohr. Berlin: VEB Deutscher Verlag der Wissenschaften 1966. 178 S.
202 ROBINSON, J. A. T.: Gott ist anders. Honest to God. München: Kaiser 1963. 144 S.
203 ROBINSON, J. A. T.: Eine neue Reformation? München: Kaiser 1965. 152 S. (Darin: Kann ein redlicher Zeitgenosse etwas anderes als Atheist sein? S. 113—130).
204 ROCCA, A. DI: Welt ohne Gott. Gedanken zum Atheismus von heute. Gröbenzell bei München: Hacker 1961. 61 S. (= Hacker-Taschenbücher, 8).
205 ROHDE, H.: Mensch ohne Gott. Erziehung im atheistischen Materialismus. Freiburg: Herder 1961. 125 S.
206 RÖHR, H.: Pseudoreligiöse Motive in den Frühschriften von Karl Marx. Tübingen: Mohr 1962. 65 S.
207 RÖSSLER, H.: Gott ist anders. Gespräch mit seinen Leugnern und Gegnern. Donauwörth: Auer [2]1962. 93 S.
208 RUSSELL, B.: Warum ich kein Christ bin. München: Szczesny 1963. 269 S. Auch: Reinbek: Rowohlt 1968. 263 S. (= Rororo-Taschenbuch, 1019/20).

209 SAUER, R.: Herausforderung des Atheismus. Ein Werk- und Arbeitsbuch für Schule und Erwachsenenbildung. München: Pfeiffer 1970. 299 S.
210 SCHACHNOWITSCH, M. I.: Lenin und die Fragen des Atheismus. Berlin: Dietz 1966. 628 S.
SCHAEFER, A. (Hrsg.): Siehe Nr. 91 (Der Gottesgedanke . . .).

211 SCHARFENBERG, J.: Sigmund Freud und seine Religionskritik als Herausforderung für den christlichen Glauben. Göttingen: Vandenhoeck & Ruprecht 1968. 221 S.

212 SCHILLEBEECKX, E.: Neues Glaubensverständnis. Honest to Robinson. Mainz: Grünewald 1964. 91 S.

213 SCHILLEBEECKX, E.: Gott, die Zukunft des Menschen. Mainz: Grünewald 1969. 174 S.

214 SCHILLEBEECKX, E.: Gott – Kirche – Welt. Mainz: Grünewald 1970. 298 S. (Darin: Die Frage nach Gott, S. 13–79).

215 SCHLETTE, H. R.: Colloquium salutis – Christen und Nichtchristen heute. Köln: Bachem 1965. 99 S.

216 SCHLETTE, H. R.: Christen als Humanisten. München: Hueber 1967. 154 S.

217 SCHMAUS, M.: Der Glaube der Kirche. Bd. I. München: Hueber 1969. 792 S. (Darin: Atheismus und Skeptizismus, S. 56–73).

218 SCHMID, F.: Wie reden wir richtig mit den Atheisten? Stuttgart: Calwer 1963. 31 S.

219 SCHÖPFERTUM und Freiheit in einer humanen Gesellschaft. Gespräche der Paulus-Gesellschaft. Marienbader Protokolle. Hrsg. von E. Kellner. Wien: Europa-V. 1969. 375 S.

220 SCHREY, H. H.: Auseinandersetzung mit dem Marxismus. Stuttgart: Kreuz-V. 1963. 78 S.

221 SCHÜLER, G.: Revolution um Gott und den Glauben. Aspekte existenzialer Theologie. Stuttgart: Evangel. Verlagswerk 1969. 138 S.

222 SCHUFFENHAUER, W.: Feuerbach und der junge Marx. Zur Entstehungsgeschichte der marxistischen Weltanschauung. Berlin: Deutscher Verlag der Wissenschaften 1965. 231 S.

SCHULTZ, H. J. (Hrsg.): Siehe Nr. 252 (Wer ist das eigentlich – Gott?).

SEEBERG, A. (Hrsg.): Siehe Nr. 1 (Abschied vom Christentum?).

223 SIEGMUND, G.: Der Kampf um Gott. Zugleich eine Geschichte des Atheismus. Berlin: Morus ²1960. 361 S.

224 SIEGMUND, G.: Nietzsches Kunde vom „Tode Gottes". Berlin: Morus 1964. 80 S.

225 SIEGMUND, G.: Gott in Sicht? Aschaffenburg: Pattloch 1966. 176 S.

226 SIGMOND, R.: Atheismus – Christentum. Das Problem des Atheismus, eine Diagnose über den Atheismus in der modernen Welt. Köln: Amerikan.-Ungar. V. (um 1967). 48 S.

227 SKODA, F.: Die sowjetrussische philosophische Religionskritik heute. Freiburg: Herder 1968. 160 S.

228 SKRIVER, A.: Gotteslästerung? Hamburg: Rütten & Loening 1962. 159 S.

229 SÖLLE, D.: Stellvertretung. Ein Kapitel Theologie nach dem „Tode Gottes". Stuttgart: Kreuz-V. 1965. 208 S.

230 SÖLLE, D.: Atheistisch an Gott glauben. Beiträge zur Theologie. Olten und Freiburg i. Br.: Walter 1968. 129 S.

STÄHLIN, R.: Siehe Nr. 63 (Fries).

231 STAUDINGER, H.: Gott: Fehlanzeige? Überlegungen eines Historikers zu Grenzfragen seiner Wissenschaft. Trier: Spee 1968. VII, 187 S.

232 STEENBERGHEN, F. VAN: Ein verborgener Gott. Wie wissen wir, daß Gott existiert? Paderborn: Schönigh 1966. 288 S.
STÖHR, M. (Hrsg.): Siehe Nr. 47 (Disputation . . .).

233 STRUVE, N.: Die Christen in der UdSSR. Mainz: Grünewald 1965. 546 S.

234 STÜRMER, K.: Atheistischer Humanismus? Göttingen: Vandenhoeck & Ruprecht 1964. 24 S.

235 SZCZESNY, G.: Die Zukunft des Unglaubens. Zeitgemäße Betrachtungen eines Nichtchristen. Mit dem erweiterten Briefwechsel Friedrich Heer — Gerhard Szczesny. München: List 1965. 298 S.
SZCZESNY, G.: Siehe Nr. 100 (Heer).

236 THEODOROWITSCH, N.: Religion und Atheismus in der UdSSR. Dokumente und Berichte. München: Claudius 1970. 327 S.

237 THEOLOGIE im Umbruch. Der Beitrag Amerikas zur gegenwärtigen Theologie. Hrsg. von D. Peermann. München: Kaiser 1968. 221 S.

238 THIELICKE, H.: Der evangelische Glaube. Bd. I. Tübingen: Mohr 1968. 611 S. (Darin: Die Theologie inmitten der in sich selbst gegründeten Wirklichkeit. Situation und Aufgabe der Theologie im Zeitalter des angeblichen Todes Gottes, S. 305—365).

239 TOYNBEE, A. und Ph.: Über Gott und die Welt. Ein Gespräch zwischen den Generationen. München: Szczesny 1965. 175 S.

240 TRILLHAAS, W.: Glaube und Kritik. Folgen des neuzeitlichen Bewußtseins in der Theologie. Göttingen: Vandenhoeck & Ruprecht 1969. 27 S.

ULLRICH, H.: Siehe Nr. 102 (Heyden) und Nr. 248 (Wegweiser zum Atheismus).

241 ULRICH, F.: Atheismus und Menschwerdung. Einsiedeln: Johannes-V. 1966. 75 S.

242 VERGOTE, A.: Religionspsychologie. Olten und Freiburg i. Br.: Walter 1970. 402 S. (Darin: Der Atheismus, S. 326—348).

243 VERHOEVEN, G.: Wohin ist Gott? Freiburg i. Br.: Herder 1969. 165 S.

244 VOSSENBERG, E. TH. V. D.: Die letzten Gründe der Innerweltlichkeit in Nicolai Hartmanns Philosophie. Rom: Università Gregoriana 1963. 228 S.

245 WALTHER, G.: Zum anderen Ufer. Vom Marxismus und Atheismus zum Christentum. Remagen: Reichl 1960. 712 S.

246 WARUM ich aus der Kirche ausgetreten bin. Hrsg. von K. Deschner. München: Kindler 1970. 204 S.

247 WAS halten Sie vom Christentum? 18 Antworten auf eine Umfrage. Hrsg von K. Deschner. München: List 1961. 142 S.

248 WEGWEISER zum Atheismus. Hrsg. von G. Heyden, K. A. Mollnau (und) H. Ullrich. Leipzig: Urania-V. Bd. II. 1960. 223 S. Bd. III. 1962. 267 S.

249 WEIN, H.: Positives Antichristentum. Nietzsches Christusbild im Brennpunkt nachchristlicher Anthropologie. Den Haag: Nijhoff 1962. XI, 114 S.

250 WELT ohne Gott. Herausforderung der Christen. Beiträge zum Thema Säkularisation und Atheismus. Wien: Cura-V. 1970. 134 S.

251 Marxistisches und christliches WELTVERSTÄNDNIS. Freiburg i. Br.: Herder 1966. 167 S. (= Schriften zum Weltgespräch, 1).
252 WER ist das eigentlich – Gott? Hrsg. von H. J. Schultz. München: Kösel 1969. 290 S.
253 Wo ist Gott? Stimmen unserer Zeit. Hrsg. von H. Nitschke. Gütersloh: Mohn 1967. 215 S. Auch: 1969. 160 S. (= Gütersloher Taschenbuchausgabe, 49).
254 WÜNSCH, G.: Der moderne Atheismus im Urteil des christlichen Glaubens. Frankfurt a. M.: Deutscher Bund für Freies Christentum 1960. 19 S.
255 WYNEKEN, G.: Abschied vom Christentum. Ein Nichtchrist befragt die Religionswissenschaft. München: Szczesny 1963. 259 S. Auch: Reinbek: Rowohlt 1970. 260 S. (= Rororo-Sachbuch, 6727/28).

256 ZAHRNT, H.: Die Sache mit Gott. Die protestantische Theologie im 20. Jahrhundert. München: Piper & Co. 1966. 512 S.
257 ZAHRNT, H.: Gott kann nicht sterben. Wider die falschen Alternativen in Theologie und Gesellschaft. München: Piper & Co. 1970. 328 S.
ZAHRNT, H. (Hrsg.): Siehe Nr. 1 (Abschied vom Christentum?) und Nr. 77 (Gespräch über Gott).
258 ZIMMERMANN, W.-D.: Die Welt soll unser Himmel sein. Atheistische Propaganda in der DDR. Stuttgart: Kreuz-V. 1963. 74 S.
259 ZUSAMMENARBEIT von Christen und Atheisten. Das Problem der sittlichen Normen. Moraltheologentagung 1969 in Wien. Wien: Herder 1970. 60 S.

B) Aufsätze und Beiträge

260 ADLER, E.: Grundlinien der atheistischen Propagandaliteratur im Ostblock. In: Concilium 3 (1967) 231–243.
261 ALEXANDER, D.: Moderne Naturwissenschaft und Atheismus. In: Einheit 19 (1964) 105–109.
262 ALEXANDER, D. – KLÜGL, J.: Moderne Naturwissenschaft und Atheismus. In: Deutsche Zeitschrift für Philosophie 12 (1964) 356–364.
263 AMÉRY, J.: Das Jahrhundert ohne Gott. In: Die Zukunft der Philosophie. Hrsg. von H. R. Schlette. Olten: Walter 1968, 13–33.
264 APTHEKER, H.: Marxismus und Religion. In: Marxistische Blätter 5 (1967) 6–10.
265 ARNTZ, J.: Atheismus im Namen des Menschen. In: Concilium 2 (1966) 422–425.
266 Der ATHEISMUS als Frage an die Kirche. In: Lutherische Monatshefte 1 (1962) 518–524.
267 Der ATHEISMUS in der Sowjetunion. In: Dokumente 16 (1960) 206–214.
268 AUER, A.: Der moderne Atheismus und die Kirche. In: Klerusblatt 42 (1962) 37–40.
269 AUSTIN, H. V.: Die Gottesfrage in der heutigen amerikanischen Theologie der Gegenwart. In: Zeitschrift für Theologie und Kirche 64 (1967) 325–356.

270 BACHT, H.: Die Gottesfrage heute. In: Der Männerseelsorger 18 (1968) 106–115.

271 BAERWALD, F.: Soziologische Perspektiven zum Dialog mit dem atheistischen Humanismus. In: Jahrbuch des Instituts für Christliche Sozialwissenschaft 7/8 (1966/67) 401–412.

272 BALLY, G.: Die Gottlosigkeit der Welt und die Glaubensfrage. In: Wege zum Menschen 14 (1962) 337–346.

273 BAMBERGER, J.: Ist die Religion Selbsttäuschung? Freuds Kampfansage an die Theologie. In: Concilium 2 (1966) 436–443.

274 BARTH, K.: Denken heißt Nachdenken. In: Kirche in der Zeit 21 (1966) 203–205.

275 BARTSCH, H. W.: Über die Möglichkeit, von Gott zu reden. In: Kirche in der Zeit 19 (1964) 155–161.

276 BAUDLER, G.: Atheisten im Religionsunterricht. Biblische Überlegungen zum Problem eines obligatorischen Religionsunterrichtes in der pluralistischen Gesellschaft. In: Katechetische Blätter 92 (1967) 661–667.

277 BAUER, A. V.: Unsere Auseinandersetzung mit dem modernen Unglauben. In: Trierer Theologische Zeitschrift 76 (1967) 372–385.

278 BAUMGARTNER, H. M.: Über das Gottesverständnis der Transzendentalphilosophie. Bemerkungen zum Atheismusstreit von 1798/99. In: Philosophisches Jahrbuch 73 (1965/66) 303–321.

279 BAUMGARTNER, H. M.: Transzendentales Denken und Atheismus. Der Atheismusstreit um Fichte. In: Hochland 56 (1963) 40–48.

280 BAUR, J.: Himmel ohne Gott. In: Neue Zeitschrift für systematische Theologie 11 (1969) 1–12.

281 BEN-CHORIN, Sch.: Israel und Atheismus. Eine jüdische Antwort auf eine gottlose Welt. In: Wort und Wahrheit 20 (1965) 615–624.

282 BEN-CHORIN, Sch.: „Theologie nach dem Tode Gottes" und das christlich-jüdische Gespräch. In: Enuma 4 (1969) 48–50.

283 BENCKERT, H.: Zur Diskussion um „Gott" in der gegenwärtigen deutschsprachigen Theologie. In: Studia Theologica 22 (1968) 93–106.

284 BENSE, M.: Warum man Atheist sein muß. In: Club Voltaire, Band I, München 1963, 66–71.

285 BENSE, M.: Warum man heute Atheist sein muß. In: Kirche in der Zeit 21 (1966) 200–203.

286 BENSON, R. W.: „Gott" als Antwort. In: Evangelische Theologie 26 (1966) 368–377.

287 BISER, E.: Was besagt Nietzsches These „Gott ist tot"? In: Wissenschaft und Weisheit 25 (1962) 48–63, 102–127.

288 BISER, E.: Der abwesende Gott. Über die religiöse Leitkategorie im Selbstverständnis der Gegenwart. In: Wort und Wahrheit 8 (1963) 34–46.

289 BISER, E.: Die Proklamation von Gottes Tod. Nietzsches Parabel „Der tolle Mensch" im Licht der Textgeschichte. In: Hochland 56 (1963/64) 137–152.

290 BISER, E.: Dialog mit dem Unglauben. Möglichkeiten und Grenzen. In: Wort und Wahrheit 21 (1966) 339–347.

291 BISER, E.: Der totgesagte Gott. In: Lebendiges Zeugnis, Heft 3/4, 1968, 53–66.

292 BRAATEN, C. E.: Radikale Theologie in Amerika heute. In: Lutherische Monatshefte 7 (1968) 55–60.

293 BRÄKER, H.: Die religionsphilosophische Diskussion in der Sowjetunion. In: Marxismusstudien, 6. Folge, Tübingen 1969, 115–151.

294 BRANDENBURG, A.: Tod Gottes. In: Catholica 23 (1969) 278–293.

295 BRAUN, H.: Gottes Existenz und meine Geschichtlichkeit im Neuen Testament. Eine Antwort an Helmut Gollwitzer. In: Zeit und Geschichte (Festgabe für R. Bultmann), hrsg. von E. Dinkler. Tübingen: Mohr 1964, 399–421.

296 BRAUN, R.: Sigmund Freuds Unglaube. Sein Verhältnis zum Christentum in seinem Briefwechsel. In: Wort und Wahrheit 19 (1964) 450–456.

297 BRAUNEWELL, W.: Moderne Naturwissenschaft und Atheismus. In: Kirche in der Zeit 20 (1965) 352–355.

298 BRIEN, A.: Glaubt die moderne Welt an Gott? In: Theologie der Gegenwart 5 (1962) 63–68.

299 BROX, N.: Zum Vorwurf des Atheismus gegen die alte Kirche. In: Trierer Theologische Zeitschrift 75 (1966) 274–282.

300 BRUGGER, W.: Sprachanalytische Reflexion über den Atheismus-Dialog. In: Akten des XIV. Internationalen Kongresses für Philosophie, Band V, Wien 1970, 375–383.

301 BUBER, M.: Gottesfinsternis. Betrachtungen zur Beziehung zwischen Religion und Philosophie. In: Werke, Band 1. München: Kösel 1962, 503–603.

302 BUKDAHL, J. K.: Die theologische Marxismuskritik und der moderne Marxismus. In: Dem Menschen zugute (Festschrift für F. G. Harbsmeier), hrsg. von K. E. Løgstrup und E. Wolf. München: Kaiser 1970, 134–146.

303 BULTMANN, R.: Welchen Sinn hat es, von Gott zu reden? In: Glauben und Verstehen I, Tübingen: Mohr ⁴1961, 26–37.

304 BULTMANN, R.: Der Gottesgedanke und der moderne Mensch. In: Zeitschrift für Theologie und Kirche 60 (1963) 335–348 (= Universitas 19 [1964] 1023–36 = Glauben und Verstehen IV, Tübingen: Mohr 1965, 113–127).

305 BUREN, P. v.: Christliche Erziehung post mortem Dei. In: Theologia Practica 1 (1966) 152–161 (= Zum Religionsunterricht morgen I. Hrsg. von W. G. Esser. München: Pfeiffer 1970, 11–21).

306 BUREN, P. v.: Bonhoeffers Paradoxon: Leben mit Gott ohne Gott. In: Glaube und Weltlichkeit bei Dietrich Bonhoeffer. Stuttgart: Calwer 1969, 54–74.

307 BUSKE, Th.: Gottes Gottlosigkeit. Religionsphilosophische Elemente eines existentiellen A-Theismus (J.-P. Sartre). In: Neue Zeitschrift für systematische Theologie 12 (1970) 255–274.

308 CHEVALLIER, L.: Der Atheismus in der Welt der Technik. In: Wissen und Gewissen in der Technik. Hrsg. von A. Spitaler und A. Schieb. Graz: Styria 1964, 183–192.

309 CORNEHL, P.: Feuerbach und die Naturphilosophie. Zur Genese der Anthropologie und Religionskritik des jungen Feuerbach. In: Neue Zeitschrift für systematische Theologie 11 (1969) 37–93.

310 COTTIER, C. M. M. – WETTER, G. A.: Atheismus. In: Sowjetsystem und Demokratische Gesellschaft, Band I, Freiburg 1966, 409–426.

311 DANIÉLOU, J.: Gottes Wiederentdeckung. In: Wort und Wahrheit 17 (1962) 517–528.

312 DANTINE, W.: Atheismus unter christlichem Vorzeichen. In: Radius 9 (1964) 37–41.

313 DANTINE, J.: Gott war in Christus. Theologie nach dem Tode Gottes. In: Theologische Zeitschrift 24 (1968) 435–467.

314 DANTINE, W.: Hegels Bedeutung für die gegenwärtige Krise des Theismus. In: Wiener Jahrbuch für Philosophie, Band III, Wien 1970, 149–161.

315 DELEKAT, F.: Zur Theologie von Dorothee Sölle. In: Kerygma und Dogma 16 (1970) 130–143.

316 DIRKS, W.: Der Atheismus und die Frömmigkeit. In: Kraft und Ohnmacht. Hrsg. von M. v. Galli und M. Plate. Frankfurt: Knecht 1963, 182–197.

317 DIRKS, W.: Unser Vater. Rand- und Vorbemerkungen zu einem aktuellen Tatbestand. In: Hochland 60 (1967/68) 193–200.

318 DONDEYNE, A.: Die Existenz Gottes und der zeitgenössische Materialismus. In: J. de Bivort de la Saudée – J. Hüttenbügel: Gott – Mensch – Universum. Köln–Graz: Styria ²1964, 51–100.

319 DONDEYNE, A.: Gott im Leben des modernen Menschen. In: Umstrittener Glaube. Hrsg. von A. Dondeyne u. a. Wien: Herder 1969, 1–61.

320 EBELING, G.: Die Botschaft von Gott an das Zeitalter des Atheismus. In: Monatsschrift für Pastoraltheologie 52 (1963) 8–24 (= Wort und Glaube II. Tübingen: Mohr 1969, 372–395).

321 EBELING, G.: Existenz zwischen Gott und Gott. Ein Beitrag zur Frage nach der Existenz Gottes. In: Zeitschrift für Theologie und Kirche 62 (1965) 86–113 (= Wort und Glaube II. Tübingen: Mohr 1969, 257–286).

322 EBELING, G.: Zum Verständnis von R. Bultmanns Aufsatz: „Welchen Sinn hat es, von Gott zu reden?" In: Wort und Glaube II. Tübingen: Mohr 1969, 343–371.

323 ELEK, T.: Relativitätstheorie und Atheismus. In: Periodica polytechnica. Electrical engineering, Bd. 8 (1964) 165–179.

324 ENGELMEIER, M.-P.: Gottverlassenheit. Zum Gotteserlebnis des modernen Menschen. In: Der Seelsorger 38 (1968) 229–234.

325 ESPIAU DE LA MAESTRE, A.: André Malraux und der „postulatorische Atheismus". In: Stimmen der Zeit 167 (1960) 180–89.

326 ESPIAU DE LA MAESTRE, A.: Christentum und atheistischer Humanismus. In: Der große Entschluß 17 (1961/62) 7–13, 55–57.

327 ESPIAU DE LA MAESTRE, A.: Mensch und Gott bei Sartre und Camus. In: Moderne Literatur und christlicher Glaube. Würzburg: Echter 1968, 93–126.

328 FABRO, C.: Eine unbekannte Schrift zum Atheismusstreit? In: Kant-Studien 58 (1967) 5–21.

329 FABRO, C.: Die Positivität des modernen Atheismus. In: Internationale Dialog Zeitschrift 1 (1968) 146–156.

330 FAJDIGA, V.: Über einige Ursachen des Unglaubens. In: Internationale Dialog Zeitschrift 1 (1968) 167–173.

331 FASCHER, E.: Der Vorwurf der Gottlosigkeit in der Auseinandersetzung bei Juden, Griechen und Heiden. In: Abraham unser Vater (Festschrift für O. Michel), hrsg. von O. Betz. Leiden: Brill 1963, 78–105.

332 FEIFEL, E.: Das neue Verständnis der Kirche vom „ungläubigen" Menschen und die katechetische Bewältigung dieser Frage. In: Katechetische Blätter 92 (1967) 160–183.

333 FESSARD, G.: Die theologischen Strukturen im marxistischen Atheismus. In: Concilium 2 (1966) 407–415.

334 FETSCHER, I.: Wandlungen der marxistischen Religionskritik. In: Concilium 2 (1966) 455–466.

335 FIORENZA, F. P.: Die Abwesenheit Gottes als ein theologisches Problem. In: Grenzfragen des Glaubens. Hrsg. von Ch. Hörgl und F. Rauh. Einsiedeln: Benziger 1967, 423–451.

336 FLÜGEL, H.: Die Tragik Gottes. Zum Gespräch über den Glauben. In: Kontexte, Bd. 1. Stuttgart: Kreuz-V. 1965, 27–32.

337 FLÜGEL, H.: Der atheistische Marxismus als Frage an die Christen. In: Die Autorität der Freiheit. Hrsg. von J. Chr. Hampe. Band III. München: Kösel, 604–615.

338 FOLEY, G.: Die religiöse Religionslosigkeit des Bischofs Robinson. In: Evangelische Theologie 24 (1964) 178–195.

339 FRIES, H.: Die Botschaft von Christus in einer Welt ohne Gott. In: Im Dienste des Rechtes in Kirche und Staat (Festschrift für F. Arnold), hrsg. von W. M. Plöchl und I. Gampl. Wien: Herder 1963, 100–122.

340 FRIES, H.: Theologische Überlegungen zum Phänomen des Atheismus. In: Theologie im Wandel (Festschrift zum 150jährigen Bestehen der katholisch-theologischen Fakultät an der Universität Tübingen). Freiburg–München: Wewel 1967, 254–279.

341 FRIES, H.: Religionsloses Christentum? In: Wesen und Weisen der Religion (Festschrift für W. Keilbach), hrsg. von Ch. Hörgl u. a. München: Hueber 1969, 267–281.

342 FRIES, H.: Wie wird heute nach Gott gefragt? In: Bibel und Kirche 25 (1970) 45–48.

343 FUCHS, R.: Der Atheismus in der Sowjetpädagogik. In: Der evangelische Erzieher 13 (1961) 231–235.

344 GAGERN, M. v.: Ludwig Feuerbachs „dritter und letzter Gedanke". In: Freiburger Zeitschrift für Philosophie und Theologie 17 (1970) 139–160.

345 GEFFRE, Cl.: Der Atheismus als Frage an den christlichen Glauben heute. In: J. de Bivort de la Saudée – J. Hüttenbügel: Gott – Mensch – Universum. Köln–Graz: Styria ²1964, 35–50.

346 GETHMANN, C. F.: Eine Überlegung zum Atheismusproblem. In: Orientierung 34 (1970) 95–97.

347 GETHMANN – SIEFERT, A.: Theologische Perspektiven im marxistischen Humanismus. In: Orientierung 34 (1970) 223–227.

348 GEYER, H. G.: Theologie des Nihilismus. In: Evangelische Theologie 23 (1963) 89—104.

349 GEYER, H. G.: Atheismus und Christentum. In: Evangelische Theologie 30 (1970) 255—274.

350 GIRARDI, J.: Reflexionen über die religiöse Indifferenz. In: Concilium 3 (1967) 197—201.

351 GIRARDI, J.: Der Atheismus und das Moralproblem. In: Internationale Dialog Zeitschrift 1 (1968) 407—411.

352 GIRARDI, G.: Entmythologisierung und Atheismus. In: Kerygma und Mythos. Band 6, Teil 4. Hamburg 1968, 177—199.

353 GOLDAMMER, K.: Gott — ein Verspäteter? In: Lebendiges Zeugnis, Heft 3/4, 1968, 23—39.

354 GOLLWITZER, H.: Die marxistische Religionskritik und der christliche Glaube. In: Marxismusstudien, 4. Folge. Tübingen: 1962, 1—143 (= Nr. 84 dieser Bibliographie).

355 GOLLWITZER, H.: Das Gespräch des Konzils mit dem Atheismus des Ostens. In: Junge Kirche 27 (1966) 253—258 (= Die Autorität der Freiheit. Hrsg. von J. Chr. Hampe, Band III, München 1967, 596—603).

356 GOLLWITZER, H.: Das Wort Gott in christlicher Theologie. In: Theologische Literaturzeitung 92 (1967) 161—176.

357 GOTTSCHLING, G.: Die weltanschaulichen Grundlagen und der historische Charakter des marxistischen Atheismusbegriffes. In: Deutsche Zeitschrift für Philosophie 18 (1970) 534—544.

358 GRAMM, R.: Der Atheismus und die Antwort der Kirche. In: Pastoralblätter 106 (1966) 34—44.

359 GRASS, H.: Die Gottesfrage in der gegenwärtigen Theologie. In: Theologische Rundschau 35 (1970) 231—269.

360 GUARDINI, R.: Der Atheismus und die Möglichkeit der Autorität. In: Sorge um den Menschen, Band 1, Würzburg: Werkbund-V. 1962, 87—98 (= Dios y el hombre contemporamed. Madrid: ZYX 1965, 199—207).

361 GULYGA, A. W.: Der „Atheismusstreit" und der streitbare Atheismus in den letzten Jahrzehnten des 18. Jahrhunderts in Deutschland. In: Wissen und Gewissen, Beiträge zum 200. Geburtstag J. G. Fichtes. Hrsg. von M. Buhr. Berlin: Akademie-V. 1962, 205—223.

362 GUSDORF, G.: Gottes Fehlen in der heutigen Welt. In: Lutherische Rundschau 16 (1966) 3—20.

363 HAAR, J.: Anfänge des Atheismus in der Neuzeit. In: Ich glaube an eine heilige Kirche (Festschrift für H. Asmussen), hrsg. von W. Bauer u. a. Stuttgart: Evangelisches Verlagswerk 1963, 218—226.

364 HAAS, J.: Biologie und Atheismus. In: Die Kirche in der Welt 11 (1960) 43—50.

365 HAHN, F.: Christlicher Glaube in nachchristlicher Zeit. In: Freiburger Zeitschrift für Philosophie und Theologie 17 (1970) 289—307.

366 HAHN, K. J.: Das neue Profil des Unglaubens. In: Hochland 54 (1961/62) 1—10.

367 HAHN, K. J.: Der Unglaube des Gläubigen. In: Lebendige Seelsorge 13 (1962) 111–116.

368 HAMILTON, W.: Bemerkungen zur „Radical Theology". In: Concilium 3 (1967) 730–735.

369 HAMILTON, W.: „Death-of-God"-Theology in den Vereinigten Staaten. In: Pastoraltheologie 56 (1967) 353–362, 425–436.

370 HAPKE, E.: Christen und Atheisten — hört hier die Ökumene auf? In: Vorgänge 5 (1966) 459–466.

371 HARDER, G.: Jüdische und christliche Antwort auf den Atheismus. In: Junge Kirche 25 (1964) 320–328.

372 HÄRING, B.: Konzil und Atheismus. In: Theologie der Gegenwart 11 (1968) 16–19.

373 HARVEY, V. A.: Die Gottesfrage in der amerikanischen Theologie der Gegenwart. In: Zeitschrift für Theologie und Kirche 64 (1967) 325–356.

374 HASENHÜTTL, G.: Die neue Gott-ist-tot-Theologie. In: Bibel und Kirche 25 (1970) 37–41.

375 HEER, F.: Atheisten und Christen in einer Welt. In: (W.) Daim — (F.) Heer — (A. M.) Knoll: Kirche und Zukunft. Wien–Zürich: Europa-V. 1963, 43–69.

376 HEIDEGGER, M.: Nietzsches Wort „Gott ist tot". In: Holzwege. Frankfurt a. M.: Klostermann ⁴1963, 193–247.

377 HEIM, Th.: Blochs Atheismus. In: E. Bloch zu ehren. Hrsg. von S. Unseld. Frankfurt a. M.: Suhrkamp 1965, 157–179.

378 HEIN, H. J.: Der Atheismus bei Albert Camus. In: Die Pforte 16 (1966/67) 141–150.

379 HEINRICH, J.: Die mißverstandene Urania oder „Wegweiser zum Atheismus". In: Priester und Arbeiter 10 (1960) 176–189.

380 HEISE, W.: Aufgeklärte Gegenaufklärung. In: Deutsche Zeitschrift für Philosophie 16 (1968) 1347–55.

381 HEMBERG, K.: Schwedischer Atheismus im 20. Jahrhundert. In: Lutherische Rundschau 17 (1967) 253–260.

382 HEPBURN, R. W.: Kritik an der humanistischen Theologie. In: Club Voltaire, Bd. II, München 1965, 34–50.

383 HERMANN, I.: Der totale Humanismus. Utopische Wegzeichen zwischen Koexistenz und Pluralismus. In: Concilium 2 (1966) 467–476.

384 HERZOG, F.: Die Gottesfrage in der heutigen amerikanischen Theologie. In: Evangelische Theologie 28 (1968) 129–153.

385 HIMMELSBACH, A.: „Atheistische Theologie" bei Johannes vom Kreuz. In: Theologie und Glaube 58 (1968) 433–441.

386 HINZ, E.: Zur Neuinterpretation von Religion und Atheismus in der säkularen Gesellschaft. In: Lutherische Rundschau 16 (1966) 483–489.

387 HÖFLICH, E.: Die Verlegenheit, über Gott zu reden. In: Lebendiges Zeugnis, Heft 3/4, 1968, 40–52.

388 HOLLITSCHER, W.: Marxismus und Religion. In: Weg und Ziel 19 (1961) 482–493.

389 HOLLITSCHER, W.: Die Logik des Atheismus. In: Internationaler Dialog Zeitschrift 1 (1968) 174–178.

390 HOLMER, P.: Theismus und Atheismus. Gedanken zu einem akademischen Vorurteil. In: Lutherische Rundschau 16 (1966) 21–37.
391 HONECKER, M.: Die Gottesfrage bei Albert Camus. In: Kirche in der Zeit 18 (1963) 278–284.
392 HONECKER, M.: Das schwere Wort „Gott". In: Protestantische Texte aus dem Jahre 1965. Stuttgart, Berlin: Kreuz-V. 1966, 113–133.
393 HONECKER, M.: Gibt es eine nach-theistische Theologie? Über das Problem des Theismus. In: Monatsschrift für Pastoraltheologie 57 (1968) 156–169.
394 HORKHEIMER, M.: Theismus – Atheismus. In: Zeugnisse (Festschrift für Th. W. Adorno), hrsg. von M. Horkheimer. Frankfurt a. M.: Europäische Verlagsanstalt 1963, 9–19.
395 HORNIG, G.: Zur Wandlung und Klärung des Gottesbegriffs. In: Humanitas – Christianitas (Festschrift für W. v. Loewenich), hrsg. von K. Beyschlag u. a. Witten: Luther-V. 1968, 276–290.
396 HOSSFELD, P.: Die Stellung der christlichen Religion in der marxistischen Anthropologie von Ernst Bloch. In: Theologie und Glaube 56 (1966) 486–501.
397 HOSSFELD, P.: Die „Bekehrung" von Simone de Beauvoir und J. P. Sartre zum Atheismus. In: Theologie und Glaube 60 (1970) 144–158.
398 HUMMEL, G.: Die Sinnlichkeit der Gotteserfahrung. Ludwig Feuerbachs Philosophie als Anfrage an die Theologie. In: Neue Zeitschrift für systematische Theologie 12 (1970) 44–62.
399 HUXLEY, J.: Der Gott des Dr. Robinson. In: Club Voltaire, Bd. I, München 1963, 40–44.

400 JENSON, R. W.: „Gott" als Antwort. In: Evangelische Theologie 26 (1966) 368–377.
401 JOLIF, J.-Y.: Der Atheismus und die Suche nach einer wirklichen Verbindung unter den Menschen. In: Concilium 3 (1967) 690–694.
402 JOPKE, W.: Fichtes Atheismusstreit. In: Wissenschaftliche Zeitschrift der Humboldt-Universität Berlin (Gesellschafts- und sprachwissenschaftl. Reihe) 11 (1962) 751–762.
403 JUNGE, P.-P.: Für eine neue dialektische Theologie. Zu dem letzten Buch von Gerhard Koch „Die Zukunft des toten Gottes". In: Evangelische Theologie 30 (1970) 337–355.
404 JÜNGEL, E.: Vom Tod des lebendigen Gottes. In: Zeitschrift für Theologie und Kirche 65 (1968) 93–116.
405 JÜNGEL, E.: Gott – als Wort unserer Sprache. In: Evangelische Theologie 29 (1969) 1–24.
406 JÜNGEL, E.: Das dunkle Wort vom „Tode Gottes". In: Evangelische Kommentare 2 (1969) 133–138.
407 JURITSCH, M.: Ist unsere Zeit vaterlos? In: Neue Ordnung 20 (1966) 97 bis 113.

408 KASPER, W.: Unsere Gottesbeziehung angesichts der sich wandelnden Gottesvorstellung. In: Catholica 20 (1966) 245–263.
409 KERN, W.: Über das Wort Nietzsches „Gott ist tot". In: Stimmen der Zeit 172 (1962/63) 226–230.

410 KERN, W.: Atheismus – Christentum – emanzipierte Gesellschaft. Zu ihrem Bezug in der Sicht Hegels. In: Zeitschrift für Katholische Theologie 91 (1969) 289–321.

411 KERN, W.: Christliche Geneologie des modernen Atheismus? In: Stimmen der Zeit 185 (1970) 289–299.

412 KIMMERLE, H.: Der marxistische Atheismus. Zur Religionskritik bei Marx, Engels und Lenin. In: Evangelische Theologie 26 (1966) 434–447.

413 KLOHR, O.: Helmut Gollwitzers Kritik am Atheismus von Karl Marx. In: Wissenschaftliche Zeitschrift der Friedrich-Schiller-Universität Jena (Gesellschafts- und sprachwissenschaftliche Reihe) 13 (1964) 353–357.

414 KLOHR, O.: Probleme des wissenschaftlichen Atheismus und der atheistischen Propaganda. In: Deutsche Zeitschrift für Philosophie 12 (1964) 133–150.

415 KLÜGL, J.: Die bürgerliche Religionssoziologie. In: Deutsche Zeitschrift für Philosophie 15 (1967) 671–690.

416 KNAUER, P.: Welchen Sinn hat das Wort „Gott" im christlichen Glauben? In: Theologie und Glaube 58 (1968) 321–333.

417 KNEVELS, W.: Atheismus und Antitheismus sind zweierlei. In: Reformatio 10 (1961) 552–55.

418 KNIGHT, M.: Erziehung ohne Religion. In: Club Voltaire. Bd. I, München ²1964, 53–65.

419 KÖNIG, F.: Über Atheismus. In: Neues Forum 12 (1965) 483–485.

420 KÖNIG, F.: Der Atheismus als Herausforderung. In: Worte zur Zeit. Wien: Herder 1968, 94–104.

421 KÖNIG, F.: Atheismus und christlicher Glaube nach dem Konzil. In: Wesen und Weisen der Religion (Festschrift für W. Keilbach), hrsg. von Ch. Hörgl u. a. München 1969: Hueber, 301–316.

422 KÖNIG, F.: Dialog – auch mit den Atheisten. Das Institut für Atheismusforschung an der katholisch-theologischen Fakultät der Universität Wien. In: Brief aus Österreich. Nachkontaktzeitschrift. 1969, 4–7.

423 KORCH, H.: Die Immanenz des Atheismus im naturwissenschaftlichen Denken. In: Wissenschaftliche Zeitschrift der Friedrich-Schiller-Universität Jena (Gesellschafts- und sprachwissenschaftliche Reihe) 13 (1964) 229–233.

424 KORVIN-KRASINSKI, C. v.: Ein Beitrag zum Thema „Gott ist tot". In: Heuresis (Festschrift für A. Rohracher), hrsg. von Th. Michels. Salzburg: Müller 1969, 25–41.

425 KREJČI, J.: Atheismus im Wandel. In: Ost-Probleme 19 (1967) 423–427.

426 KREJČI, J.: Ein neues Modell des wissenschaftlichen Atheismus. In: Internationale Dialog Zeitschrift 1 (1968) 191–207.

427 KREMER, Kl.: „Gott ist anders". Eine Begegnung mit der gleichnamigen Schrift von J. A. T. Robinson. In: Trierer Theologische Zeitschrift 75 (1966) 193–210, 257–279.

428 KREMER, Kl.: Vertikalismus (Transzendenz) und/oder Horizontalismus (Immanenz) in der Gottesfrage? Eine Begegnung mit J. A. T. Robinson, H. Braun, L. Feuerbach und D. Sölle. In: Trierer Theologische Zeitschrift 79 (1970) 84–100, 144–167, 257–280.

429 KRENN, K.: Die Gottesfrage in einer ametaphysischen Epoche. In: Wesen und Weisen der Religion (Festschrift für W. Keilbach), hrsg. von Ch. Hörgl u. a. München: Hueber 1969, 247–266.

430 KRIEGER, E.: Nietzsches Destruktion des christlichen Bewußtseins. In: Wissenschaft und Weisheit 28 (1965) 123–128.

431 KRIEGER, E.: Der deutsche Neuidealismus als atheistische Gotteslehre. In: Wissenschaft und Weisheit 25 (1962) 81–102 (= Grenzwege. Das Konkrete in Reflexion und Geschichte von Hegel bis Bloch. Freiburg, München: Alber 1968, 86–118).

432 KUNZ, E.: „Gott" im nachtheistischen Zeitalter. Zum Verständnis des Glaubens an Gott bei Dorothee Sölle. In: Theologie und Philosophie 44 (1969) 531–553.

433 LANGEMEYER, B.: Unser Reden von Gott. In: Catholica 2 (1970) 129–141.

434 LARCHER, Chr.: Die Transzendenz Gottes als ein Grund für seine Abwesenheit. In: Concilium 5 (1969) 748–755.

435 LÄPPLE, A.: Die vom Atheismus gegen Gottes Existenz vorgebrachten Gründe lassen sich widerlegen, doch ist zur Auseinandersetzung mit ihm vor allem lebendiger Glaube aufgerufen. In: Warum glauben? Hrsg. von W. Kern und G. Stachel. Würzburg: Echter [3]1966, 142–150.

436 LEBOEUF, F.: Die Theologien vom Tode Gottes. In: Wege zum Menschen 20 (1968) 129–143.

437 LEHMANN, K.: Kirche und Atheismus heute. In: Katechetische Blätter 92 (1967) 148–159.

438 LEHMANN, K.: Pastoraltheologische Maximen christlicher Verkündigung an den Ungläubigen von heute. In: Concilium 3 (1967) 208–217.

439 LEHMANN, K.: Die kirchliche Verkündigung angesichts des modernen Unglaubens. In: Handbuch der Pastoraltheologie, Band III, Freiburg 1968, 636–671.

440 LEIST, F.: Heidegger und Nietzsche. In: Philosophisches Jahrbuch 70 (1962/63) 363–394.

441 LEIST, F.: Die Botschaft vom „Tod Gottes". Vorentwurf einer Begegnung mit Nietzsches „Also sprach Zarathustra". In: Religion und Erlebnis (Festschrift für F. X. v. Hornstein), hrsg. v. J. Rudin. Olten und Freiburg i. Br.: Walter 1963, 159–202.

442 LOCHMANN, J. M.: Der Atheismus – Frage an die Kirche. In: Evangelische Theologie 18 (1966) 219–227.

443 LOCHMANN, J. M.: Evangelium für Atheisten. In: Internationale Dialog Zeitschrift 1 (1968) 221–229.

444 LOHMANN, Th.: Was ist Religion? In: Wissenschaftliche Zeitschrift der Friedrich-Schiller-Universität Jena (Ges. u. spr. Reihe) 14 (1965) 717–736.

445 LOTZ, J. B.: Einige positive Seiten am Problem des Atheismus. In: Il problema dell' ateismo. Brescia: Morcelliana 1962, 301–311.

446 LÖWITH, K.: Die Entzauberung der Welt durch die Wissenschaft. In: Club Voltaire, Band II, München 1965, 135–155.

447 LUCK, U.: Die Anfrage des Atheismus an den christlichen Glauben als Problem biblischer Theologie. In: Evangelische Theologie 27 (1967) 42–61.

448 LUDZ, P. Chr.: Der Begriff der Religion bei Karl Marx und im Marxismus. In: Monatsschrift für Pastoraltheologie 49 (1960) 268–276.

449 LUDZ, P. Chr.: Religionskritik und utopische Revolution. In: Probleme der Religionssoziologie. (Sonderheft 6 der Kölner Zeitschrift für Soziologie und Sozialpsychologie). Hrsg. von D. Goldschmidt und J. Matthes. Köln und Opladen 1962, 87–111.

450 LUKINSKI, F.: Bemerkungen zur wissenschaftlich-atheistischen Propaganda. In: Sowjetwissenschaft. Heft 12, 1960, 1349–56.

451 LUTZ, H.: Sozialgeschichtliche Voraussetzungen des Atheismus. In: Gewerkschaftliche Monatshefte 19 (1968) 596–601.

452 MACHOVEC, M.: Atheisten und Christen – Brüder? Gegner? In: Protestantische Texte aus dem Jahre 1965. Stuttgart, Berlin: Kreuz-V. 1966, 134 bis 141.

453 MACHOVEC, M.: Atheismus und Christentum – wechselseitige Herausforderung als Aufgabe. In: Internationale Dialog Zeitschrift 1 (1968) 38–42.

454 MAINBERGER, G.: Von den göttlichen Namen. Eine Wiederholung der philosophischen Gottesfrage im Horizont von Gottes Kult, Gottes Tod und Gottes Mord. In: Studia philosophica 27 (1967) 97–119.

455 MAINBERGER, G.: Wie weit bringt es die Philosophie in der Gottesfrage? In: Philosophisches Jahrbuch 77 (1970) 41–65.

456 MARCEL, G.: Der Mensch vor dem totgesagten Gott. In: Sinn und Sein. Hrsg. von R. Wisser. Tübingen: Niemeyer 1960, 443–448 (= Dialog und Erfahrung. Hrsg. von W. Ruf. Frankfurt a. M.: Knecht 1969, 50–67).

457 MARCEL, G.: Philosophie, negative Theologie, Atheismus. In: Wissenschaft und Weltbild 19 (1966) 1–14.

458 MARCUSE, L.: Einige Aufklärungen. In: Club Voltaire, Bd. II, München 1965, 13–33.

459 MARLET, M.: Gibt es Atheisten? In: Orientierung 29 (1965) 52–53.

460 MARLET, M.: Religion und Glaube. In: Rechenschaft vom Glauben. Hrsg. von E. Hesse und H. Erharter. Wien: Herder 1969, 27–47 (mit Diskussion).

461 MARQUARDT, F. M.: Solidarität mit den Gottlosen. Zur Geschichte und Bedeutung eines Theologumenons. In: Vom Herrengeheimnis der Wahrheit (Festschrift für H. Vogel), hrsg. v. K. Scharf. Berlin, Stuttgart: Lettner-V. 1962, 381–406.

462 MASER, S.: Atheismus – Chance der Zukunft? In: Kirche in der Zeit 22 (1967) 201–205.

463 MEINHOLD, P.: „Opium des Volkes"? Zur Religionskritik von Heinrich Heine und Karl Marx. In: Monatsschrift für Pastoraltheologie 49 (1960) 161–176.

464 MESSNER, R. O.: Die Kernstruktur des monotheistischen Gottesbegriffes. Zugleich Erstellung einer Basis für den Dialog mit dem zeitgenössischen wissenschaftslogischen Atheismus. In: Franziskanische Studien 50 (1968) 31–161.

465 MESSNER, J. – TOPITSCH, E.: Atheismus und Naturrecht. Ein Streitgespräch. In: Neues Forum 13 (1966) 152–153, 475–478, 607–611, 698–702; 14 (1967) 28–31.

466 METZ, J. B.: Gott vor uns. Statt eines theologischen Arguments. In: Ernst Bloch zu ehren. Hrsg. von S. Unseld. Frankfurt: Suhrkamp 1965, 227–242.

467 METZ, J. B.: Unglaube (systematisch). In: Lexikon für Theologie und Kirche, Band 10, Freiburg 1965, 496–499.

468 METZ, J. B.: Der Unglaube als theologisches Problem. In: Concilium 1 (1965) 484–492.

469 METZ, J. B.: Kirche für die Ungläubigen? In: Umkehr und Erneuerung. Hrsg. von Th. Filthaut. Mainz: Grünewald 1966, 312–329.

470 MOELLER, Ch.: Zur Theologie des Unglaubens als Grundlage für die Prinzipien kirchlichen Heilswirkens. In: Concilium 3 (1967) 180–189.

471 MITSCHERLICH, A.: Thesen zu einer Diskussion über Atheismus. In: Club Voltaire, Band I, München ²1964, 72–80.

472 MITSCHERLICH, A.: Humanismus als Konfession. In: Vorgänge 6 (1967) 47–54.

473 MOLTMANN, J.: Christen und Atheisten – Brüder? Gegner? In: Protestantische Texte aus dem Jahre 1965. Stuttgart, Berlin: Kreuz-V. 1966, 142–152.

474 MOLTMANN, J.: Hoffnung ohne Glaube? Zum eschatologischen Humanismus ohne Gott. In: Concilium 2 (1966) 415–421.

475 MOREL, G.: Versuch über den modernen Atheismus. In: Dokumente 21 (1965) 17–28.

476 MÜLLER, G.: Zwei Grundhaltungen zur Frage des Atheismus. In: Evangelische Unterweisung 23 (1968) 19–23.

477 MÜLLER-MARKUS, S.: Wer hat Gott gesehen? Die Naturwissenschaften und das Gespräch mit den Atheisten. In: Wort und Wahrheit 22 (1967) 180–192.

478 MÜLLER-SCHWEFE, H.-R.: Atheismus. In: Die großen Religionen. Hrsg. von G. Günther. Göttingen: Vandenhoeck & Ruprecht 1961, 138–152.

479 MÜLLER-SCHWEFE, H.-R.: Der östliche Atheismus als Frage an Europa. In: E. Heimann u. a.: Zum Tag der Deutschen Einheit. Hamburg: Selbstverlag der Universität 1963, 40–56.

480 MYNAREK, H.: Kann ein Christ Atheist sein? In: Wort und Wahrheit 24 (1969) 456–470.

481 NASTAINCZYK, W.: Anwesenheit vor dem abwesenden Gott. In: Trierer Theologische Zeitschrift 76 (1967) 101–110.

482 NASTAINCZYK, W.: Atheistische Erziehung in der kommunistischen Welt. In: Pädagogische Welt 22 (1968) 347–358.

483 NENNING, G.: Atheisten unter Christen und Marxisten. In: Der Seelsorger 36 (1966) 398–406.

484 NICKEL, E.: Naturwissenschaftlicher Atheismus? In: Begegnung 17 (1962) 35–40 (= Natur und Kultur 54 [1962] 184–190).

485 OEVERLAND, A.: Drei Artikel des Unglaubens. In: Club Voltaire, Band I, München ²1964, 45–52.

486 OEWERKERK, C. v.: John A. T. Robinsons pastorale Herausforderung. In: Diakonia 1 (1966) 28–43.

487 OGDEN, Sch. M.: Die christliche Gottesverkündigung an die Menschen des sogenannten „atheistischen Zeitalters". In: Concilium 2 (1966) 444–448.

488 PANCCHAVA, I.: Der wissenschaftliche Atheismus – eine lebensbejahende Weltauffassung. In: Sowjetwissenschaft. Heft 4, 1966, 367–374.

489 PANNENBERG, W.: Typen des Atheismus und ihre theologische Bedeutung. In: Zeitwende 34 (1963) 597–608 (= Grundfragen systematischer Theologie. Göttingen: Vandenhoeck & Ruprecht 1967, 347–360).

490 PANNENBERG, W.: Die Frage nach Gott. In: Evangelische Theologie 25 (1965) 238–262 (= Grundfragen systematischer Theologie. Göttingen: Vandenhoeck & Ruprecht 1967, 361–386).

491 PANNENBERG, W.: Reden von Gott angesichts atheistischer Kritik. In: Evangelische Kommentare 2 (1969) 442–446.

492 PICHT, G.: Was heißt aufgeklärtes Denken? In: Zeitschrift für evangelische Ethik 11 (1967) 218–230.

493 PETERS, A.: Zwischen Religion und Atheismus. Im Gespräch mit Helmut Gollwitzer. In: Lutherische Monatshefte 3 (1964) 2–6.

494 PFEIL, H.: Der postulatorische Atheismus als Ausdruck unserer Zeit. In: Religion, Wissenschaft, Kultur. Mitteilungen der Wiener Katholischen Akademie 12 (1961) 32–44.

495 PIGUET, J. Cl.: Die philosophische Problematik der Aussage „Gott ist tot" („Gott ist dreimal gestorben"). In: Wissenschaftliche Zeitschrift der Friedrich-Schiller-Universität Jena (Gesellschafts- und sprachwissenschaftliche Reihe) 14 (1965) 611–617, 619–620.

496 RADECKI, S. v.: Das große Von Selbst. Gedanken über den Atheismus. In: Gesichtspunkte. Köln, Olten: Hegner 1964, 162–173.

497 RAHNER, K.: Der Christ und seine ungläubigen Verwandten. In: Schriften zur Theologie III. Einsiedeln: Benziger [4]1961, 419–439.

498 RAHNER, K.: Atheismus und implizites Christentum. In: Schriften zur Theologie VIII. Einsiedeln: Benziger 1967, 187–212.

499 RAHNER, K.: Atheismus. In: Sacramentum Mundi, Band I, Freiburg i. Br. 1967, Sp. 372–383.

500 RAHNER, K.: Zur Lehre des II. Vatikanischen Konzils über den Atheismus. In: Concilium 3 (1967) 171–180.

501 RAHNER, K.: Die missionarische Sendung des einzelnen Christen in der Begegnung mit dem Ungläubigen. In: Handbuch der Pastoraltheologie III, Freiburg 1968, 671–677.

502 RAHNER, K.: Theologische Überlegungen zu Säkularisation und Atheismus. In: Schriften zur Theologie IX. Einsiedeln: Benziger 1970, 177–196.

503 RATZINGER, J.: Atheismus. In: Wahrheit und Zeugnis. Hrsg. von M. Schmaus und A. Läpple. Düsseldorf: Patmos 1964, 94–100.

504 REDING, M.: Marxismus und Atheismus. In: Universitätstage. Berlin: Freie Universität 1961, 160–168.

505 REDING, M.: Der Sinn des Marxschen Atheismus. In: Universitas 16 (1961) 517–525.

506 REDING, M.: Politischer Atheismus. In: Menschliche Existenz und moderne Welt. Hrsg. von R. Schwarz. Teil II. Berlin: De Gruyter 1967, 101–105.

507 REIFENHÄUSER, H.: Die Frage nach der Wirklichkeit Gottes in der Welt von heute. In: Theologie und Glaube 58 (1968) 297–320.

508 RICOEUR, B.: Der Atheismus der Psychoanalyse Freuds. In: Concilium 2 (1966) 430–435.

509 RIES, J.: Chancen der Verkündigung im modernen Atheismus. In: Lebendige Seelsorge 13 (1962) 121–126.

510 ROBBE, M.: Religionskritik im marxistisch-christlichen Dialog. In: Deutsche Zeitschrift für Philosophie 13 (1965) 1332–37.

511 ROBBE, M.: Marxismus und Religionsforschung. In: Internationales Jahrbuch für Religionssoziologie, Band II, 1966, 157–184.

512 ROBBE, M.: Christentum und Christen im Spätkapitalismus. In: Deutsche Zeitschrift für Philosophie 18 (1970) 1059–77.

513 ROBINSON, J. A. T.: Kann man heute kein Atheist sein? Der Glaube post mortem dei. In: Kontexte, Band 1, Stuttgart: Kreuz-V. 1965, 5–15.

514 ROHRMOSER, G.: Die Religionskritik von Karl Marx im Blickpunkt der Hegelschen Religionsphilosophie. In: Neue Zeitschrift für systematische Theologie 2 (1960) 44–63.

515 ROHRMOSER, G.: Das Atheismusproblem bei Hegel und Nietzsche. In: Der evangelische Erzieher 18 (1966) 345–353.

516 ROHRMOSER, G.: Atheismus und Dialektik bei Hegel. In: Studium Generale 21 (1968) 916–933.

517 ROHRMOSER, G.: Zum Atheismusproblem im Denken von Pascal bis Nietzsche. In: Internationale Dialog Zeitschrift 1 (1968) 130–145.

518 ROHRMOSER, G.: Metaphysik und das Ende der Emanzipation (Nietzsche–Marx). In: Neue Zeitschrift für systematische Theologie 12 (1970) 229 bis 266.

519 RUPPRECHT, F.: Weltanschauung und Politik im Dialog zwischen katholischem Christentum und Marxismus. In: Deutsche Zeitschrift für Philosophie 14 (1966) 931–945.

520 SALERNO, M.: Marxismus und Atheismus. In: Internationale Dialog Zeitschrift 2 (1969) 265–276.

521 SANDVOSS, E.: Asebie und Atheismus im klassischen Zeitalter der griechischen Polis. In: Saeculum 19 (1968) 312–329.

522 SARTORY, Th.: Der Atheismus als Frage an den Glaubenden. In: Die Zumutung des Glaubens. Hrsg. von O. Betz. München: Pfeiffer 1968, 117 bis 147.

523 SASS, G.: Die Zukunft des Unglaubens. Der militante Atheismus des Ostens und der milde des Westens. In: Der evangelische Erzieher 13 (1961) 242–247.

524 SAUER, R.: Die Katechese im Angesicht des Unglaubens. In: Katechetische Blätter 91 (1966) 670–700 (= Die Zumutung des Glaubens. Hrsg. von O. Betz. München: Pfeiffer 1968, 148–167).

525 SCHAEFER, A.: Praxis. Zur Religionskritik von Karl Marx. In: Zeitschrift für Religions- und Geistesgeschichte 19 (1967) 127–139.

526 SCHALOM BEN-CHORIN: Israel und Atheismus. Eine jüdische Antwort auf eine gottlose Welt. In: Wort und Wahrheit 20 (1965) 615–624.

527 SCHARFENBERG, J.: Zum Religionsbegriff Sigmund Freuds. In: Evangelische Theologie 30 (1970) 367–378.

528 SCHELTENS, G.: Grundfragen der heutigen Gottesproblematik. In: Wissenschaft und Weisheit 32 (1969) 1–18.

529 SCHILLEBEECKX, E.: Sollen wir heute noch von Gott reden? In: Theologie der Gegenwart 11 (1968) 125–135.

530 SCHINDLER, A.: Kann der moderne Mensch an die Existenz Gottes glauben? In: Reformatio 13 (1964) 139–152.

531 SCHINDLER, I.: Die Gottesfrage heute im Vorfeld der Katechese. In: Theologie der Gegenwart 13 (1970) 26–32.

532 SCHLETTE, H. R.: Das Zeichen des Widerspruchs. Zur Kritik der Nichtchristen am Christentum. In: Wort und Wahrheit 21 (1966) 9–25.

533 SCHLETTE, H. R.: Der Agnostizismus und die Christen. In: Wahrheit und Verkündigung (Festschrift für M. Schmaus), hrsg. von L. Scheffczyk u. a. Paderborn: Schönigh 1967, Band I, 123–147.

534 SCHLIPPE, G.: Struktur des kommunistischen Atheismus. In: Baltische Hefte 6 (1959/60) 129–145.

535 SCHLÜTER, D.: Der Atheismus der Gegenwart. In: Die neue Ordnung 19 (1965) 161–179.

536 SCHMAUS, M.: Überlegungen zum gegenwärtigen Atheismus. In: Wesen und Weisen der Religion (Festschrift für W. Keilbach), hrsg. von Ch. Hörgl u. a. München: Hueber 1969, 282–300.

537 SCHMIDT, E.: Ludwig Feuerbachs Lehre von der Religion. In: Neue Zeitschrift für systematische Theologie 8 (1966) 1–35.

538 SCHMITZ, J.: Verantwortliches Reden von Gott. In: Trierer Theologische Zeitschrift 71 (1967) 163–182.

539 SCHMÖLZ, F.-M.: Der neue Staat der Atheisten. In: Der Mensch in der politischen Ordnung. Salzburg–München: Pustet 1966, 7–25.

540 SCHNEIDHÄUSER, U.: Wahrheit und Irrtum des Atheismus. In: Orientierung 28 (1964) 3–7.

541 SCHÖLLGEN, W.: Sein ohne Antlitz? Das Phänomen des modernen Unglaubens. In: Lebendiges Zeugnis, Heft 3/4, 1963, 108–133.

542 SCHREIBER, H.: Was sagt das Konzil zum Atheismus. In: Begegnung 21 (1966) 14–18.

543 SCHREIBER, J.: Sigmund Freud als Theologe. In: Theologia Practica 2 (1967) 189–207.

544 SCHREY, H. H.: Atheismus im Christentum? Zum Gespräch zwischen Marxismus und Christentum. In: Frankfurter Hefte 24 (1969) 418–428.

545 SCHÜTTE, H.: Der Atheismus Friedrich Nietzsches als indirekte Frage nach der paternalen Funktion der Kirche. In: Jahrbuch des Instituts für Christliche Sozialwissenschaften, Band 6, 1965, 65–81.

546 SCHÜTTE, H. W.: Tod Gottes und Fülle der Zeit. In: Zeitschrift für Theologie und Kirche 66 (1969) 62–76.

547 SCHWARZ, B.: Das Elend des Atheismus. In: Neues Forum 12 (1965) 140—141, 362—364, 436—439.
548 SCHWARZ, B.: Antwort an einen Atheisten. In: Der große Entschluß 21 (1965/66) 260—263, 300—305.
549 SEMMELROTH, O.: Atheismus — eine echte Möglichkeit? In: Theologische Akademie. Hrsg. von K. Rahner und O. Semmelroth, Band IV, Frankfurt: Knecht 1967, 46—64.
550 SIEGMUND, G.: Der Kampf um Gott. In: Theologie der Gegenwart 3 (1960) 156—163.
551 SIEGMUND, G.: Abriß der Geistesgeschichte des Atheismus. In: J. de Bivort de la Saudée — J. Hüttenbügel: Gott — Mensch — Universum. Köln, Graz ²1964, 5—33.
552 SIEGMUND, G.: Die Glaubensentscheidung von Karl Marx. In: Hochland 56 (1964) 322—331.
553 SIEGMUND, G.: Der Ursprung des modernen Atheismus im Idealismus. In: Wissenschaft und Weisheit 27 (1964) 129—135.
554 SIEGMUND, G.: Revolution des Gottesglaubens. In: Der große Entschluß 21 1965/66) 225—227, 255—259.
555 SIEGMUND, G.: Nietzsches Antichristentum. In: Zeitschrift für Katholische Theologie 88 (1966) 75—83.
556 SIEGMUND, G.: Gott in Sicht? In: Zeitwende 37 (1966) 498—503.
557 SIEGMUND, G.: Ideologischer Atheismus und Vulgäratheismus. Eine religionspsychologische Studie. In: Archiv für Religionspsychologie, Band 9, 1967, 254—281.
558 SIEGMUND, G.: Sartres Atheismus. In: Entschluß 25 (1970) 462—467.
559 SIEWERTH, G.: Atheismus. In: Handbuch theologischer Grundbegriffe, Band I, München 1962, 120—130.
560 Skinner, J. E.: Urheber der heutigen „Tod-Gottes-Theologie". In: Theologie der Gegenwart 10 (1967) 189—195.
561 SMOLIK, J.: Die Kirche in der atheistischen Welt. In: Evangelische Theologie 28 (1968) 114—128.
562 SÖHNGEN, G.: Der abwesende Gott. In: Kraft und Ohnmacht. Hrsg. von M. v. Galli und M. Plate. Frankfurt a. M.: Knecht 1963, 143—163.
563 SÖLLE, D.: „Theologie nach dem Tode Gottes". In: Merkur 18 (1964) 1101—17.
564 SÖLLE, D.: Atheistisch an Gott glauben? In: Merkur 20 (1966) 1106—19.
565 SÖLLE, D.: Das Gottesproblem in der modernen Welterfahrung. In: Hirschberg 21 (1968) 3—9.
566 SÖLLE, D.: Gibt es ein atheistisches Christentum? In: Merkur 23 (1969) 33—44 (= Evangelium und Geschichte in einer rationalisierten Welt. Hrsg. von P. Ascher. Trier: Spee 1969, 75—84).
567 SPLETT, J.: Das Christentum angesichts der marxistischen Religionskritik. In: Stimmen der Zeit 181 (1968) 319—326.
568 SPLETT, J.: Gestalten des Atheismus. In: Theologie und Philosophie 43 (1968) 321—337.
569 SPLETT, J.: Zur Kritik und Selbstkritik der Religion. In: Zeitschrift für Katholische Theologie 92 (1970) 48—59.

570 SPLETT, J.: Unser Sprechen von Gott. In: Catholica 2 (1970) 118—128.

571 SPLETT, J.: Gottesvorstellung und Wandel des Glaubensbewußtseins. In: Theologie und Philosophie 45 (1970) 192—203.

572 STADTER, E.: Theologisch-kerygmatische Überlegungen zur Religionskritik Sigmund Freuds. In: Wahrheit und Verkündigung (Festschrift für M. Schmaus), hrsg. von L. Scheffczyk u. a. Paderborn: Schönigh 1967, Band I, 285—325.

573 STEEMAN, Th.: Psychologische und soziologische Aspekte des modernen Atheismus. In: Concilium 3 (1967) 190—196.

574 STEER, R.: Zum Ursprung der Religionskritik von Ludwig Feuerbach. In: Jahrbuch des Instituts für Christliche Sozialwissenschaften, Band 9, 1968, 43—71.

575 STIEHLER, G.: Der Magdeburger Atheist. In: Beiträge zur Geschichte des vormarxistischen Materialismus. Hrsg. von G. Stiehler. Berlin: Dietz 1961, 44—62.

576 STROLZ, W.: Wurzeln und Erscheinungsformen des Atheismus. In: Anzeiger für die katholische Geistlichkeit Deutschlands 72 (1963) 310—314, 339—344.

577 STÜRMER, K.: Atheistischer Humanismus? In: Im Lichte der Reformation. Jahrbuch d. Evangelischen Bundes, Band 7, 1964, 72—93.

578 SUDBRACK, J.: Atheismus als Modell christlicher Gottesbegegnung. In: Geist und Leben 43 (1970) 24—38.

579 SZENNAY, A.: Pastoraltheologische Erwägungen über die Begegnung von Christen und Atheisten. In: Der Seelsorger 38 (1968) 173—177.

580 SZCZESNY, G.: Atheismus als Kritik an der Kirche. In: Kommunität 4 (1960) 18—22.

581 TEICHNER, W.: Atheismus um des Menschen willen? Grundzüge der Religionskritik Ludwig Feuerbachs und des Marxismus. In: Begegnung 22 (1967) 157—161.

582 THERA, V.: Ist der alte Buddhismus eine atheistische Selbsterlösungslehre? In: Yana 15 (1962) 338—375.

583 THEURER, W.: Theologie nach dem Tode Gottes. In: Theologie der Gegenwart 11 (1968) 1—7.

584 THIEL, J.: Die Entstehung der atheistischen Weltanschauung im Alten China. In: Königsteiner Studien 15 (1969) 35—51.

585 THIELICKE, H.: Studie zum Atheismus-Problem. In: Zeitschrift für evangelische Ethik 4 (1960) 129—136 (= Spannungsfelder der evangelischen Soziallehre. Hrsg. von F. Karrenberg und W. Schweitzer. Hamburg: Furche 1966, 202—211).

586 THIER, E.: Das Christentum und seine atheistische Umwelt. In: Im Lichte der Reformation. Jahrbuch des Evangelischen Bundes, Band 10, 1967, 121—134.

587 TOPITSCH, E.: Atheismus und Naturrecht. In: Vorgänge 5 (1966) 63—69 (= Club Voltaire, Band III, München 1967, 344—359).

301

588 TRILLHAAS, W.: Der Atheismus. Formen seiner Begründung und das Problem seiner Widerlegung. In: Neue Zeitschrift für systematische Theologie 2 (1960) 248–261.

589 TRTIK, Z.: Zur Frage der atheistischen Theologie. In: Internationale Dialog Zeitschrift 1 (1968) 28–37.

590 TRTIK, Z.: Die Theologie zwischen Theismus und Atheismus. In: Theologische Zeitschrift 25 (1969) 419–440.

591 VAHANIAN, G.: Die Rede vom Ende des religiösen Zeitalters in ihrer theologischen Bedeutung. In: Concilium 2 (1966) 449–454.

592 VANDERHEYDEN, J.: Der moderne Mensch und der Glaube an Gott. In: Wissenschaft und Weisheit 32 (1969) 38–55.

593 VAUX, R. DE: Anwesenheit und Abwesenheit Gottes in der Geschichte nach dem Alten Testament. In: Concilium 5 (1969) 729–735.

594 VOJTA, V.: Wenn Gott schweigt. In: Lutherische Rundschau 16 (1966) 85–88.

595 VORGRIMLER, H.: Der Atheismus in der neueren katholischen Theologie. In: Lutherische Rundschau 16 (1966) 38–55.

596 VORGRIMLER, H.: Theologische Bemerkungen zum Atheismus. In: Mysterium Salutis, Band III/2, Einsiedeln: Benziger 1969, 582–603.

597 WACKER, P. – MÖLLE, H.: Atheismus als Frage an die Christenheit. In: Theologie und Glaube 57 (1967) 91–107.

598 WAGNER, A.: Ist das Wort „Gott" tot? In: Freiburger Zeitschrift für Philosophie und Theologie 13/14 (1966/67) 93–98.

599 WAGNER, F.: Hegels Satz „Gott ist tot". Bemerkungen zu D. Sölles Hegelinterpretation. In: Zeitwende 38 (1967) 77–95.

600 WALLMANN, J.: Ludwig Feuerbach und die theologische Tradition. In: Zeitschrift für Theologie und Kirche 67 (1970) 56–86.

601 WARNACH, V.: Zur Seinskritik und zum „Atheismus" Nietzsches. In: Salzburger Jahrbuch für Philosophie, Band 9, 1965, 273–295.

602 Was kommt nach dem „Tode Gottes"? Zum Wiederaufleben des Gesprächs über Gott (II). In: Evangelische Kommentare 2 (1969) 187–192. (Teil I siehe Nr. 605).

603 WEIN, H.: Neuer Atheismus und neue Moralität. In: Club Voltaire, Band III, München 1967, 326–343.

604 WEISCHEDEL, W.: Philosophische Theologie im Schatten des Nihilismus. In: Evangelische Theologie 22 (1962) 233–249.

605 WELCHER Gott ist tot? Zum Wiederaufleben des Gesprächs über Gott (I). In: Evangelische Kommentare 2 (1969) 127–132. (Teil II siehe Nr. 602).

606 WELTE, B.: Nietzsches Atheismus und das Christentum. In: Auf der Spur des Ewigen. Freiburg: Herder 1965, 228–261.

607 WELTE, B.: Die philosophische Gotteserkenntnis und die Möglichkeit des Atheismus. In: Concilium 2 (1966) 399–406.

608 WESTERMANN, C.: Die Illusion des Atheismus. Über das Phänomen der elementaren Verwurzelung des Menschen in Gott. In: Zeitwende 34 (1963) 91–100.

609 WIEGAND, D.: Religionsphilosophie bei S. Freud. In: Zeitschrift für Religion und Geistesgeschichte 12 (1960) 167–175.
610 WILCZEK, G.: Atheismus in der sowjetischen Erziehung. In: Der katholische Erzieher 16 (1963) 160–63.
611 WINTER, G.: Über den Religionsbegriff in der zeitgenössischen evangelischen Theologie. In: Deutsche Zeitschrift für Philosophie 17 (1969) 985–1002.
612 WISSER, R.: Auf der Suche nach dem verlorenen Gott. In: Wissenschaft und Weltbild 16 (1963) 37–46.
613 WOLFF, P.: Nietzsches These vom Tode Gottes. In: Wahrheit, Wert und Sein (Festgabe für Dietrich von Hildebrand), hrsg. von B. Schwarz. Regensburg: Habbel 1970, 289–300.
614 WUCHERER-HULDENFELD, A.: Die „Religion" Freuds. Zum Problem des Atheismus in der Theorie der Psychoanalyse. In: Arzt und Christ 15 (1969) 15–23.
615 WUCHERER-HULDENFELD, A.: Was versteht Freud unter Religion? In: Jahrbuch für Psychologie, Psychotherapie und medizinische Anthropologie 15 (1967) 208–216.
616 WUCHERER-HULDENFELD, A.: Postulatorischer Atheismus. Über die Bedeutung der Religionskritik in der Psychoanalyse. In: Wort und Wahrheit 22 (1968) 193–202.
617 WULF, H.: Ist Gott tot? Zur Frage der Glaubwürdigkeit der Rede von Gott heute. In: Stimmen der Zeit 179 (1967) 321–333.

Thematische Einteilung

1. Historische Themen

Peguy, Claudel: 51.
Sartre: 51, 99. − 265, 307, 327, 397, 558. *Camus:* 51, 120. − 327, 378, 391.
Merleau-Ponty: 265. *Simone de Beauvoir:* 397. *Malraux:* 51, 325.
Bonhoeffer: 306. *J. A. T. Robinson:* 338, 399. (Siehe auch unter 7. Gottesfrage:
Zu Robinsons „Gott ist anders"). *H. Braun:* 428. *Sölle:* 200. − 315, 432, 599.
(Siehe auch unter 8. Gott-ist-tot-Theologie). *Gollwitzer:* 413, 493. *G. Koch:* 403.

2. Atheismus allgemein

Darstellung: 7, 74, 116, 137, 171, 180, 186. − 263, 310, 417, 419, 445, 475,
478, 499, 503, 535, 559.
Auseinandersetzung: 11, 13, 25, 68, 104, 129, 135, 203, 204, 217, 225, 228. −
280, 281, 301, 329, 340, 346, 371, 383, 390, 401, 407, 424, 445, 457, 459,
462, 476, 496, 502, 513, 536, 540, 541, 547, 548, 549, 550, 585, 588, 596,
608.

3. Selbstverständnis
des Atheismus und nicht-christlichen Humanismus

Atheistische Schriften:
a) *des Ostens:* 72, 102, 125, 154, 248. − 357, 388, 389, 414, 423, 488, 495.
b) *des Westens:* 20, 21, 70, 100, 105, 117, 123, 124, 139, 148, 156, 168,
208, 235, 239, 246, 247, 255. − 284, 285, 394, 446, 458, 471, 472, 485, 603.

Auseinandersetzung:
a) *mit dem Atheismus des Ostens:* 37, 50, 121, 220, 245. − 379, 539.
b) *mit dem Atheismus des Westens:* 1, 24, 45, 100, 108, 122, 139, 144, 146,
161, 172, 186, 215, 216, 234. − 274, 277, 326, 383, 460, 474, 577.
(Siehe auch unter 2. Atheismus allgemein und unter 4. Kritik . . .)

4. Kritik an Religion, Christentum und Theologie

Kritische Schriften: 3, 12, 32, 64, 66, 72, 75, 102, 112, 113, 117, 123, 124, 125,
148, 150, 153, 201, 235, 239, 246, 247, 249, 255. − 382, 399, 418, 485, 495,
510, 580, 611.
Darstellung und Auseinandersetzung: 1, 27, 61, 84, 122, 126, 144, 161, 167,
227, 234, 258. − 260, 264, 273, 293, 334, 354, 379, 412, 425, 448, 449, 450,
460, 491, 511, 514, 525, 532, 567, 569, 574, 581, 616.
(Siehe auch unter 1. Historische Themen: Feuerbach, Marx, Nietzsche, Freud,
und unter 3. Selbstverständnis . . .)

5. Atheismus − Christentum

Atheismus im/und Christentum: 7, 20, 23, 24, 67, 121, 139, 152, 182, 197,
226, 245, 259. − 337, 349, 370, 371, 375, 410, 420, 452, 453, 473, 480, 483,
498, 513, 533, 544, 566, 586, 597, 606.
Atheismus − Kirche: 6, 82, 138. − 266, 268, 358, 437, 442, 545, 561, 580.
Dialog mit Atheismus und Marxismus: 18, 31, 43, 71, 76, 78, 106, 107, 114,
141, 184, 198, 215, 219, 251. − 271, 290, 300, 355, 422, 464, 483, 510, 519,
544.

Unglaube – Glaube: 15, 18, 30, 42, 44, 55, 62, 81, 92, 95, 98, 100, 111, 118, 119, 148, 174, 177, 187, 195, 198, 199, 221, 235, 240, 254. – 272, 277, 290, 330, 332, 336, 345, 365, 366, 367, 421, 439, 447, 460, 467, 468, 469, 470, 485, 497, 501, 513, 522, 523, 541, 571.

6. Gottesfrage

Philosophisch: 91, 163, 169, 183, 188, 252. – 301, 318, 395, 429, 434, 454, 455, 456, 457, 464, 604, 607, 608.

Theologisch: 10, 14, 38, 49, 60, 77, 80, 83, 86, 87, 88, 90, 97, 164, 166, 173, 175, 181, 185, 194, 196, 202, 213, 214, 217, 221, 232, 256. – 270, 283, 286, 295, 311, 321, 335, 342, 356, 408, 466, 481, 490, 528, 554, 556, 562, 571, 612.

„Von Gott reden": 26, 28, 49, 136. – 275, 303, 322, 387, 392, 405, 416, 433, 491, 529, 538, 570, 598, 617.

Moderner Mensch und Gottesglaube: 89, 203. – 272, 288, 298, 304, 319, 324, 342, 362, 494, 507, 530, 565, 592.

Zu Robinsons Buch „Gott ist anders": 46, 136, 212. – 338, 399, 427, 428, 486.

7. Gott-ist-tot-Theologie

Vertreter: 4, 229, 230. – 305, 306, 368, 369, 563, 564, 565, 566, 591.

Darstellung: 19, 29, 35, 36, 189, 237. – 269, 292, 312, 313, 359, 369, 373, 374, 384, 432, 436, 560, 583, 590, 602, 605.

Auseinandersetzung: 13, 23, 63, 85, 96, 128, 175, 189, 200, 238, 257. – 282, 294, 315, 393, 404, 406, 428, 432, 480, 546, 589, 602, 605.

8. Theologische Einzelthemen

Pastoraltheologisch:
a) *allgemein:* 86, 143, 180, 209. – 367, 437, 438, 469, 470, 486, 501, 579.
b) *Verkündigung:* 107. – 320, 439, 443, 487, 509, 572.
c) *Gespräch mit Ungläubigen:* 30, 76, 92, 114, 207, 218. – 336.

Katechetisch: 55, 76, 86, 89, 209. – 276, 305, 332, 524, 531.

Moraltheologisch: 8, 259. – 316, 351, 360.

Problemkreis Säkularisierung: 2, 26, 34, 127, 134, 147, 160, 165, 193, 250. – 341, 386, 492, 502.

Krise und Zukunft der Religion: 39, 41, 59, 73, 98, 140, 170, 177, 189. – 591.

Konzil und Atheismus: 355, 372, 431, 500, 542.

Spezielle Fragen: 52, 54, 158, 241. – 302, 317, 333, 347, 348, 352, 403, 411, 461, 578, 593, 595, 604.

9. Sonstige Einzelthemen

Religionswissenschaftlich: 79, 103, 160, 255. – 293, 307, 353, 448, 478, 584, 609.

Psychologisch: 142, 192, 242. – 508, 557, 573, 614, 616.
(Siehe auch unter 1. Historische Themen: Freud)

Pädagogisch: 205. – 343, 418, 482, 610.

Soziologisch: 167. – 271, 415, 449, 451, 511, 545, 573.

Inhalt